The Alchemy of Us

How Humans and Matter Transformed One Another

発明は改造する、人類を。

アイニッサ・ラミレズ
Ainissa Ramirez
安部恵子 訳

柏書房

発明は改造する、人類を。

The Alchemy of Us
by Ainissa Ramirez

Japanese translation published by arrangement with The MIT Press
through The English Agency (Tokyo) Ltd.

母と祖母のために

何かに触れるということは
それを変えるということ。

何かを変えるということは
それがあなたを変えるということ……

オクティヴィア・E・バトラー

第6章 共有する……215
データの磁石粉は共有することを可能にしたが、共有を止めることを困難にもした。

第7章 発見する……251
実験用ガラス器具のおかげで、私たちは新しい薬を発見し、またエレクトロニクス時代への秘密を発見することになった。

第8章 考える……287
原始的な電話交換機の発明は、コンピューター用シリコンチップの先駆けになったが、私たちの脳の接続方法も変えた。

あとがき……334
謝辞……338
訳者あとがき……343
図の出典……348
引用の許可……349
参考文献……378
注……399
索引……巻末

まえがき

私は四歳のときからずっと科学者になりたいと思っていた。そのせいで、ニュージャージー州の私の住んでいた街角で、私は変わった女の子扱いされていた。なぜ空は青いのとか、なぜ葉っぱの色は変わるのとか、なぜ雪の結晶は六角形なのとか、何でも知りたがるタイプだ。七〇年代後半から八〇年代に、この好奇心の赴くままテレビ番組を見ているうちに、科学者になろうと思うようになった。当時、『スタートレック』（とミスター・スポック）や、『バイオニック・ジェミー』、『サイボーグ危機一髪』といった番組が大好きだったが、私に科学の道を進むことを決意させたのは、公共放送の教育テレビ番組『3－2－1コンタクト』だ。番組では毎回、アフリカ系アメリカ人の女の子が登場して問題を解決するコーナーがあった。その子が頭を使って考えているのを見ていると、私は自分自身を見ているように感じた。

小さいころ、科学には楽しさと驚きがいっぱいだった。けれどもその後、科学者になるという私の夢はすっかりしぼんでしまった。座って科学の講義を受けていると、涙がこみあげてきた。どの講義も、楽しく感じるとか驚きをもたらすことからは程遠かった。要するに、無味乾燥とした授業は、学生を淘汰するような作りになっていた。化学講座は規則がちがちの化学実験マニュアルだったし、工学演習では蒸気エンジンを調べるばかり、数学もやる気になれなかった。各科目とも、今、習っている内容よりもましなものだということは理解していたし、先輩や先生にも助けられ、図書館で多くの時間をすごしたおかげもあって、私はなんとか切り抜けた。そして幸運なことに、私は自分に驚きを取り戻してくれる専攻を見つけたのだ。材料科学、というあまり有名ではない分野だ。私はここで、私たちの世界のすべてのものは、原子の働きであることを学んだ。

材料科学は、私の故郷ニュージャージー州にちょっと似ている。それは、もっと有名な二つのものに挟まれている点だ。ニュージャージー州は、ニューヨーク市とフィラデルフィア市のあいだに、材料科学は化学と物理のあいだに存在する。材料科学はニュージャージー州と同様に、自身のすばらしさを証拠とともにきちんと示すことがまだできていない。「兄弟愛の町」フィラデルフィアと「ビッグアップル」ニューヨークが存在しなかったら、ニュージャージーは名実ともにすてきで立派な州だっただろう。アイオワ州の隣とか、どこかもっと西に位置していたら、独自の歴史や文化を持ち、確実に独自の姿勢を身につけていただろう。だが、「庭園の州」ニュージャージーは、圧倒的な隣人たちによって影が薄れている。同じことが、材料科学にもあてはまる。

私は、真価を認められていない州や理系科目のことを偏愛している――が、それはさておき、材料科学が大好きになったのは、一つにはブラウン大学でお世話になった教授がおっしゃったことに感動したからだ。「われわれが床を突き抜けて落ちていかないのも、私のセーターが青いのも、照明が点灯するのも、原子が互いに作用し合うからだ」とL・ベン・フロインド教授は語った。「そして、原子がどのように働くかを見いだすことができれば、原子の動きを変えて新しいことをさせられる」。それを聞いてから、私は自分の周りのものすべてに新たな光をあてて考えてみた。私は鉛筆を眺めた。鉛筆で何かが書けるのは、炭素原子の層がお互いに滑り合うからだ。私は眼鏡を見た。眼鏡は光を曲げて私がド近眼の目で見るのを助けてくれる。私は履いている靴のゴム部分を見た。弾力があって足に快適なのは、ゴムにねじれたコイル状の分子が含まれるからだ。先生が話してくれたことが、全世界を私にとって意味のあるものに変えた。驚きを感じる気持ちは戻ってきたが、私がそれをしっかり自分のものとするには、学部時代の時間がまるまるかかることになった。厳しい初歩の科学講座で淘汰されていたら、このチャンスは容易に消えていたかもしれない。大学を卒業するとき、私は科学でこんなふうに苦しむ人を出さないためになら、何でもしようと誓った。本書で、私はその古い誓いを果たそうと試みている。

誓いを立ててから二〇年、科学者になって長い年月がたち、私は本書のためのアイデアをふいに思いついた。そのときの私は一人のおとなとして、ワクワクするものが相変わらず好きだったが、学びとスリルがどちらも含まれるようなことがしたかった。ガラス吹きはそれにぴったりあてはまったので、数回のクラスを受けることにして申し込んだ。

ガラス吹きの授業では、すごいと思うことばかりだった。たとえば、レイ先生が透明の塊を何回かグイッ、グイッと引っ張って、疾走する馬に変えるのを見たときだ。だが、恐怖にも満ちていた。床に熱いガラスをぽたぽた落として、靴の底に穴が開くぞと先生に注意されたときもそうだった。座学での理解よりも、ガラスを使って作業したことで深い理解が得られた。ところが、まもなく私は予想外のことを学ぶ。

ある水曜日、夜間講座に到着したとき、私はまったくやる気が出ない憂鬱な気分になっていた。いつもなら、ガラス吹きの授業にくると、最高の敬意をもってガラスのどろりとした液体を扱って、自分の吹き竿を大だるに浸し、少量を巻き取り、ゴルフボールぐらいの大きさに膨らませ、小さな花瓶の形にする。ところが、その夜の授業では安全をややおろそかにした。

そのニューイングランド地方の冬の夜、私は吹き竿の先にいつもの三倍量のガラスを巻き取ると、一部が床に滴り落ちて、竿を支える自分の筋肉はほとんど限界になった。私は気にしなかった。息を吹き入れて野球ボール二個分の長さに膨らませ、熱して、形を作り、熱して、回して、熱して、形を作る。やる気がついに出てきて、その花瓶は今まで作ったサンプルでも、最高作品になりそうだと気がついた。最終段階に近づくと、私は花瓶を先端につけて炉の中に入れた吹き竿を支えたまま、クラスメートと会話を始めた。ガラスをいじりながら、ほかのことも考え始めた——絶対にやってはいけないことだ。

雑談していたために、花瓶を炉の中に入れている時間が長くなりすぎて、花瓶はオレンジ色に光ってきて、吹き竿の先端でだらりと下がってしまった。高慢な気持ちが消えた。ガラスを一八〇度回転させた。しかし花瓶は新たに下側にしたほうにだらりと垂れた。また回転する。垂れ下がる。また回転する。垂れ下がる。また回転する。また垂れ下がる。汗の雫が唇まで落ちてきた。

開いた窓からの凍てついた空気がガラスの花瓶を冷まして固くし、窮地から救い出してくれることを願った。けれども、作業室の炉の中は熱帯のまま変わらなかった。困ったことになった。ガラスもそれに気づいたように見えた。

ついに、花瓶は自分自身でことを運び始めた。私がまた吹き竿を回すと、花瓶は床に落ちたのだ。私は、ガラスの破片が飛んできて自分の肌に刺さっていないか確かめたが、大丈夫だった。けれども花瓶は床に散らばって脈動していて、大丈夫ではなかった。

私が大声でレイ先生を呼ぶと、アスベストの手袋をはめた先生がやってきた。花瓶をすくい上げて、私の吹き竿にくっつけ直して、炉へ差し込み、また出して私の作業台に持ってきた。吹き竿を前後に回転させて、湿った木製ブロックで平らな面にまるみをつけ、ガラスは生き延びた。だが、新たな形になった。

ガラスも私もクールダウンしてから、何が起こったのかじっくり考えて、思いついたことがある。私はガラスを成形し、そして、ガラスは私を成形していた。つまり、私はガラスを床に落としたときでさえ、ガラスの形を作っていて、そして、この水曜の夜のガラス花瓶作りは、私のその日の憂鬱な気分を紛らわせただけでなく、ガラスや材料一般についてのいっそう深い私の理解を育んでいたのだ。もしかしたら、この思考はちょっと実存主義的かもしれないが、この出来事は本書にインスピレーションを与えた。物質材料と人間は互いの形を作り合っている、という考えにうながされて、私は歴史の中で物質材料が私たちをどのように形作ってきたのかを探求している。

本書では、材料が発明家によってどのように形作られたかだけでなく、そうした「材料」がどのように「文化を形作った」かを紹介していく。各章は、動詞のタイトルがつけられ、その動詞の意味することがどのように形作られたかを、実例によって明らかにする。特に本書が光をあてるのは、「クォーツの時計」が「交流する」ことを、「鋼鉄の鉄道レール」が「結ぶ」ことを、「銅の通信ケーブル」が「伝える」ことを、「銀の写真フィルム」が「とらえる」ことを、「炭素の電球フィラメント」が「見る」ことを、「磁気を持つハードディスク」が「共有する」ことを、「ガラスの実験器具」が「発見する」ことを、「シリコンのチップ」が「考える」ことを、どのようにして徹底的に変えたのかということだ。本書はテクノロジーについてのたいていの本に欠けた部分を補うために、無名の発明者を紹介したり、有名な発明家を違う角度から映し出したりする。私はこうした欠けた部分、つまり歴史で誰にも語られていない部分を調べることを選んだ。それも、私たちの文化を作るうえで有益だからだ。「ほかの人々」に光をあてることで、より多くの人々がそこに自分の姿を見いだせるようにする。私は科学の驚きと楽しさがより多くの人々に届くことを願って、本書では物語を話すという方法を用いている。

この世界にあふれかえるテクノロジーの真価が理解されること、そして、危機感が伝わることも、願っている。人間の未来を最善のものとするように、私たちは自分たちを取り囲むツールについて批判的に考える必要がある。本書はそうした視点を養うことを目指している。本書を読み進めれば、パーティでの会話の種がたくさん見つかるだけでなく、繰り返し考えたくなることも得るだろう。

本書は全体として、世界へ、歴史へ、そしてそれらのあいだにも、新たな関係を創造しようと努めるものだ。確かに、科学と文化のつながりは、悩ましいテーマだと思われるかもしれないが、二〇世紀の社会学者ともいうべきマドンナは『マテリアル・ガール』で、私たちが物質中心主義的な世界に住んでいると歌った〔訳注：Material Girlは直訳で「物質的な少女」「物欲的な少女」。著者の専門の材料科学material scienceも同じmaterial（「物質」「材料」などの意味）〕。マドンナは一〇〇％正しかった。私たちを囲むものはすべて何かでできている。だが、私たちは物質的世界に住んでいるだけでなく、同時にこうした物質とダンスを踊っている。私たちは物質を形成するが、同様に物質も私たちを形作る。これは、あの冬の水曜日の夜に、変形した花瓶が、私に強く印象を与えて教えようとしていたことだった。花瓶の犠牲を役立てて、どういうものかを学んでいこう。

アイニッサ・ラミレズ
コネチカット州ニューヘイブン

第1章

交流する

小さな金属ばねと振動する鉱石によって時計の性能がアップしたおかげで、私たちは時間に合わせて暮らせるようになったが、貴重な何かを見失うことにもなった。

時計を使って時間を売る商売

時計仕掛けのように、それとわかるノックの音がした。一九〇八年秋のある月曜日、いつもの月曜日と同じように、[1]ルース・ベルヴィルという名の女性がロンドンの時計職人の店の玄関に立っていた。身に着けている黒っぽいドレスは、太いベルトでウエストが締められており、厚い生地の内側に痩《や》せた体があることを思わせた。足首までの長い裾《すそ》が広く影を落として、履いている靴を隠している。帽子の下で髪はきちんと束ねられ、腕には質素だが大きすぎる手提げかばんをかけている。ベルヴィルは玄関で時間を気にして今か今かと待っていた。ようやく扉が開いて、週に一度の訪問者に店主が挨拶をする。「おはようございます、ミス・ベルヴィル。今日はアーノルド[2]の調子はいかが？」。「おはようございます！　アーノルドは四秒進んでいます」と彼女は答えた。それから、手提げかばんに手を入れて、懐中時計を取り出し、時計職人に手渡した。時計職人はそれを使って店の主時計をチェックすると、その懐中時計を彼女に返した。彼らの取り引きはそれですべてだった。ルース・ベルヴィルは、アーノルドという名前の懐中時計を使って時間を売るという珍しい商売をしていた。

二〇世紀の初め、世界では現在の時刻を知るためにたいへん苦労していた。初期の日時計や、水時計、のちの砂時計は、それぞれ影の動き、液面の下がり具合、砂で空間を満たすことによって、時間の進行を示した。しかし、一日の正確な時刻を知るには、天文観測と計算が必要だった。そんな情報はイギリスのグリニッジにある王立天文台（グリニッジ天文台）などの観測所に存在した。その日の正確な時間を知るには、グリニッジまで旅をしてこの天文学の安息地を訪れなければならなかった。

とてもたくさんの商売で、正確な時間を知る必要があった。誰でも想像するとおり、鉄道駅や銀行、新聞は、時刻を知ることが必要だった。だが、それだけではない。イギリスでは一八七〇年代に厳しい法律が成立して、決められた時間より遅くにはアルコールの販売が禁止されたため、酒場やバー、パブも時刻を知ることが必要になった。違反すれば、販売免許や生活手段を失う恐れがあった。[3] ロンドンではこうしたいろいろな商売すべてが、観測所の正確な時刻を必要としていたが、時刻を知るために十数キロメートルも離れた場所まで訪ねていく余裕はなかった。

ルース・ベルヴィル（一八五四～一九四三年）は顧客に時刻を届けた。一週間に一度、メイデンヘッドにある小さな家から、五〇キロメートル東のロンドンまで三時間の旅をして、そこからグリニッジに向かい、丘の上の王立天文台を訪ねた。天文台の入り口の門に九時までに到着してベルを鳴らすと、[4] 門番が挨拶をして正式に彼女を中へと迎え入れる。近づいてきた案内係に彼女は時計のアーノルドを手渡す。小さめのカップで紅茶を飲み、門番と世間話をして待っているあいだに、時計は天文台の主時計と比べられる。それから案内係が戻ってくると、アーノルドの示す時間と天文台の主時計との差が記された証明書とともにアーノルドを彼女に返す。ルースは信頼できるタイムキーパーと公式文書を手にして丘を下り、テムズ川のほとりまでやってきてフェリーに乗り、ロンドンの顧客のもとへ向かった。

図１　グリニッジ天文台の入り口に立つルース・ベルヴィル。ここで正確な時刻を得てから、ロンドンじゅうにその正確な時刻を徒歩で届けて回った。

図２　ベルヴィル家の懐中時計「アーノルド」。１世紀以上にわたってロンドンの顧客に時刻を届けるために使われた。

ルース・ベルヴィルが顧客に時刻を届けていたのは、時計によって生活するという社会習慣が広く行き渡ったころだ。時計の出現以前とは生活が変化していた。このように習慣が進展したことは、子どもがおとなに成長するときの経験になぞらえられる。私たちは生まれつき、食事時間、睡眠時間、遊ぶ時間など自分の生物時計（体内時計）を持っているが、成長するにつれて、生活がこれらの生物時計のきっかけからは切り離されて、学校の始業時間や休み時間、下校時間といった時計に従うようになる。社会もまた同じように変化して、自然の合図から時計の合図に切り替わった。もともと、日の出や南中、日没など、時間管理のおもな手段は太陽だった。時計以前は、社会は時間の束縛のある約束はしなかった。時計のおかげで人々はいつでも会って交流できるようになったが、時計にはオルダス・ハクスリーのいう「スピードの悪」[5]も伴った。時計以前は、誰かが現れるまで長いあいだ待つものだった。今日アメリカでは、指定された約束の時間をすぎて、二〇分以上は待たない。[6]正確な時間管理は社会を変え、生活のあらゆる側面に影響を与えている。時間管理が引き起こした変化の一つは、私たちを夜に眠らせないでおくことだ。時計による生活は、私たちの眠り方を変えた。

夜の睡眠はもともと分割されていた

私たちの祖先は違う眠り方をしていた。私たちより長くは眠らなかったし、深くも眠らなかった。彼らの実際の睡眠のとり方は、現代の私たちには理解しにくいものだろう。産業革命前に、夜の睡眠は二つの時間に分かれていた。[7]当時を再現すれば、九時か一〇時に床に就いて、三時間半眠る。それから、真夜中すぎにふいに目を覚まし、一時間かそこら起きている。また疲れてきたら、ベッドに戻って三時間半ほどうとうとする。[8] 分割したそれぞれの睡眠は「第一睡眠」「第二睡眠」として知られていて、それが通常の眠り方だった。

現代の睡眠についての感じ方と違って、私たちの祖先は、夜中に目覚めることは心配ではなく、病気だと悩むようなことでもなかった。実際に私たちとは反対で、目覚めていることを楽しんでいた。睡眠のハーフタイムを利用して、書き物や読書、縫い物、祈り、トイレ、軽食、掃除、あるいは隣人たち（こちらもおそらく真夜中から夜明けまで起きていた）と噂話をした。[9] この夜遊び仲間がまた眠くなり、ハーフタイムが終了すると、ベッドに入って第二睡眠に続く。

現代の私たちはこうした分割睡眠に驚くかもしれないが、意外にもかなり古くからの慣習だ。少なくとも二〇〇〇年は下らない。分割睡眠を覚えている人はほとんどいないので、最も有力な証拠は昔の本にある。ホメーロスの『オデュッセイア』（紀元前七五〇年ごろ）やウェルギリウスの『アエネーイス』（紀元前一九年）といった古代のテキストには[10]「第一睡眠」についての記述がある。『ドン・キホーテ』（一六〇五年）、『モヒカン族の最後』（一八二六年）、『ジェーン・エア』（一八四七年）、『戦争と平和』（一八六五年）、チャールズ・ディケンズの『ピクウィック・ペーパーズ』（一八三六年）など多くの古典文学[11]にも「第一睡眠」が出てくる。一九世紀の一〇〇〇以上の新聞にも、第一睡眠と第二睡眠への言及がある。[12]

分割睡眠は西洋文化の日常生活の一部だったが、二〇世紀初頭までにはなくなった。産業革命がワンツーパンチで、私たちの睡眠パターンを変えてしまったのだ。第一のパンチは、人工照明の発明、という直接的で明らかなものだ。第二のパンチは、時計に引き起こされた時間厳守したいという欲求によるもので、文化的でとらえにくい。人工照明が出現すると、暗闇は押しのけられて一日が伸びた。[13] さらに私たちは、時間のことや、時間どおりにすることと、時間を浪費しないようにすることで、頭がいっぱいになった。そういうわけで、この強迫観念が睡眠に影響するのは、時間の問題だった。

一七世紀、清教徒が北米大陸に上陸したとき、多くのものをもたらした。その一つが彼らの時間感覚と、時間を賢く使うという信念だった。後年、この信仰的価値観は資本主義により異様な変形をして、ベンジャミン・フランクリンの格言「時は金なり」となった。そう考えると、私たちは文化として、徐々に時間を気にするようになり、私たちの行動や交流は時間に指図を受けるようになった。[14] 時計のベルが、労働者に開始時間や終了時間を告げ、生産のスピードアップを命じることさえあった。だが、この規則的な動きは工場内にとどまらなかった。家族生活もまた、工場中心になり始めた。いつ食事をして、いつ家を出て、いつ帰宅して、いつ就寝するかといった家庭内のことも、そうした規則的動きに合わせるものになった。

現代に生まれ育った人々にとっては、時間に対する強迫観念が一九世紀に急激に大きくなったことは想像しがたいかもしれない。ルース・ベルヴィルの時間を売る商売は、そうした時代ならではの仕事だった。当時、新たに発見した時間に対する熱狂を示すものとして、新しく誕生した数々の言葉が今も残っている。[15] たとえば、スポーツで中断することを、サッカーではハーフタイム（一八六七年）、ほかのスポーツではタイムアウト（一八九六年）という。H・G・ウェルズの『タイム・マシン』（一八九六年）など一般向けのSFの本で、人々はタイムトラベルに夢中になった。標準時（一八八三年）が創設され、各国がグリニッジ平均時（一八四七年）を基準の時刻に用いて同期をとり、世界的ネットワークを作って、それによってタイムライン（一八七六年）、タイムゾーン（一八八五年）、タイムスタンプ（一八八八年）といった言葉も生まれた。自分のタイムスパン（一八九七年）やタイムリミット（一八八〇年）によって、死すべき運命を自覚して物事を書き記すようになった。また、何かが古びたとき、それが時代遅れ（behind the times、一八三一年）になったと認識するようになった。服役することはドゥ・タイム（do time、一八六五年）といわれた。たいていの人々は、時間的な（timewise、一八九八年）社会で暮らし、予定表（timetable、一八三八年）を守り、予定より早く進むこと（make good time、一八三八年）を願った。社会として、時間に対する認識が増していった。生活のすべての側面に、睡眠にさえも、その影響が及んだ。ルース・ベルヴィルが時間を顧客に売るという珍しい仕事に就いたとき、今日とは異なる睡眠をとっていた顧客たちのあいだでは、今の時刻を知りたいという要望が高まっていた。ルースは、正確な時刻を示す自分の懐中時計を、時刻が知りたい顧客のところに持っていくという仕事柄、グリニッジタイムレディと呼ばれた。ルースがそうしたサービスを提供できたのは懐中時計のアーノルドのおかげだったが、アーノルドの最初の持ち主はルースではない。ルースの母親も亡くなるまで同じ仕事をしていた。母親もまた、ルースの父である夫が始めたこの風変わりな仕事を、夫の死後に引き継いだのだった。トータルで一〇四年間、ルースの家族は時間を提供する仕事をしていたことになる。

ベルヴィルがこの仕事をするようになったのは偶然だった。ルースの父親ジョン・ヘンリー・ベルヴィルは人あたりのよい男で、気象学者兼天文学者としてグリニッジ天文台で山のような仕事を黙々とこなしていた。グリニッジ天文台は指導的立場にあったので、各地の天文学者たちが観測用に正確な時刻を知ろうとして訪ねてきて、ひっきりなしに研究が中断され、天文台の研究者たちの苛立ちが増していった。そこで、事前連絡なしに訪問者がこないように、時刻を知りたい人々には時刻を届けよう、という計画が立てられた。献身的で物腰の柔らかなジョン・ベルヴィルは、二〇〇人近い顧客に時間を届けることになった。[16]

一八五六年七月一三日、ジョン・ベルヴィルは亡くなって、三人目の妻のマリア・エリザベスに時計を遺した。[17]夫は遺族年金を残さなかったので、彼女は自分と二歳の娘ルースを養うすべが必要だった。それで、その後は一〇〇人ほどの顧客に時刻を売る仕事をして暮らしを立てた。それから、懐中時計のアーノルドは一八九二年にルースに譲り渡され、三八歳のルースが家業を引き継ぐことになった。

アーノルドは正式には、時計師の名にちなんだジョン・アーノルドNo.485として知られている。[18]この時計は、一七八六年にジョン・アーノルドによって作られたものだ。極めて高精度のクロノメーター式の時計で、標準的な懐中時計よりも精巧な作りだった。伝承によれば、アーノルドはもともと王族向けに、とりわけジョージ三世の息子のサセックス公爵への贈り物として設計されたという。[19]だが、その時計が大きすぎると感じたサセックス公爵は、「ウォーミング・パン」（ベッド温め用フライパン）みたいだといって受け取らなかった。[20]幸運にも、サセックス公爵は王立天文台とつながりがあり、時間を売るサービスが生まれたときに、アーノルドはジョン・ベルヴィルが手にすることになった。当初アーノルドは金のケースに入っていたが、ルースの父親ジョン・ベルヴィルがケースを銀製のものに作り直して、泥棒に目をつけられないようにした。だが、アーノルドの美しさは外側ではなく、内側にあった。アーノルドの白いエナメルの文字盤と金の針の下側には、真鍮《しんちゅう》製の歯車、ルビーの軸受け、スチール製のばねといった各種の材料が同期して働いている。この一八世紀に作られた時計は、一秒間に五回振動する。これは今日の基準に照らしても優れた性能だ。

時計のアーノルドは古くからの伝統の一部である。というのは、人間は古代の始まりのころから、時を知ることを追い求めてきたからだ。日時計と水時計は、時間がすぎてゆく感覚を与えてくれる。しかし、物差しのようにきっちりと時間を測るためには、数えられる規則正しいパターンが必要だった。伝説によると、ガリレオはピサの大聖堂でランプが規則的に揺れるのに気づいたという。自分の脈を使って、ランプが安定的で変化しないリズムで、つまり固有の周波数で前後に動いていること〔訳注：振り子の等時性〕を発見した。この簡単な観測は、時間を測る方法として社会が待ち望んでいたものだった。まもなく振り子時計や、のちにはアーノルドのようにもっと小型の懐中時計は、内部にばねを使って時を刻むようになる。だが、アーノルドのような小さい時計を作るのは容易ではなかった。正確に時を刻むには、内部のばねが均一にできていなければならなかったからだ。時計作りは信じられないぐらいストレスのたまる仕事だった。一八世紀のイギリスでは、ある時計職人が、自分の時計にひどく苛立《いらだ》ちを感じるようになり、それを何とかすることにした。

ベンジャミン・ハンツマンの時計

ベンジャミン・ハンツマンは自分の時計に苛立っていた。イギリスのエプワースで一七〇四年に生まれたハンツマンは、腕が立つ独創的で器用な時計職人として知られていた。[21] 村では、錠前から時計、道具類、回転串焼き器まで機械的なものなら何でも直す修理工だった。[22] だが、彼の技術能力と洞察力を尽くしても、自分の作った時計には満足がいかなかった。時を刻むツールとして、時計の出来が悪かったのは、金属ばねの質が悪かったからだ。

時計の奥深くには時を刻む装置が入っている。振り子が行ったり来たりする時計もあれば、小さい携帯用の時計もあり、「ヒゲ」と呼ばれる金属のぜんまいばねと「天輪《てんわ》」と呼ばれる車輪のような円形の部品の組み合わせでできている。ばねが螺旋《らせん》状に巻かれているので、呼吸で動く胸のように、伸びたり縮んだりして時計の「チクタク」を作り出している。しゃっくりをしているようなばねの時計は時を速く刻み、深呼吸するようなばねの時計はゆっくりと時を刻む。正確な時計に必要な金属ばねは、柔軟でそつがなく、着実に吸って吐いてを繰り返すものだ。

残念なことに、ハンツマンの手元にある金属は、質にバラツキがあった。成分がむらなく混ざっていなかったうえに、不要で邪魔になる不純物が含まれていたからだ。原料の混ざり具合が悪かったために時計は規則正しく動かず、不純物のせいでばねは折れやすかった。時を刻むツールとしては先が思いやられる有様だった。

ハンツマンは時計のためにもっと質のよいばねを作ることを求めて、手始めにブリスター鋼と呼ばれる金属に注目した。ブリスター鋼は鉄に炭素を加えて作られる。鋼鉄メーカーによるブリスター鋼の製造は、棒状の鉄を溶鉱炉に入れて赤熱するまで加熱してから、木炭片を巻く方法だった。[23]五日後には、鉄の棒は木炭から大量の炭素を取り込んでいるが、そのほとんどが表面近い部分だけに偏っていて、漬け込みの足りないステーキ肉のような状態だった。材料をもっとよくブレンドするためには、この金属を熱して軟らかくし、ハンマーで叩いて平たくして、それを混ぜ込んでいかなければならなかった。この方法は炭素を取り入れるには確かに有効だったが、不要で邪魔な物質を取り除くことはできなかった。ハンツマンは別の方法を考え出す必要があった。

ドンカスター（イギリス）で時計作りをしていたある日、ハンツマンは金属を完全に融かす、という単純だが革命的なアイデアを思いついた。金属が融ければ成分はもっとよく混ざり合うので、炭素との均一な混合物になるだろう。その上、不要で邪魔になる物質は融けた金属よりも軽いので、水と油のように分離して表面に浮いてくるから取り除けるのではないか。

図３　ベンジャミン・ハンツマンの名は、この1900年の広告が示すように高品質な「るつぼ鋼」の目印だった（ハンツマンの写真は残っていない）。

ハンツマンはこっそりと実験を始め、外の世界とはほとんどかかわらずに作業をして、何百回もの失敗を重ねた。実験記録は火災で失われたが、失敗作はドンカスターの作業場の外に埋まっている。[24] 目指したのは炭素のブレンドと、不要な物質の除去だ。一〇年の努力を経た一七四〇年ごろ、ハンツマンはついに求めていた鋼鉄を完成させた。それを使って時計を作り、目標達成を祝った。

ハンツマンの成功の秘訣は、溶融金属を運ぶ容器、いわゆる「るつぼ」を発明したことだ。るつぼは、高さのある古代の花瓶のような形で、セラミック（陶磁器）なので、灼熱の金属にも、その重量にも耐えられた。るつぼを作るためには、オランダから輸入したポット[25]を粉々に砕き、グラファイト（黒鉛）と、スタウアブリッジ粘土というイギリスの特殊な粘土を混ぜ合わせる。それに水を加えた生地を、ハンツマンの信頼する職人に八〜一〇時間ほど裸足でまんべんなく踏ませた。[26] 踏むことで空気は抜け、生地に混じった小石を足で感じて取り除き、るつぼのひび割れや漏れを未然に防ぐことができる。

図4　20世紀のシェフィールド（イングランド）の労働者が粘土を踏んでいる。この粘土が溶鋼を保持する「るつぼ」になる。粘土の生地を踏むことは、混じっている小石や空気（ひび割れや漏れの原因）を確実に感知する方法だった。

粘土生地をよく練ってから容器の形にし、乾燥させ、窯で焼けば、るつぼは完成する。それでようやく、鋼鉄作りの始まりだ。

ハンツマンは、シェフィールド（鋼鉄製造拠点）〔訳注：イギリスのイングランド中部にある工業都市〕に作った新工場で鋼鉄作りの方法を完成させた。職人たちがブリスター鋼の小片をるつぼに入れ、それを溶鉱炉に入れて五時間加熱する。次に職人は熱いるつぼを取り出して、巧みに液体を金型へ流し込む。このとき、いらない物質の層が浮いているので、いっしょに流し込まないように忘れずに取り除く。この金型に入ったものが、最終目的の「るつぼ鋼」だ。この均一にブレンドされた金属は、着実な伸び縮みをするばねになって、高級時計に組み込まれた。ベンジャミン・ハンツマンの発明は、それ以前より優れた時計を生み出した。そのばねは携帯時計にも壁掛け時計にも使えた。ルース・ベルヴ

図５　シェフィールドの労働者が熱い液体の金属を「るつぼ」から金型に注ぎ込んでいる。金属の純度を保つために、液体の表面に浮いている不要な物質が金型の中に入らないようにしている。

イルが時刻を伝えるためにロンドンじゅうを持ち歩いたアーノルドにも使われていた。

ルース・ベルヴィルは王立天文台で正確な時刻を得ると、アーノルドとともにロンドン・ドックスに向かう。そこから、時を刻み続ける時計のように着実に、社会の多種多様な場所を回ってゆく。出発点のイースト・エンドでは、汚れた臭気漂う各ドックに時間を届ける。次は、ファッショナブルなウェスト・エンドに向かい、オックスフォード・ストリート、リージェント・ストリート、ボンド・ストリートの各種高級店や宝飾店を次々に訪ねる（王室御用達の宝飾店も顧客だった）[27]。次は南に向かい、郊外に住む個人顧客たちを訪ねる。二人の大富豪がステータスシンボルとしてグリニッジ平均時の時計を自宅に置いていた[28]ので、そこにも届ける。そうした合間にはロンドンの中心部を横切りながら、各銀行に順繰りに立ち寄って時間を届けていった。最後に、メイデンヘッドの自宅へ戻って、長い一日を終えた。彼女はこれとまったく同じ一日を、七日ごとに繰り返していた。時を刻み続ける時計のように。

ルースは手提げかばんにアーノルドを入れて、馬糞がところどころに落ちている埃《ほこり》まみれの石畳の道をひたすら歩いた。お金が多少あるときは、路面電車や地下鉄、列車など公共交通を利用した。ロンドンの暮らしは過酷で汚く危険だった。あたりには煙と霧が立ち込めていた。街頭の物売りたちが叫び声をあげ、馬の蹄《ひずめ》が地面を叩く音が響き、ときどきガラガラと大きな音を立てて自動車が通りすぎる。それらのひっきりなしの騒音の中で、ルースは歩き続けて時間を運び、かろうじて生計を立てていた。女性に選挙権のない時代のビジネスウーマンだった。精神的にタフで腹の据《す》わった人間であり、男性社会で元気に生きていく親しみやすい性格の女性だった[29]。ルースとアーノルドのコンビは、ロンドン生活に欠かせない存在として信頼されていた。

LONG DISTANCE TELEPHONE CONQUERS TIME AND SPACE

図６　「世界で最も正確な公共時計」を展示するショーウィンドウの周りに、多くのニューヨーカーが集まってきて自分の時計を合わせている。クォーツ鉱石を使って正確に作動するこの時計は、ベル研究所の研究者ウォレン・マリソンによって作られた。

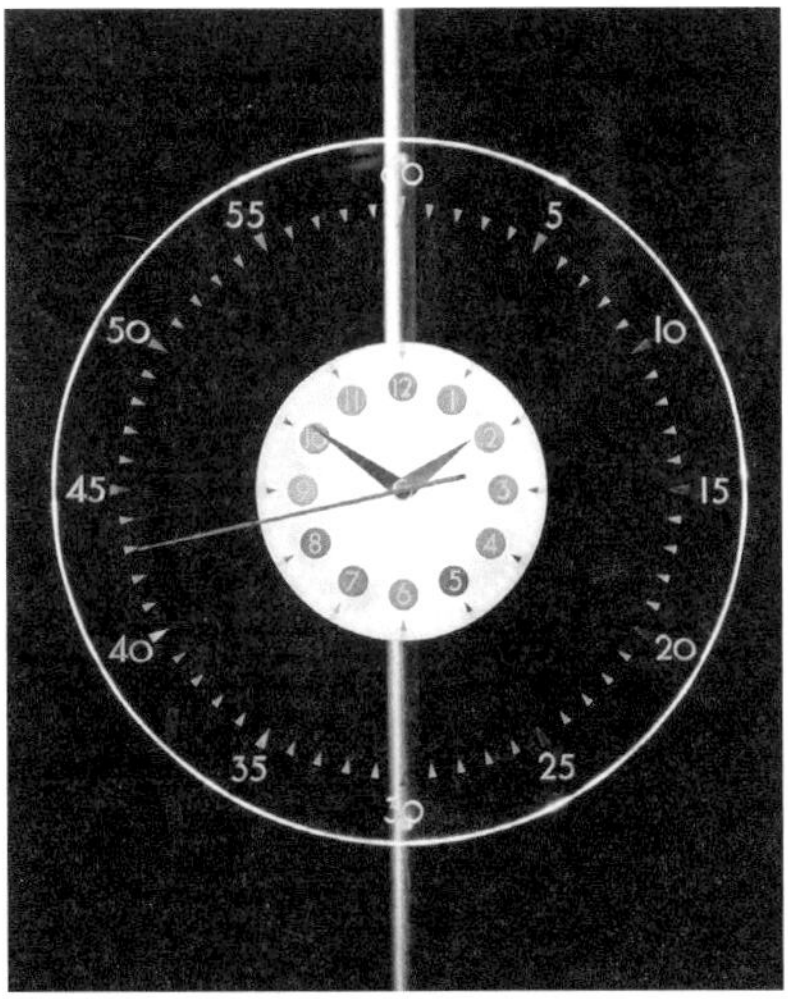

図７　「世界で最も正確な公共時計」の文字盤は、直径90センチメートルほどもある大きさだった。秒針は分針よりもはるかに長かったので、見物人は自分の時計をこの公共時計にぴったり合わせることができた。

ベルヴィルの職業人生の終わり近くになると、アメリカには別の時計が登場して、人々はそちらへ乗り換え始めた。ルースの場合は都市郊外の丘に上っていき、正確な時刻を獲得するという女性の個人事業だったが、それに対してニューヨーカーたちは、正確な時刻を獲得するためにダウンタウンへ向かっていった。

一九三九年に、マンハッタンのフルトン・ストリートの一角、ブロードウェイ一九五番地に所在するAT&T本社のショーウィンドウに、アールデコ調の装置が取りつけられた。それは時計だったが、ただの時計ではなかった。世界で最も正確な公共時計と謳《うた》われたのだ。毎日、特に正午から午後二時まで、何百という歩行者がこの時計へ巡礼した。[30]窓の前で立ち止まり、自分の時計のリューズに指を添え、時刻をぴったり合わせるために公共時計の秒針が真上を指すときを待ち構えた。時刻を求めて集まった人々の預かり知らぬことだったが、ある無名の科学者が、ベンジャミン・ハンツマンのばねに取って代わるものを使って、この新しい時計を作り出した。一メートル近い時計の文字盤の裏では、ひとかけらの水晶（クォーツ）という鉱石の特別な性質によって、時が刻まれていた。水晶を時計に使えるようにしたのはウォレン・マリソンである。

振動する鉱石

一九一〇年代のウォレン・マリソンは器用で無口なカナダの少年で、場所や時代を間違えているように見える子どもだった。彼は生涯にわたってこれを直そうと努めた。一八九六年にカナダのオンタリオ州イ

図８　初期の自分のクォーツ時計の側に座っているウォレン・マリソン。これは科学実験に使用されたクリスタルクロノメーター。マリソンは時間管理の新たな時代の先駆けとなったが、歴史において見すごされることが多い。

ンヴァレリーで生まれ[31]、最初の「快挙」といえば、父親の養蜂場から逃げ回っていたことだ。幼いマリソンには養蜂家になるよりも大きな夢があったのだ。馬車時代のような古くさい小さな町で、電気学を夢見て、将来アメリカにいって夢をかなえるために学業にいそしんだ。そして望みはかなうことになる。

一九二一年までに、マリソンは妻になったばかりの女性とともにニューヨークに越してきて、初めての就職でウェスタン・エレクトリック社のエンジニアリング部門（のちにベル研究所に改名）に入ることができた。ベル研究所は電話会社の研究部門だ。マリソンが入社した数年後に、AT&T社が、ウェスタン・エレクトリック社からベル研究所を吸収した。研究所はニューヨークのベシューン・ストリートの一角、ウェスト・ストリート四六三番地に所在する一三階建てのビルで、現在も当時のまま立っている。マリソンがきてから一〇年ほどあとに、ビルの三階部分を突き抜ける形で高架鉄道が開通し、ビルを断続的に振動させた（のちに廃線になり、現在は「ハイライン」という名の公園になって構造だけが残っている）。このベル研究所の巨大建築はコンクリート製で美しさには欠けたが、その内部では想像力が豊かに育っていた。

　実際ビルの中では、マリソンのようなスーツとネクタイの科学者の「働きバチたち」がブンブンと絶え間なく活動していた。床はカエデ硬材、壁はコンクリート打ちっぱなし、窓が多くてたっぷり採光できるので、電灯の消費が抑えられていた。ウォレン・マリソンの仕事場は七階で、彼の実験台は特殊な器具類や、配線や電子部品がむき出しの科学機器であふれていた。研究者たちは、週に五日と半日の労働時間と決められていたが、研究は時間どおりにはいかなかった。

　マリソン家は家族が増えて、一九二〇年後半にはニュージャージー州のメイプルウッドの家に引っ越した。マリソンは紅茶にハチミツを入れ、子ども時代に養蜂場でブンブンいっていたハチについて自分の娘二人に話して聞かせた。マリソンはよく笑い、比較的小柄な体軀（身長約一七八センチメートル）に似合わず、よく響く声の持ち主だった。そしてしばしばそのことを忘れていて、図書館で下の娘に科学の解説をして、娘が恥ずかしくなることもあった。[32] 科学に対して感じる興奮は、彼の声と同様に、コントロールし難かった。

　ベル研究所では、マリソンの研究課題はさまざまな発明品のあいだをジグザグに進むものだった。映画に音声を加える研究をしたこともあれば、テレビを作り出すために電波を介して動画を送る方法を開発したこともあった。昼も夜も際限なく実験ノートにアイデアを書き込んでゆき、そこには電気信号が電気部品に「話しかける」ことができるという非常に高度な回路図も含まれていた。まもなくしてマリソンは、時計にクォーツを使うことに夢中になった。

ベル研究所には、最初期のラジオ放送局WEAF〔訳注：Western Electric AT&T Foneの頭文字。周波数は六六〇キロヘルツだった。現在のNBC（アメリカの三大テレビネットワークの一つ）の元になったラジオ局〕があった。クォーツ時計というアイデアは、実はラジオに由来する。ラジオ放送局は、ラジオのダイアルのところに示された数字によって指定されている特定周波数で放送する。ラジオ放送局が正しい周波数で放送しているかどうかを自分で知ることは、近隣の放送局との干渉を避けるために必要だったが、難しかった。マリソンの一九二四年のプロジェクトは、基準周波数として用いるために正確で揺るがない信号を作り出す装置の開発が中心だった。マリソンは大きいクォーツ鉱石から薄片を切り取って電子機器に取りつけた。クォーツは目立たない鉱物だが、驚くべき秘密がある。電気を加えると、振動するのだ。クォーツの薄切りは、特定の速さで拍動し、それがラジオ放送局の基準になった。マリソンの信号発生器は、電波の海で迷子になったときの北極星の役割を担った。

基準無線信号の生成に成功したのち、マリソンは別のアイデアを思いついた。振動している水晶で正確な無線信号を発信する代わりに、秒あたりの振動数がわかっている水晶を振動させて、振動をカウントして時間を区切って時間の「物差し」にするのだ。[33] マリソンはこのアイデアで、天然のクォーツを拍動させた。つまり、水晶をドーナツ型に加工して、ドラムヘッドのように上下にパタパタと動かせるようにしたのだ。彼のクォーツは一秒あたり一〇万回という振動数で、振動をカウントすることで時間がわかった。クォーツでこれができたのは、当時はほとんど知られていなかった秘密があるからだ。クォーツは電気を加えるとダンスをする。これは「ピエゾ効果」（圧電効果）と呼ばれる奇妙な現象だ。

ピエゾ効果は、一八八〇年にパリでピエール・キュリーと兄のジャック・キュリーが発見した〔訳注：ピエールののちの妻がマリ・キュリー〕。二〇代初めの二人は、大勢の人々が参戦している鉱物学分野で名をあげたいと思っていた。

図9　ウォレン・マリソンの時計の心臓部にはドーナツ型のクォーツ鉱石があり、これが電気回路の中で振動することで、正確な時刻をもたらしている。このクォーツ鉱石は厚さ約2.5センチメートル。

当時、ほかの多くの化学者が鉱石や宝石を掘り起こして、カラー（色）やクラリティ（透明度）、ファセッティング（カットと研磨）を研究したり分類したりしていた。いつもピエールを魅了していたのは、特に鉱物における幾何学的な対称性だった。ところが、クォーツにはダイヤモンドや塩など、他の結晶のような単純な対称性がなく、クォーツの片側表面の切子面（ファセット）それぞれは、反対側表面の同一の切子面それぞれとは一致しないのだ。つまり、内部の原子が左右対称（鏡像関係）ではないので、通常は打ち消し合う物理的性質が、この場合には現れるはずではないか。そう考えたピエールとジャックは、鉱物学者がふつうはしないようなことを始めた——結晶に強い圧力をかけて観察することだ。二人は結晶を万力に挟み、ハンドルを一回転、二回転と回して締めつけていった。すると驚いたことに、奇妙にも結晶が鳴き声を上げて、微量の電気を発生したのだ——これがピエゾ効果の発見である。

その数十年後に、マリソンがその奇妙な性質のクォー

図10　ベル研究所では、ニューヨークの交通による振動を減弱させる特別な実験台の上に、マリソンの時計を置いていた。マリソンの初期のクォーツ時計には文字盤がなく、カウンターダイヤルが使われていた。

図11　マリソンはマンハッタンのビルの7階で働き、クォーツ時計を開発した。ウェスト・ストリート463番地に所在したこの建物は、もとはベル研究所の本拠地だった。

ツに取り組むことになった。クォーツを小さなドーナツ型の厚切りにして、交流電流を通すと、プルプルのゼリーのように振動し続けた。この小刻みな動きを数えれば時間を示せるはずだ。だが、ボウルにたっぷり作ったゼリーがそれに固有のリズムで揺れるのと同様で、クォーツを的確に振動させるのは簡単ではなかった。

一九二七年までにマリソンはクォーツの振る舞いすべてを理解しなくてはならなかった。これにより、クォーツが安定して振動するための電気信号を作り出すという次の研究ステージへつながった。マリソンの周りにはいつも振動が――高架鉄道の轟音、子どものころのミツバチの羽音、よく響く自分の声が――存在したが、このステージでは、クォーツの中の振動にもう一つ別のことをさせた――時刻がわかるようにさせたのだ。一九二七年の終わりまでには、厚さ約二・五センチメートル、直径五～七センチメートルほどのクォーツリングを使って、クォーツ時計を作り上げた。これが非常によい出来だったので、ニューヨーカーが電話番号ＭＥ７－１２１２にかけると正確な時刻がわかるというサービスが始まった。[34] その一〇年あまりのちに、マンハッタンのＡＴ＆Ｔビルの窓に掲げられた時計の下に、時間を知りたい人々が三々五々集まってくるようになった、というわけだ。

ニューヨーカーがマリソンの時計の前に集まるころまでに、分割睡眠は遠い昔の思い出になっていた。生物時計という自然の手がかりから、機械的な時計の示す時刻への変換が完了したのだ。生活が時計に支配される前には、分割睡眠はいくつもの大陸で行われ、世界じゅうで見られる生活様式だった。眠り方の文化はさまざまでも、分割睡眠は普遍的だった。いたるところに見られることから、「分割睡眠が自然な睡眠のとり方なのではないか？」という問いが生じる。人類学者マシュー・ウルフ・マイヤーは著書の『まどろむ人々』(The Slumbering Masses) で、人間は「まとまった睡眠をとると思われる唯一の種だ」と書いている。[35] 研究によれば、産業化された文化で時計に頼って暮らす人々でも、分割睡眠に戻れるという。精神科医のトーマス・ウェーアによる米国立精神衛生研究所(NIMH)の研究では、男性七人を一か月間、毎日一四時間暗室ですごさせる実験をした。[36] 実験の終了までに、被験者は四時間の分割睡眠をするようになり、睡眠と次の睡眠のあいだにまどろんでいる状態が挟まるようになった。複数の研究者や歴史家は、現代人の睡眠障害の一部で、特に夜中に覚醒して眠りに戻りにくいのは、かつての分割睡眠に戻るためだと考えている。ヴァージニア工科大学教授A・ロジャー・イーカーチは、著書『失われた夜の歴史』(樋口幸子ほか訳、インターシフト)で、これは「この古い睡眠パターンの非常に強固な反復の名残」かもしれないと述べている。[37] 明らかなのは、自然の時間と時計の示す時刻との争いが、私たちのまどろみに存在することだ。私たちの内なる睡眠時計は、私たちの従う機械的な時計とは異なっている。

私たちは祖先よりもよい睡眠をとっているはずだ。しかしアメリカでは五〇〇〇万～七〇〇〇万人が睡眠障害、すなわち睡眠不足に苦しんでいる。[38] つまり五～六人に一人が睡眠障害と診断されていることになる。不眠に悩んで睡眠補助薬を処方されて服用している人も、およそ八人に一人にのぼる。[39] 国立睡眠財団は七時間以上の連続睡眠を推奨しているが、ほとんどのアメリカ人は六時間しかとっていない。だが睡眠不足はベッドのせいではない。歴史家のイーカーチがいうように「私たちの睡眠環境は、歴史上で最もよい」[40] が、それにもかかわらず睡眠不足になっているのは、私たちが時計を捨てられない代償らしい。

睡眠は生物学的に不可欠だ。一九八三年にこれが科学的に明らかになった。研究者のアラン・レヒトシャッフェンらは、実験室でラットを使って睡眠不足の影響を実証した。[41] ラットを眠らせなかったところ、体力低下や平衡障害、体重減少、内臓機能障害といった一連の医学的問題が生じ、ラットの多くが一四～二一日間以内に死亡した。人間の場合、睡眠不足は脳機能の低下、肥満、精神的問題につながる。[42]

睡眠は文化でもある。いくつかの国では、うたた寝、シエスタ、昼の睡眠休憩、外での昼寝といった睡眠が、社会的慣行の一部になっている。これとは対照的に、アメリカ人は疲れ果てていても、清教徒的伝統のおかげで昼寝に時間を費やすことを嫌う。まどろんだり回復のためにひと眠りしたりして時間を忘れるには、社会に対して熱心に推進する人が必要だ。エジソンも、チャーチルも、アインシュタインも昼寝をしたのに、眠気を催した労働者はカフェインをとろうとする。少し睡眠をとることは、明らかに意義深い選択だ。私たちは、時間と自分たちの関係をもっとよく理解しなければならない。

はるか昔から私たちは、よりよい時計を作ることに目を向けてきたが、そうするうちに睡眠を失った。睡眠の問題の中心には、時間に対する私たちの文化的見方がある。時計は物差しだ。何世代もかけて、社会がよりよい時計を苦労して作り出したおかげで、私たちは互いに時間を合わせて、交流することが可能になった。だが、よりよい時計を求めるうちに、私たちは時間そのものを考えることを忘れた。ルース・ベルヴィルが現役のころに、ある研究が始まった。ベルヴィルの商品である時間は、ヨーロッパの別の場所では顕微鏡の下に置かれるようになっていた。

アルベルト・アインシュタインとルイ・アームストロング

一様な時間管理はオフィスワークや日常の雑事でいつも大いに必要とされていたが、正確な時刻を示す時計は、当時最大の事業だった鉄道にとっては、なんとしても手に入れたいものになっていった。同期のとれた正確な時計があれば、列車は時間どおりの運行が可能になり、事故が減って乗客が無事に目的地にたどり着けるはずだ。

一九〇五年には、ベルンのスイス特許庁で受理した申請書のうち、時計の同期方法に関する特に鉄道用の特許はほとんどなかった[43]。発明家たちは、遠く離れた場所にある二個の時計を、同じ正確な時刻に設定するという難題に熱心に取り組んでいた。その「解答」は、列車の乗客にとっては生死を分かち、発明家にとっても平凡な人生が続くのか大きな富を築けるかの分岐点になる。とある二六歳の無名の特許審査官は、申請された設計の信頼性を確かめる門番として、発明に独自性があるかどうか、解決法は有効かどうか、具体化して実用になるのかどうかを律儀に精査していた[44]。この審査官の業績は歴史の中に容易に埋もれ去ってもおかしくなかった。名前がアルベルト・アインシュタインだったことを除いては。

アインシュタインは、権威や規律を嫌う早熟で聡明な若者だった。一人で気ままに行動するのを好んだので、成績はよくなかった。数学教員の免許をとって大学を卒業し、大学教員の職を得ようとしたがかなわず、若い彼が得られた最もマシな就職口が特許庁だった。象牙の塔の住人には、特許審査官は学者に向かない者の仕事と思われていた。彼は同僚の目には、かのアインシュタインとはまったく結びつかない存在だった。

だが、アインシュタインが特許庁で低い地位を得たことは、歴史への贈り物になった。アインシュタインには、たっぷり考える時間と、彼の重要な知性を鍛《きた》える「ジム」が与えられ、才能が磨かれて飛躍することになったからだ。日中は実世界の問題解決に取り組み、夜は自宅で理論に取り組んだ。これら二つの完全に異なる活動が、互いを研ぎ澄まし、物事をあるがままに見る能力に磨きをかけた。

鉄道はいつも世界の時間管理の原動力であり、アインシュタインが時間についてじっくりと考えを巡らせていた一九〇五年までには、自然の時間から時計の示す時刻への転換の最終段階を完了した。アメリカでは、一八八三年一一月一八日には正午が二回あった。ニューヨークのウォール・ストリート近くで、セントポール教会の鐘が一二回鳴って正午を知らせると、そのおよそ四分後にふたたび鐘が一二回鳴り響いた。[45] この日にこそ、アメリカに標準時とタイムゾーンが誕生し、この国の時間がイギリスのグリニッジ平均時にリンクしたのだ。鐘の音は、地方時の消滅を告げ、世界共通の時間グリッドが、人々のあらゆるかかわり合いのために誕生したことを祝った。

時間が標準化される前、アメリカでは、各地域がその地域だけのタイムゾーンを持つ孤立地帯になっていた。多くの都市は、正午（太陽高度が最も高いとき）に基づいてその都市だけの地方時を定めていた。当時の旅行者は、ミシガン州には二七個のタイムゾーンがあることに、インディアナ州には二三個、ウィスコンシン州には三九個、イリノイ州には二七個あることに、気づいただろう。[46] 一部の鉄道駅では、壁に複数の時計を掲示していた。それらを一律にして混乱をなくしたいという願いから、鉄道事業者はイギリスのグリニッジ平均時に基づく標準化された時間を採用した。鉄道の八〇〇〇駅は、六〇〇〇近い独立した路線と、五三の運行時間計画に結びついていた。これらの駅を四つのタイムゾーンを含む一つのシステムに包括したのだ。[47] とはいえ、スイスのベルンの列車運行システムのように、列車の運行時間を決めて、つねに駅の時計と同期しておくという新たな課題を抱えていた。それのおかげで、アインシュタインは特許庁で忙しく仕事をすることになった。

解決方法は発明家から特許庁に次々に送られてきて、その多くが電気信号か無線（ラジオ）信号で時刻を送信するという提案だった。特許に値するアイデアは、「信号が一つの時計からもう一方の時計に到達するのにかかる時間を方程式に加えれば、時計のあいだで信号をやりとりできる」という基準を満たすはずだとアインシュタインは考えた。二か所の時計を同期するには、信号弾を発射するという原始的な方法があった。だが、それを実用化するには、弾が一定の高さに達するまでにかかる時間も含めなければならない。同様に、もっと現代的な方法では電気信号で時間を知らせることができるが、電子の移動時間も含める必要がある。こうした考えに沿った方法なら、時計の同期方法としては完璧で、特許として認められた。

だが、そこで問題が生じた。アインシュタインの考えによると、時計の一つが移動中に時間信号が光で送信されるとすれば、時計を同期させる問題は複雑になる。彼は特許を詳しく調べるうちに、時間の同期だけではなく、時間自体についての考え方に重大な欠陥があることに気づいた。彼のこの発見は、物質的世界についての私たちの理解を覆すことになる。

アインシュタインは特許局で、列車の時計を駅の時計と連動させる方法の本質をつかみつつあった。用いたのは簡単な一つの疑問だ。「チク・タク・チク・タク……と時計が時を刻むとき、「チク」から「タク」までの間隔は、走っている列車の時計と駅にある時計では同じ長さに見えるだろうか?」。一九一三年にアインシュタインは、光を使った時計システムの時間信号のアイデアをあらまし考えた。走行中の列車の客車から光の時間信号が上向きに発信され、列車の天井に貼った鏡にあたって下向きに跳ね返るとする。走行中の列車に乗っている人と駅にいる別の人では、光は違って見えるだろう。彼らをたとえると、バスケットボールの試合で、ドリブルしながらボールを見る選手と、観客席でそれを見る観客のようなものだ。[48]選手はコートで走っていて、目に映るボールは垂直にバウンドしている。列車の乗客も光信号が垂直方向に行き来するのを見ている。だが、観客席にいる観客は、ボールが斜め方向にバウンドするのを見る。ボールの動く方向と同じように、駅にいる人は列車の光信号が斜めの角度で上へ向かっていき、別の角度でまた下に向かっていくのを見るだろう。

斜めの経路は垂直の経路よりも長い。ここにアインシュタインは引っ掛かった。光の速度は絶対に変わらないが、一方の経路が他方より長いのだ。列車に乗っている人と駅にいる人の差を説明するためには、何かを変えなければならない。そこで、アインシュタインが発見したのが、動いている時計は止まっている時計よりもゆっくりと進むことだ。時間は固定ではない。伸びるのだ。

何世代にもわたってアイザック・ニュートン卿を含め科学者たちは、時間を不変で揺ぎないものと信じていた。いってみれば、ニュートンは絶対学派、アインシュタインは相対学派である。アインシュタインの特殊相対性理論では、私たちの貴重な単位時間は、ある瞬間と次の瞬間で同じではないという時間の長さが、観測者の速度に左右されるのだ。

人間は文化や生活で確かなものを好んでいた。だが、アインシュタインが明らかにしたのは、一秒が一秒ではないことだった。チクタクと刻まれる時間のチクからタクまでにかかる時間は、動いている人と立ち止まっている人では一致しない。時間は伸縮する。社会が大事にしていたものが、考えていたとおりのものではなかった。日時計、振り子時計、ぜんまいばね、振動する結晶。より正確な時計を求めて、何世代もの人々の重ねてきた努力は、結局、ゴム紐《ひも》のようなものの測定を目指していたことがわかった。

アインシュタインは物理的時間についての私たちの理解を変えたが、そのわずか数年後の一九二〇年代に、ジャズトランペット奏者ルイ・アームストロング（一九〇一～七一年）は私たちの経験する音楽的時間を変えた。多くの人は、彼が満面の笑みを浮かべて、いつも白いハンカチを携え、『ハロー・ドーリー！』や『この素晴らしき世界』を奏でる姿を思い出すだろう。この天才的音楽家は、優しい人柄も手伝ってジム・クロウ法〔訳注：一八七六〜一八六四年に存在したアメリカ南部諸州の州法の総称。一般公共施設を黒人が利用することを禁止するなど、人種差別的な内容を含むもの〕の時代を生き延びたが、それだけではなかった。彼はタイムトラベラーとして、ジャズという乗り物に乗っていた。

彼は何もないところから生まれた。ある奴隷の孫として、ニューオーリンズで最も厳しい環境に誕生した。伝記作家によると「彼の小さな世界は、学校、教会、安酒場、刑務所によって囲まれていた」という。[49]だが、こうした生活の制約に打ち勝ち、同様に楽譜の制限も乗り越えた。アームストロングには、八分音符それぞれが、現れるたびに同じ重みや長さである必要はなかった。譜面の音符よりも数十分の一秒、長く、あるいは短く、早めて、あるいは遅らせて奏でた。[50]音符を伸ばしたり、縮めたり、移動させたりすることで、音楽は豊かになり、エモーショナルになり、前のめりするような動きが生まれた。

アームストロングの音の立ち上がりは、西洋音楽では当たり前の演奏方法から脱却するものだった。西洋音楽は正確さにかかっていた。マーチングバンドでは、演奏者が時計のように規則正しく演奏することを重要視する。ジョン・フィリップ・スーザはアイザック・ニュートン卿と同様に正確さを好んでいたが、アームストロングはアインシュタインのように、正確さの欠けたところに美を見つけた。八分音符はそのままではなくスウィングで演奏され、音符をどのような音で演奏するのかは、「その場に応じて」[51]決まった。

西洋音楽とジャズの時間に対するアプローチの違いは、発祥元の文化の違いによって作られた。西洋音楽では、音符は、響き渡る結果に向けて前進し続けるものであり、未来に注目する。ジャズで注目するのは、現在だ。ジャズはアフリカ系アメリカ人の音楽に、ヨーロッパ、カリブ海、アフロヒスパニックの要素が結びついたものだ。[52]アフリカの伝統には、違う時間感覚がある。[53]現在というのは、味わうべきもの、拡大すべきものだ。いくつかのアフリカ言語には、「過去」と「現在」を意味する言葉はあるが、「未来」がない[54]。この伝統によって、アームストロングはすべての音符に何かを加え、彼の音楽によって現在という時間を引き伸ばした。

時間に対するこうしたアフリカ人のアプローチは、新世界アメリカに移植されて、アフリカ系アメリカ人の経験に深く根を下ろした。ラルフ・エリソンはこの黒人の感受性を『見えない人間』（松本昇訳、南雲堂フェニックス）[55]で最もよくとらえている。黒人の経験の非同期性について、それが時間の鼓動の前かあとへ、同調せずに存在することを書いている。アームストロングの演奏のリスナーは、音符の中に具体化された感情が聞こえて、それを感じることができる。『Two Deuces』（一九二八年）でアームストロングはずっと、ビートより遅れて、ビートのあとをつけて吹いている。音符は遅れて圧縮され[56]、アームストロングとバンドのあいだにずれを生む。また、合わせるために、アクセルを踏んでスピードを上げる。

アームストロングが伸ばすのは音符だけではなく、リスナーの時間感覚だ。毎分七八回転のレコードの歌は三分間と短いが、情報がたっぷり含まれるために、私たちの脳には、湯を注いだカップ麺を待つ時間よりも、レコードの再生時間のほうが長く感じられる。アームストロングは奏でる速度を緩めたり速めたりすることで、聴衆に時間の流れを見失わせ、聴衆が経験するときに、その瞬間はスピードアップしたりスローダウンしたりする。アインシュタインは観測者に時間が相対的なことを示し、アームストロングはリスナーの時間を相対的にした。アームストロングの音楽が引き起こす私たちの時間感覚のずれを、詩人は深く考え、批評家は論評を書き、音楽学者は研究をしている。研究はまだ始まったばかりだが、アームストロングが時間感覚を変化させる技術には科学的な裏づけが得られるかもしれない。

時間管理は私たちの社会につきまとっている。そこで「時間管理は脳に影響するのだろうか？」という疑問が生じる。端的に答えれば、「イエス」と「わからない」。わからないというのは、分割睡眠ではなくなったことに加えて、時間管理の制度が一九世紀の一世紀間をかけて確立していったからだ。脳の時間的変化を研究する分野はかなり新しく、ほとんどは二一世紀に始まった。ただ、脳が環境から時間についてのきっかけを得ることはわかっている。

デイヴィッド・イーグルマンなど神経科学者は、脳内時計を調べる研究を行っている。ある実験では、被験者に映画を見せる。それには速いスピードで走っているチーターが出てきて、脚が地面から浮く（『マトリックス』のトリニティみたいに）。映画のあいだ、赤い点が一定の持続時間で点灯して、そのときには四脚とも浮いているようにする。同じ実験を少し変えてもう一度行い、同じチーターの映画をスローモーションで見せる。同じうっとうしい赤い点が、前の通常速度のチーターが浮いているときと同じ一定の持続時間で点灯する。見終わったあとには、被験者はスローモーションで見たときのほうが、赤い点の点灯時間が短いと思い込んでいた。「脳はこういうんだ。私の時間感覚を再調整することが必要だ、とね」[57]とイーグルマンは語った。私たちの脳は、物理法則についての私たちの知識に基づいて時間を決める。時間の知覚を形作っているのは、時間の測定に利用する出来事、つまり、チーターの足の着地や、八分音符の長さだろう。

時間の弾力性について、私たちは個人レベルではいつも気がついている。楽しい時間はあっという間にすぎて、つらい時間は永遠に続くように感じる。思い出の長さは、その出来事がどんなによかったか、悪かったかに結びついている。神経科学者の発見によれば、私たちは出来事の最中に時間の流れが遅くなっていくようには知覚しないけれども、出来事の想起は、時間の流れが遅くなったと自分に思い込ませるという。脳の中で起こっていることを理解するために、脳の活動は、パソコンが情報をハードディスクに保存するようなものと想像してみよう。生活が退屈なとき、ハードディスクは通常量の情報を保存する。だが、怖いと思ったとき、たとえば自動車事故に巻き込まれたときなど、脳の扁桃体《へんとうたい》(体内の緊急対応オペレーター)が作動して、脳は細かいディテールを集める。ボンネットが凹んでいるとか、サイドミラーが割れているとか、相手の運転手の表情が変化しているといったことだ。集めたディテールの量が増えて、あたかも二つのハードディスクがデータを保存するかのようになる。「そのときは二個目のメモリーシステムに記憶を蓄積している。一個だけではなくて」とイーグルマンはいう。

より多くのデータが保存され、脳がその出来事を思い出すとき、大量の情報を長い出来事として解釈する。記憶の形は、脳が時間を測る物差しになる。

科学が示すように、記憶のサイズと時間の知覚は自転車のギアの歯のように連結している。若いころの夏の思い出のように、豊かで新しい経験には関連する新しい情報もたくさんある。こうしたホットな日々に私たちは泳ぎ方を覚え、新しい場所を旅し、補助輪なしで自転車に乗れるようになる。毎日がこうした冒険とともにゆっくりとすぎる。だが、おとなの生活には新しいことが少なく、通勤する、メールを送信する、事務処理をするといった反復作業だらけだ。こうした雑事でいっぱいの関連情報は小さく、脳の想起部分が利用する新しい映像は少ない。脳は退屈な出来事に満ちた日々を短いものと解釈するので、夏は速やかに過ぎ去る。

私たちはより優れた時計を求めてきたにもかかわらず、私たちの時間測定用の物差しは、固定的ではない。時計のように何分何秒ではなく、私たちは経験によって時間を測る。私たちにとって、時間は緩むこともあれば、飛ぶようにすぎることもある。

人間は長い年月にわたって時間へのこだわりを進化させてきた。時間のおかげで世界を知り、待ち合わせや交流が可能になった。非常に正確な時間管理で時を所有することを望んで、正確な時計を追い求め、日の出や日没など自然の合図を捨てて――そして睡眠は削られた。だが時間は、私たちが所有できるものではない。アインシュタインは時間が伸び縮みすることや、何時かと尋ねた相手に左右されることを科学で示し、アームストロングは脳が外部の合図で進んだり遅れたりする不完全な時計であることを音楽で実証した。私たち自身が自分の時間であることを示したのだ。

ほぼ半世紀間、ルース・ベルヴィルは粘り強くロンドンの顧客に時間を運び続けた。彼女の仕事は時間に縛られるのものだと見なされたが、それは特に、彼女の顧客を奪って自分たちの電信時報サービスに引き込もうとするビジネスマンによる見方だった。だが、アーノルドの古いテクノロジーは〇・一秒の桁の精度だった[58]のに対して、電子パルスの精度は一〇倍の桁でしかなかった。ルースは金属ワイヤーの電信にはできなかったものも、顧客へ運び届けた。年に四ポンドの料金[59]と小ぶりのカップに入った紅茶のために、いく先々で人々と触れ合い、気さくに言葉を交わし消息を伝え合った。それでもやがて、電信や電波、無線のテクノロジーを使う時報サービスが、彼女の仕事を徐々に減らしていった。父親のころ二〇〇人いた顧客は、母親が引き継いだときには一〇〇人になり、彼女の顧客は五〇人ほどだった[60]。

引退したグリニッジタイムレディのルース・ベルヴィルは、一九四三年に睡眠中の事故で亡くなった。ガス灯を暗くつけたまま眠っている間に一酸化炭素が漏れたことが原因だった[61]。彼女が信頼を寄せ長く連れ添ったアーノルドはナイトテーブルに置かれていたが、数日後に動きを止めた。一世紀続いた時間配達サービスは静かに幕を閉じた。

第2章

結ぶ

鋼鉄は鉄道レールとしてアメリカを一つにしたが、文化の大量生産もうながした。

リンカーンの葬送列車が結ぶもの

一八六五年四月二一日の早朝から、ボルチモアのダウンタウンの通りに人々がどんどん押し寄せてきた。小雨の中に太陽の光が差し、カムデン・ストリート鉄道駅近くは群集であふれて、道路は通行できなくなった。仕事は止まり、学校は休校になり、商店から人が消えた。[1] 人々は泣きながら、列車がくるのを待っていた。

アメリカ合衆国第一六代大統領エイブラハム・リンカーンの遺体を乗せた蒸気機関車は、大きな音とともに駅に到着した。彼が死亡したのは四月一五日、南北戦争が終わった数日後のことだった。「リンカーン・スペシャル」と呼ばれた列車の中に、六日前の二回目の就任式に着ていたのと同じスーツを着せられた大統領の亡骸《なきがら》が横たわっていた。

悲しみに打ちひしがれた大衆は、リンカーンの葬儀がワシントン以外でも行われることを強く願った。テレビやラジオのない時代は、リンカーンの葬儀に参加したければ、農場を留守にするなり店を閉めるなりして旅に出て、遺体の安置されている場所を訪ねるほかなかった。リンカーンの葬送列車によって、電信や新聞では決してかなえられない方法で国民が一体になり哀悼《あいとう》することが可能になった。列車は首都ワシントンを出発して一三日間かけて、ボルチモア、ハリスバーグ、フィラデルフィア、ニューヨーク、オ

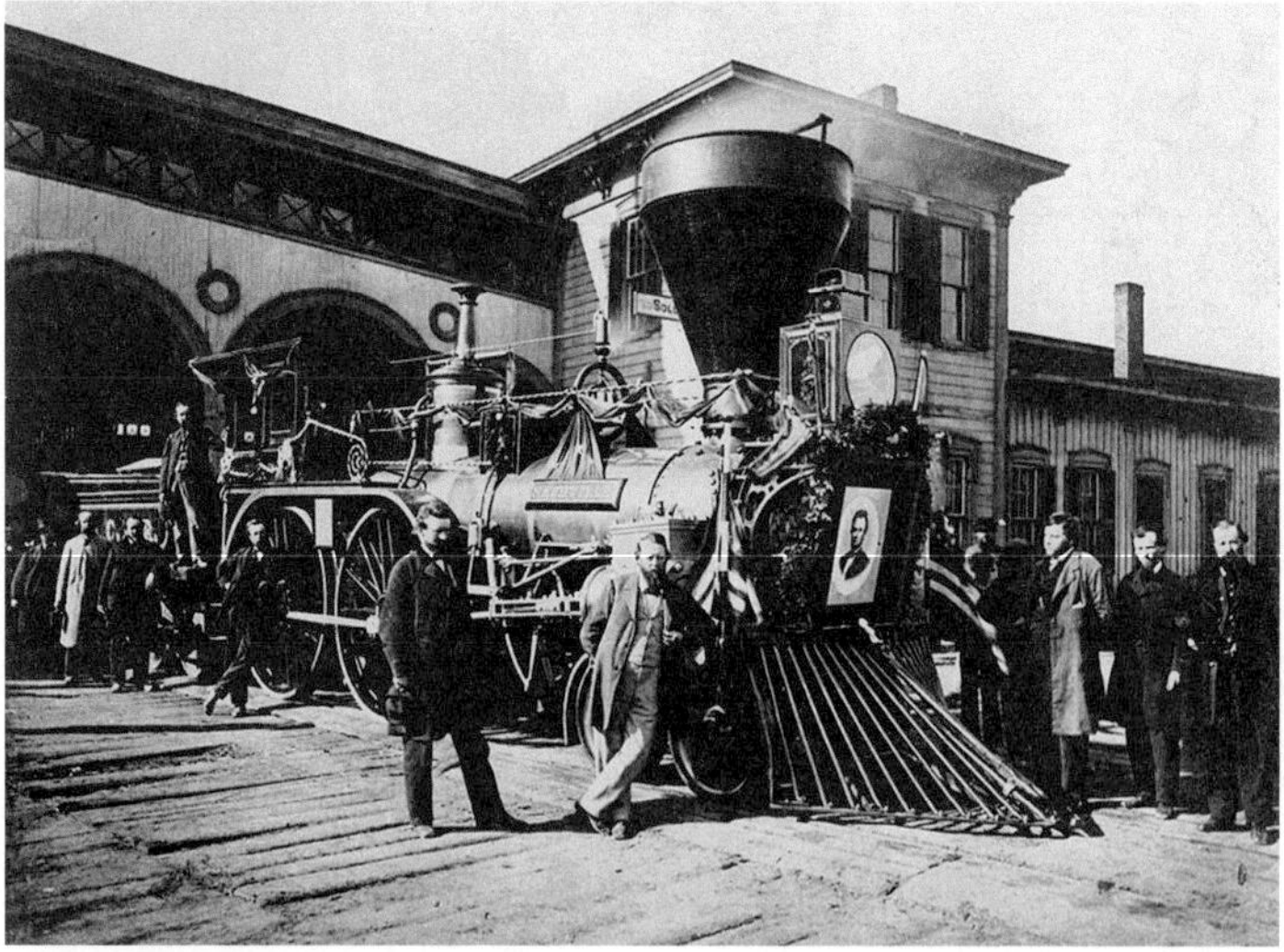

図12　葬送列車「リンカーン・スペシャル」。リンカーンの亡骸を乗せて、哀悼する人々のためにアメリカ国内を巡った。列車の正面にリンカーンの肖像写真を掲げ、音量を半分に抑えた鐘を鳴らすことで、葬送列車であることを人々に知らせた。

ールバニー、バッファロー、クリーブランド、コロンバス、インディアナポリス、シカゴの各地点で停止しながら移動を続け、最終目的地のスプリングフィールドで埋葬された。[2]

一八六五年四月はアメリカ史でもとりわけ激しい嵐のような一か月だった。四月九日にユリシーズ・S・グラント〔訳注：南北戦争で最終的に南軍のリー将軍を破った北軍の将軍。第一八代アメリカ大統領〕がリッチモンドを制圧し、南北戦争が終結したというよき知らせが全国に広がった。教会の鐘が鳴り響き、花火が打ち上げられ、人々は浮かれて歓声を上げた。しかしそうしたお祭り騒ぎは、一週間もたたないうちにリンカーン暗殺の悲報で鳴りを潜めた。

リンカーンの亡骸を輸送するとりまとめは、陸軍長官エドウィン・スタントンの肩にのしかかった。リンカーンとは気が合わなかったが、リンカーンの死の間際には誠実に寝ずの番を務め、米国でかつてない大規模な葬儀を実行するという難事業に取り組むことになった。スタントンは、この葬列の実現に向けて鉄道を軍事部門に組み入れたので、個々の路線を運営する鉄道会社は全面的に協力せざるを得なかった。

一五の鉄道会社の統合は大規模な事業であった。そのため、スタントンは葬儀を実現すべく準備委員会を立ち上げ、それに全権を付与した。準備委員らは「各鉄道業者とともに時刻表を作成して、安全で適切な輸送を目的とするあらゆることを実行および調整する権限を与え」[3]られたのだ。国を体とすれば鉄道は循環系だったが、その体がバラバラで、都市や州ごとに別々のタイムゾーンが今日よりたくさん存在する上、あまり体系的でもなかったので、列車の運行スケジュールを決めるのは難航した。一八八三年に標準時間が始まるまで、ほとんどの町が正午（太陽の南中）によって時刻を決めていたため、東へおよそ二〇キロメートル移動するごとに時計を一分進めなくてはならず、実際に首都ワシントンの正午は、ニューヨークの一二時一二分、シカゴの一一時一七分、フィラデルフィアの一二時七分だった。よって戦争と地方時という二つの理由により国は分断されて各地域まちまちになっていたが、この列車の貴重な「積み荷」のおかげで、国は手っ取り早く縫い合わされたのだ。

リンカーンの霊柩《れいきゅう》車両は立派な客車だった。外側は茶褐色の贅沢な塗料がほどこされ、艶出しの油とトリポリ石の粉末を使った丹念な手仕上げで光沢を放っていた。内側は緑のビロードで布張りされた壁に、クログルミ材の繰形がほどこされていた。淡緑色の絹のカスケードカーテンが、彫刻ガラスの窓にかかり、夜は三個のオイル灯が点いた。八車輪ではなく、ヨーロッパの王族用客車と同等の一六車輪が採用されたこの特別車両は、風格のある三つのコンパートメントに分かれ、その最後の部屋にリンカーンの棺《ひつぎ》が安置された。この客車はリンカーンの「エアフォーススワン」として設計されたが、この初めての走行で、黒く

図13　リンカーンを乗せた客車。彼の「エアフォース・ワン」として設計されたが、彼の霊柩車両になった。

垂れる旗布で飾り付けられたリンカーンの霊柩車両になった。

ルート上の目的地ごとに列車が止まり、コマドリの卵のような青い色の制服を身に着けた儀仗兵《ぎじょうへい》らがリンカーンの遺骸を担ぎ、公式の巨大な葬列をなして弔問会場へ向かった。沿道には無数の人々が集まって何時間も待ち構え、窓から、あるいは屋根や木に登って見ている人々も多かった。それぞれの会場には何万、何十万という会葬者がときには十数人まとまって向かい、開いて安置された棺を一目でも見ようと泣きながら長い行列を作っていた。[4] 当時は新聞に写真が掲載されることはまだ珍しかったので、多くの人々にとって、リンカーンの顔を見るのはこれが初めてだった。

埋葬の地に向かって葬送列車が走り続けるうちに、国民の感情は高まっていった。通過駅の中には、その町の人口より多くの人々が集まったところもあった。列車の停車する都市まではいけない人々が列車の通り道にやってきたのだ。

機関車は正面にリンカーンの肖像画を掲げ、時速三〇キロメートルあまりで慎重に走行し、駅を通過するときには時速五キロメートルに落とした。全九車両の構成は、客車と貨物車があわせて六車両、警備隊の車両、遺体を乗せた特別車両、最後尾

図14　ボルチモアのカムデン・ストリート鉄道駅で、リンカーンの葬送列車の到着を雨の中で立って待つ大群衆。

が家族と儀仗兵の車両である。

葬送列車の一〇分前に先導の列車が走り、リンカーンの到着を鐘の音で知らせる。鐘の舌《ぜつ》に音を和らげる革をあて、音量は半分に抑えられている。線路脇で待っている人々は、リズミカルに鳴る鐘の澄んだ音色に続き、エコーが聞こえて、準備すべき時間と知る。エジソンの電灯よりも前の時代だったので、夜には線路沿いにかがり火が焚《た》かれ、闇を押しのけて列車のルートを照らし出す。

昼夜を問わず人々は線路沿いに並び、厳粛な気持ちで熱心に待つ。先導列車が見えると線路から下がる。小さな旗を振る者、無言で立ち尽くす者、賛美歌を口ずさんでいる者。一五分後、ついに葬送列車がくる。そして通り過ぎると、群集は線路に入り視界の向こうに消えていく列車を見送る。それで終わりだ。

リンカーンは埋葬地に至るまでおよそ二六〇〇キロメートルの線路に沿って国内を広く移動した。「参列」した人々は何百万人にものぼる。アメリカじゅうの人々は、誰が告別式に列席したかを知り、葬列を目撃し、あるいは列車の通過を見送った。これらの暗く悲しい日々に、国民の絆は鉄製のレールによって結ばれた。だが間もなく、レールは鋼鉄製になり、鋼鉄を大量生産する秘訣が明らかになると、絆よりもはるかに大きなことが起こった。

鋼鉄は、ありふれた風景に隠れている金属合金で、全国を結ぶ偉大な立役者だ（ある意味、物質の形で存在するエイブラハム・リンカーンのようなものだ）。だが、鋼鉄が橋渡しして国民を結びつけるためには、鋼鉄を短時間で大量に生産する「レシピ」を編み出さなくてはならなかった。それを成し遂げたイギリスの発明家は、自分の発明から何が生み出されるのかを予想していなかった。

ベッセマーの火山

ヘンリー・ベッセマーは鋼鉄を夢見ていた。鋼鉄を無尽蔵に供給したくて仕方なかった。一八五五年の時点で、鋼鉄の科学的性質や製鉄の「レシピ」[5]についての知識はほとんどなかったが、それで彼が思いとどまることはなかった。一度たりとも。

ベッセマーはイギリスの多産な発明家で、見事、一〇〇を超える特許を持っている。それまでの最も有名な発明は、成分に金が含まれない金色の塗料だ。一八四〇年代にイギリスでは、金属光沢の出る塗料が人々のマストアイテムになっていた。それをふつうの額縁に塗って、凝った装飾の額縁に変えることがはやっていたのだ。ベッセマーがこの塗料を妹へのプレゼントに購入した[6]とき、値段が労働者の一日の賃金なみであることを知って仰天した。そこで、ブロンズを機械で細かくする方法を考えついて、あまり費用をかけずに金のようにキラキラ光る粉末を作り出した。これを塗料に混ぜると、誰でも買える安価な代替品になり、それがよく売れたので、ベッセマーは金持ちになった。だが間もなく、ベッセマーの興味は飾り用の金と金色の光沢から、兵器に使える強い鋼鉄に移った。本人も気づかなかったが、彼は鋼鉄作りを思い描くことで、世界も変える旅に出ることになった。

一八五三年にイギリスと同盟各国（フランス帝国、オスマン帝国、サルディーニャ王国）は、今日ではクリミア戦争と呼ばれる状況となった。発端は聖地イェルサレムの管理権問題で、カトリック信者の巡礼する聖地として管理しようとする同盟各国と、正教徒の聖地として保護しようとするロシアとの対立だった。戦いが勃発すると、ベッセマーなど多くの発明家たちが、兵器を作ろうと盛んに活動を始めた。

戦争に勝つために、イギリスは鋼鉄を大量に必要とした。鋼鉄は強力な大砲を作れる強い金属だ。残念なことに、ブリスター鋼など特定のタイプの鋼鉄の製造プロセスは氷河のように製造のペースがゆっくりで、また、るつぼ鋼など他のタイプのものは規模の拡大が困難だった。戦争開始から二年後の一八五五年には、発明家が鋼鉄を短時間で安価に製造する方法を見つければ莫大な富を築けるだろうということが明らかになってきた。ベッセナーのような起業家にとって、鋼鉄は経済的な錬金術になる可能性があった。大砲向きの良質な鋼鉄ができれば、もっと多くの金貨を生むだろう。

ベッセマーが発明家になったのは偶然ではなく、父親のアンソニー・ベッセマーの狙いどおりだった。父親はロンドン市民で、パリで働いていた。発明家でもあり、植字装置の発明と光学顕微鏡の改良により、二五歳のときに賞賛すべきフランス科学アカデミー委員に選出された。アンソニーの道筋は、アントワーヌ・ラヴォアジエのような科学エリートたちとも交差した。ラヴォアジエは酸素の発見者で、しばしば現代化学の父と呼ばれる。アンソニーは発明の才能があり、何をしてもうまくいったらしい。だが、一七九二年にフランス革命とともにすべてが終わる。ロベスピエールは大量処刑による恐怖政治を敷いて共和国設立を目指し、君主制や科学を目の敵にして、どちらも徹底的に叩き潰すことに執心した。この時代、アンソニーを含め科学者たちは安全ではなかった。アンソニーはラヴォアジエのようにギロチンにかけられる前に、かろうじて無一文でイギリスに逃げ帰った。イギリスの静かな小さい町に落ち着いて植字装置の工場を再建し、息子ヘンリーの教育にエネルギーを傾けた。

ヘンリー・ベッセマーは一八一三年にイギリスのチャールトンで生まれた。正規の教育はほとんど受けなかったが、父親の工場で自由に行動することが許されていた。そこでおもちゃの代わりの道具を手にして、[7] ものを作りたいという気持ちが育った。成長すると、がっしりした胸を持つ大柄な男性になった。太い鼻筋に、肉づきのよい顎、もみあげをたっぷり生やして、頭頂部に髪がないことがやや目立つ風貌《ふうぼう》だった。

才能のある人の多くにあてはまるように、ベッセマーは矛盾の典型だった。何かに熱中することもあれば、急に怒り出すこともある。頑固なときもあればおおらかなときもあり、優しいときもあれば横柄にもなる。話し好きだが、[8] 機械だけを相手に一人でいることを好む。彼は体格もアンバランスで、恰幅がよい割に脚が細かった。ベッセマーの目はときどき悲しげで心ここにあらずになったが、[9] いつも新しいチャンスを探していた。そして四〇代初めには、鋼鉄を安価に、短期間で、大量に製造するというミッションに取り組んでいた。

ベッセマーが作り始めた鋼鉄は、鉄に炭素を少し混ぜたものと定義していいだろう。だがその定義では、炭素が鉄に結びつくときの奇跡的な変質を的確に説明していない。顕微鏡レベルでは、奇妙なことに鋼鉄の一部が同時に二つの異なる物質に変化して、それらが層になって何枚も重なってケーキのようになっている。一方の層には炭素が多く含まれ、他方にはあまり含まれない。一方は極めて固く、他方はそうでもない。二種類の層が、強度と可鍛性《かたんせい》（曲がりやすさ）を互いに補い合っている。ふつうは一つの金属がこの二種類の性質を併せ持つことはなく、シーソーのように一方が上がれば他方は下がる。ところが鋼鉄では、両方の性質をそれぞれの層が持つので、どちらも存在する。反対の性質を同時に持つために、鋼鉄は用途が広い。

鉄の中の炭素というミステリアスな結合から生じた強い鋼鉄は、頑丈な大砲の製造に使用できる。だが、鋼鉄作りはベッセマーにとって容易ではなかった。完璧な量の炭素を鉄に加えるには、有名な童話『三匹のくま』（小笠原豊樹訳、福音館書店、ほか）のゴルディロックスちゃんがクマたちの家でやったように、「ちょうどいい」のを探さなければならない。炭素が少なすぎれば柔らかすぎる鋼鉄になる。多すぎれば（二パーセントを超えた程度で）鋼鉄はチョークのように脆《もろ》くなるので、それを使った大砲は、発射の際に破裂する恐れがあってたいへん危険だ。大砲に「ちょうどいい」鋼鉄とは、一パーセント以下の特定の割合の炭素を鉄に加えたものである。このプロセスが何度も繰り返し正確に行われることが必要だった。

さらに、原材料の鉄が純粋な鉄ではなかったので、問題は複雑だった。当時入手できた構造用金属は鋳鉄《ちゅうてつ》と錬鉄《れんてつ》だったが、鉄とは名ばかりで、ベッセマーのやろうとしている方法に利用するには好ましくない成分が含まれていた。鋳鉄は鉄と炭素の混合で、炭素の含有量が多すぎるので、脆かった上に、溶接やプレスで大砲の形にすることができなかった。錬鉄は、逆に炭素をほとんど含まず、船体用板材などに使えたが、好ましくない不純物が多量に含まれることが多く、大砲の強度面で危険だった。ゴルディロックスちゃんが選んだポタージュは熱すぎたり冷たすぎたりしたが、ベッセマーの金属は脆すぎたり柔らかすぎたりした。

ベッセマーは、なんとかしてまずは銑鉄《せんてつ》（炭素の多い鋳鉄）から炭素を除去すれば鋼鉄が作れると考えた。この新しい方法を実現する技術を見いだせば人類を新たなステージに導くことになる。炉に「多くの改良や調整」[10]を加え、炉で正しい条件が出せることを目指して一心に取り組んだ。ひたむきさは彼のすばらしい長所の一つだったが、彼は金属にとりつかれて健康をすっかり損ねてしまった。その回復途上でようやくアイデアは生まれた。

ベッセマーは鋼鉄のように強い男だったが、弱みもあった。船酔いの急性発作を起こしやすく、それが並外れてひどいものだった。発作が起きると何日も起き上がれなかった。「これほどひどい船酔いの経験者はそうそういないだろう」[11]と自叙伝に書いている。長い船旅のあとの回復期に[12]「ユリーカ」の瞬間はきた。「溶けた鋳鉄の十分に広い表面を空気にさらすことができれば、急速に可鍛鉄になるだろうと、私は確信した」[13]と彼は書いた。

空気を吹き込むこと（吹練《すいれん》）は、テールゲート・パーティ〔訳注：駐車場で車の後部扉を開けて、飲食を楽しむパーティ〕やバーベキューでの火起こし役や、先史時代の人々が、火を強くするのに使う昔ながらの技術だ。ベッセマーは一八五五年にこの方法にひねりを加えて、少し違う方法で空気を利用した。過剰な炭素の除去方法[14]として、溶けた銑鉄中の炭素を空気へ化学的に結合させる。それからまた、正確な量の炭素を加えて鋼鉄を作る。ベッセマーは、溶融金属の入った槽の底にまで届くパイプを差し入れて、直接空気を吹き込んだ。それは、火山を思い起こさせる挙動を引き起こした。クレイジーなアイデアだったが、効き目があったのだ。

彼はこの実験の様子を次のように記述している。「すべては静かに一〇分ほど続き[15]」、ときどき火花が散ったが、溶けた金属に空気を強制的に入れる場合には予想されることだったので、心配はしなかった。大釜の中が沸々と煮えたぎると炎や煙が出るとは予想していたが、数分後にはその炎と煙が地獄のような猛火になった。空気中の酸素が炭素と化学的に――そして激しく――反応を起こして、「増大し続けて絶え間なく散る火花と膨大な白煙が生じ[16]」て、爆発が連続的に発生した。酸素と炭素が化学結合したとき、彼の鼻、耳、目、肌は、もうもうとした煙、爆発の轟音、燃え盛る炎、猛烈な熱波に襲われた。ブクブクと沸き立つ凶暴な溶融金属は、ポンペイを飲み込んだヴェスヴィオ山のようになった。

ベッセマーは冷静に出来事を記述しているが、実験で爆発が起こって建屋の屋根の一部が燃えたのは明らかだ。鎮火して瓦礫を片づけると、実験は成功したことがわかった。この化学的爆発で鉄から炭素が除去されたので、好きな分量の炭素を加えて鋼鉄が作れるようになった。

数年で鋼鉄のレシピが完成して、ベッセマーは鋼鉄を手に入れたが、軍事用には間に合わなかった。クリミア戦争は終結し、鋼鉄なしでロシアは大いに痛めつけられた。だが、ベッセマーは立ち直りが早い起業家なので、「前進あるのみ」という座右の銘に従って、新しい有望な市場に狙いをつけた。鉄道線路である。

図15　ヘンリー・ベッセマー卿。イギリスの発明家で、鋳鉄中の過剰な炭素を空気の吹き込みで除去することで鋼鉄を製造するプロセスを発明した。

図16　ウィリアム・ケリー。アメリカの発明家で、燃料コスト削減のために溶融鉄に空気を吹き込む方法を考え出して、これを空気圧工程と呼んだ。

鋼鉄を作らなかった男

空気を大樽の鉄に吹き込んで鋼鉄を作る、というヘンリー・ベッセマー卿の発明のニュースが、一八五六年秋にアメリカに伝わると、鋼鉄が国内各地を橋で結び、鉄道レールで国を縫い合わせることになるだろうという希望で、国じゅうが沸き立った。だがウィリアム・ケリーはそのニュースに震え上がった。ケリーも金属作りに空気を吹き入れるレシピを持っていて、似ているように思ったからだ。発明者として自分の名を残したければ、ベッセマーに勝って特許申請を急ぐ必要があった。

ウィリアム・ケリーの生涯の望みは、自分の父親のような大人物になることだった。父親はピッツバーグの人々に尊敬された裕福な長老的存在だったが、若いケリーは成功に必要なそうした資質を受け継いでいなかった。衣料品の商売を始めて、ケリーは一八一一年に生まれ、背が高く痩せたおとなになり、野心を持つようには見えなかった。衣料品の商売を始めて[17]、マクシェイン&ケリーという会社で弟のジョンとともに巡回セールスマンとして働いていた。仕事は順調で、国じゅうを見て回る機会があり、会社の代表社員の一人であった。だが、運命の転機が訪れた。火災で会社の倉庫が焼け、それと前後してウィリアムは数多くの出張の中でケンタッキー州シンシナティに近いエディヴィルという町を訪れ、ミルドレッド・グレイシーに出会い、彼女の近くへ転居した。

ケリーは三〇代後半に原点に戻り、まったく知らない土地で、結束の固い地域社会によそ者として入って新たな生活を始めた。小さな田舎町で生計を立てるために、一八四七年に弟とともにエディヴィル製鉄所を買い取り、名前を変えてケリー&カンパニーとした。ウィリアム・ケリーはミルドレッドと結婚して、裕福な義父から製鉄所のために追加の資金援助を得た。製鉄所は、カンバーランド川沿いの数キロメートル離れた二か所、スワニー溶鉱炉とユニオン精錬炉で稼働した。溶鉱炉では鉱山から採掘した鉄鉱石を銑鉄にし、精錬炉では銑鉄を棒状の錬鉄にする。ウィリアムは溶鉱炉と精錬炉の管理をして、ジョンは財務を担当した。二人ともそれまでに製鉄の経験はなかった[18]。

銑鉄には四パーセントを超える炭素が含まれるが、〇・四パーセント未満という炭素の少ない鉄が、強度が高くて脆くないために望ましかった。そして会社には、銑鉄を錬鉄に変える装置、つまり炭素を多く含む鉄から炭素を減らす装置がそろっていた。

ケリー社の製鉄所は有利な状況にあり、続けていけるだけのリソースも豊富に控えていた。特筆すべきは、鉄鉱石の採れる良質の鉱山を持っていたことと、近くの広大な森林を所有地とし、そこから木材を切り出して炉に使う炭にできたことだ。炉の燃料は、製鉄所にとって極めて大きな維持費用なので、ケリーはなるべく経済的な方法を求めていた。

一八四七年のある日、製鉄所でケリーは容器に入った溶融銑鉄の表面に従業員が空気を吹きかけるのを見た、といわれている。空気で金属が冷えるだろうというその新米従業員の予測とは裏腹に、溶融池は熱くなった。「私は注意深く観察した後、金属が融けた後は、燃料の使用は不必要だという考えに確信を持つに至った[19]」と後年ケリーは書いている。空気の吹きかけは温度を上昇させるので、炉内の燃焼を維持するために木材を継ぎ足す必要性は低くなる。彼はこのプロセスを燃料節約と考えた。

だがケリーは気づいていなかったが、空気はそれ以上のことをした――彼の空気を吹き込むプロセス（彼のいう「空気圧工程」）で、溶融鉄は炭素が除去されて鋼鉄作りの格好の出発点になった。あとは必要な量の炭素を加えるだけだ。だが、空気吹き込みで重要なものを作り出していたことに、ケリーはまだ気づいていなかった。

米国特許がベッセマーにとられてしまいそうだというニュースが国内を席巻する中で、一八五六年にベッセマーの米国特許は出願された。溶融金属に空気を吹き込むプロセスも含まれた。それはケリーが自分のプロセスだと考えているものに似ていたが、ベッセマーの空気吹き込みの理由は違っていた。ベッセマーの持っていた知識は、空気吹き込みが溶融池から化学的に炭素を除去することだった。それによって、正確な分量の炭素を追加すれば理想的な鋼鉄ができる。ケリーの理解は、空気吹き込みが必要燃料の低減になることだった。

ケリーは、ベッセマーの出願を聞いてわずか数週間後、一八五六年九月三〇日にアメリカ特許局に異議を申し立てた。自分は一八四七年に発明したとして、優先権を主張するものだった。ケリーは十数人の証人を連れてきて、ベッセマーの申請を却下させることに成功した[20]。

とはいえ、ベッセマーとケリーの状況は違った。ベッセマーには稼働するプロセスが工場にできていたが、ケリーにはなかった。また、鉄から鋼鉄を製造するのに必要な行動は、空気吹き込みだけではなかった。ベッセマーはそれを手ひどく思い知らされていた。

ベッセマーの初期の実験は、ケリーの「空気圧工程」と同じように、銑鉄から炭素を除去するものだった。炭素が多すぎれば腐ったニンジンのように脆《もろ》い鋼鉄になるので、炭素の除去は適切な第一ステップだ。しかし、真にすばらしい鋼鉄を作るには、他の成分のリンとマンガンにも注目することが必要だ。リンが多すぎれば壊れやすくなるので、リンは除去したほうがよい。逆にマンガンは、少なすぎると壊れやすくなる。鋼鉄の製造は難しい。お菓子でいえば、スフレを作るようなものだ。

ベッセマーが初期に開発した工程は、気づかずにマンガンを除去したがリンは残るものだった。当初、知らずに使った銑鉄にはリンがそれほど含まれなかったのが幸いしたが、幸運は続かなかった。ベッセマーはライセンスを売って財産を作ったが、宣伝とは違った品質の悪い鋼鉄ができたためにまもなく訴えられ、裁判で負けてすべてを失う羽目になった。最終的にベッセマーは、マンガンを加える特許を保持するロバート・マシェットと、リンを除去する特許を保持するシドニー・トーマスの成果を自分の特許に組み合わせなければならなかった。それでようやくうまくいき、後に全部込みでベッセマー製鋼法と呼ばれるようになった。工程で生じるすべての化学反応を巡って議論はあったが、ケリーが化学反応について何も知らなかったことは問題にされなかった。特許局の証言から判断すれば、ケリーの工場の従業員は、溶融金属に空気を吹き込むことを燃料削減の方法として理解しており、高品質の金属を作り出す方法としてではなかったと考えられる。

特許局はケリーの申請を審理して、ケリーの科学的な理解の欠落を見落とし、特許請求範囲と証拠の矛盾を見逃した。[21] アメリカ特許局はこのアメリカ人の発明家にアメリカの特許を取得させた。一八五七年六月二三日、特許一七六二八番が登録され、空気が「燃料不使用で」[22] 溶融物の熱を増加させること、と明記された。特許のタイトルは、「鉄の製造における改良」であり、鋼鉄とは書かれていない。

ケリーは特許を取得したが、それを使って特段のことはしなかった。製綱が継続された形跡はなく、彼の書簡にも特許には触れたものはない。[23] さらにケリーは破産した。一八五七年恐慌で、イギリスの経済低迷がニューヨークの銀行に波及し、アメリカ全体を覆い、ケリーは資金調達できずに工場閉鎖に追い込まれ、その後は鋼鉄製造に寄与することはなかった。鋼鉄生産をするつもりのない人物に特許が握られていたために、鉄道線路と橋の整備にはまだ時間がかかった。アメリカ特許局はケリーの特許申請を更新して、ベッセマーの申請を再度拒絶したため、その期間が長引いた。

図17　ベッセマー転換炉。空気の吹き込みによって鋼鉄を作るために使われた。

まもなく南北戦争（一八六一～六五年）が始まって鋼鉄の必要性が膨れ上がり、アメリカの実業家たちは待ちきれなくなった。鉄だけで作られたレールは二年で錆びついたので、頻繁に交換が必要だったが、鋼鉄のレールなら一八年もった。[24] アメリカの各企業が、鋼鉄製造の全工程が許可されることを待ち望んだ。最終的には、ケリーを含めた法的契約が成立して、鋼鉄を迅速に製造する全工程がつながった。空気吹き込み工程での炭素の除去は、マンガンの添加、リンの除去、正確な分量の炭素再添加とともに、実施可能になった。

多くの人々はベッセマーが成功したと思うだろうし、実際に彼は成功した。鋼鉄製造プロセスは、アメリカ全土でベッセマー製鋼法として知れわたり、ヘンリー・ベッセマーは財をなした。だが、ケリーもまた、意味あることを成し遂げるという長年の望みを叶えることで、成功を収めた。ケンタッキー州エディヴィルにほど近い町の道路に、ケリーの製鉄所を示す表示があり、こう書かれている。「ここでウィリアム・ケリー（一八一一～八八）は、後にベッセマー製鋼法として知られる鋼鉄の製造方法を発見した。これにより文明は鉄の時代から鋼鉄の時代へ移り変わることになった」

鋼鉄生産が実際に行われるようになると、この偉大な物質は大量に製造されて国を建設したが、鋼鉄を作り出す過程で、伝説もまたそれのレシピの中に巻き込まれていった。

鋼鉄は私たちをどのように変えたか

ベッセマー製鋼法は、大釜の中の火山のイメージを呼び起こす。途方もなく高い温度で鉄と炭素の溶融物がまばゆいオレンジ色に輝き、あたりの空気は超高温なので近くがぼやけたりはっきりしたり揺らいで見える。窯を覗き込めば、煮え立つ表面には穏やかな煙霧がかかり、炎はリズムも目的もない手指のように突き出て動いている。表面から煙が渦を巻きながら滑るように上り、黄色とオレンジ色の火花があちこちでキラリと光る。だが、煙や炎、火花は[25]、始まりにすぎない。るつぼの中へ空気を吹き込むと、森林火災に独立記念日の打ち上げ花火を少々混ぜたような騒ぎが起こる。泡立つ溶融物に雷鳴が発生して炭素と空気が飲み込まれる。目に飛び込んでくる色が、赤からオレンジ、黄色、そしてまぶしい白に変化する。溶融金属の混合物が変容をとげたのだ。これが鋼鉄であり私たちの知る世界の誕生となる。

この溶融混合物が生み出した鋼鉄レールは、網目のように張り巡らされ、国の結合組織になり、これが多くのものを生み出した。想像のとおり、人々が移住を始めたことで都市は成長した。たとえば、シカゴは鉄道のハブになって膨んで、一八五〇年に三万人だった人口が、一八九〇年までには三倍になった。各都市が成長しただけでなく、それまでに存在しなかった都市が生まれた。鉄道路線沿いの埃《ほこり》っぽい町を擁する地域が、今日では有名な成熟した都市になった。アルバカーキ、アトランタ、ビリングス、シャイアン、リノ、リバーサイド、タコマ、ツーソンは、線路敷設の成功の所産だ。線路は生活に圧倒的な影響力を持っていた――線路の結んだ地域にいた人々は豊かになり、そうでない地域にいた人々は生き残れなかっただろう。

鉄道線路ができる前の旅行は、現代の私たちには想像しがたい。駅馬車の旅がどんなものかは、ハーバード大学第一五代学長ジョサイア・クインシー（一七七二～一八六四年）がボストンからニューヨークに遠出したときの様子を述べている。

ニューヨークへの旅[26]は一週間かかった。馬車は老朽化して窮屈で、馬具の大部分は縄でできていた。一組の馬が馬車を一区間一八マイル（約二九キロメートル）運ぶ。休憩場所に到着するのは、たいていは夜、特に余計なことがなければ一〇時だった。そして質素な食事をとってから、床に就くときに、翌朝は三時に声をかけられることが伝えられる。だが、たいがいは二時半に起こされる。すると、雪であろうと雨であろうと旅行者は起床して、ホーンランタン〔訳注：ガラスの窓の代わりに安価な動物の角を使ったランタン〕とちびたロウソクのもとで準備し、悪路を引き続き進まなければならない。ときには御者に酒が入っている様子がまったくなければ、思いやりのある乗客は、忘れずに停車場ごとに御者にもう一杯どうだと酒を勧めてやるようにする。こうして、一区間は一八マイル、ときどき車を降りて、ぬかるみやわだちにはまった車輪を引き上げる御者の手伝いをしながら移動を続け、そうした一週間の過酷な旅のあと、ニューヨークにたどり着いた。

駅馬車による旅は、回転式の石磨き器の中でガラガラ回され続けるようなものだったので、鉄道は大歓迎された。鉄道で旅が楽になって、地図のイメージは心の中で描き変えられた。こうした距離の見直しの一例が、一九三二年の『アメリカ合衆国の地形の地図帳』[27]で見られる。地図帳は国勢データからの抜粋で、人口と人口動態や、ある地点から別の地点までの移動時間（移動の速さ）が示されている（図18、19参照）。地図は本格的なハイキングマップの等高線に似ていて、曲線が移動の速さにあたり、ニューヨークを出発して特定の日数でどこまで移動できるのかを示している。地図によれば、ニューヨークから首都ワシントンまで移動するのに、一八〇〇年代初めには駅馬車で五日かかったが、わずか数十年で移動できる距離が広がって、一八〇〇年代半ばには列車で一日しかかからなかったということだ。線路がないころなら、故

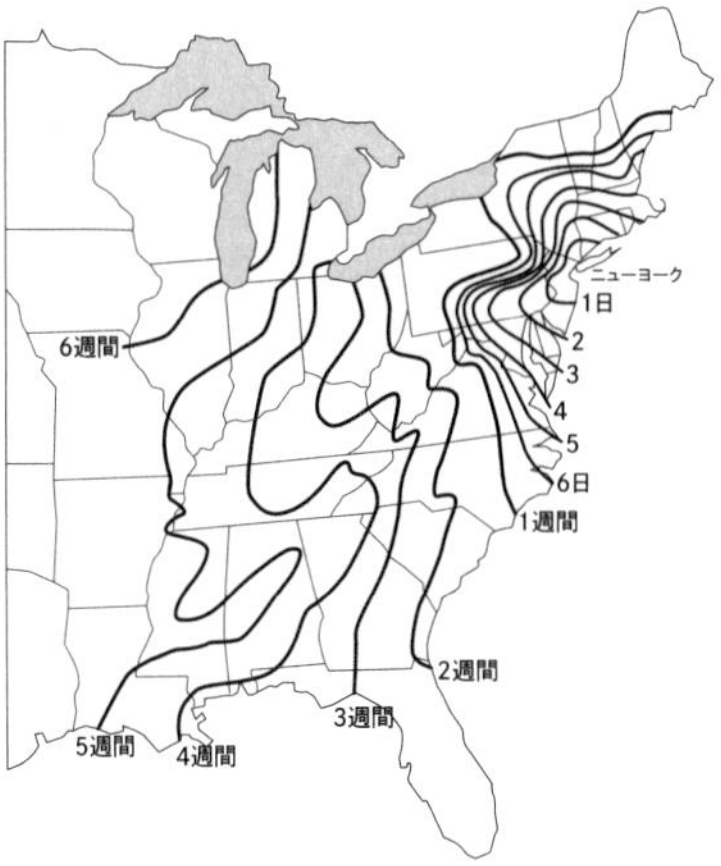

図18　1800年時点で、どのぐらいの時間でどのぐらい遠くまで移動できるかを示した地図（Atlas of Historical Geography of the United Statesより、許可を得て転載）。

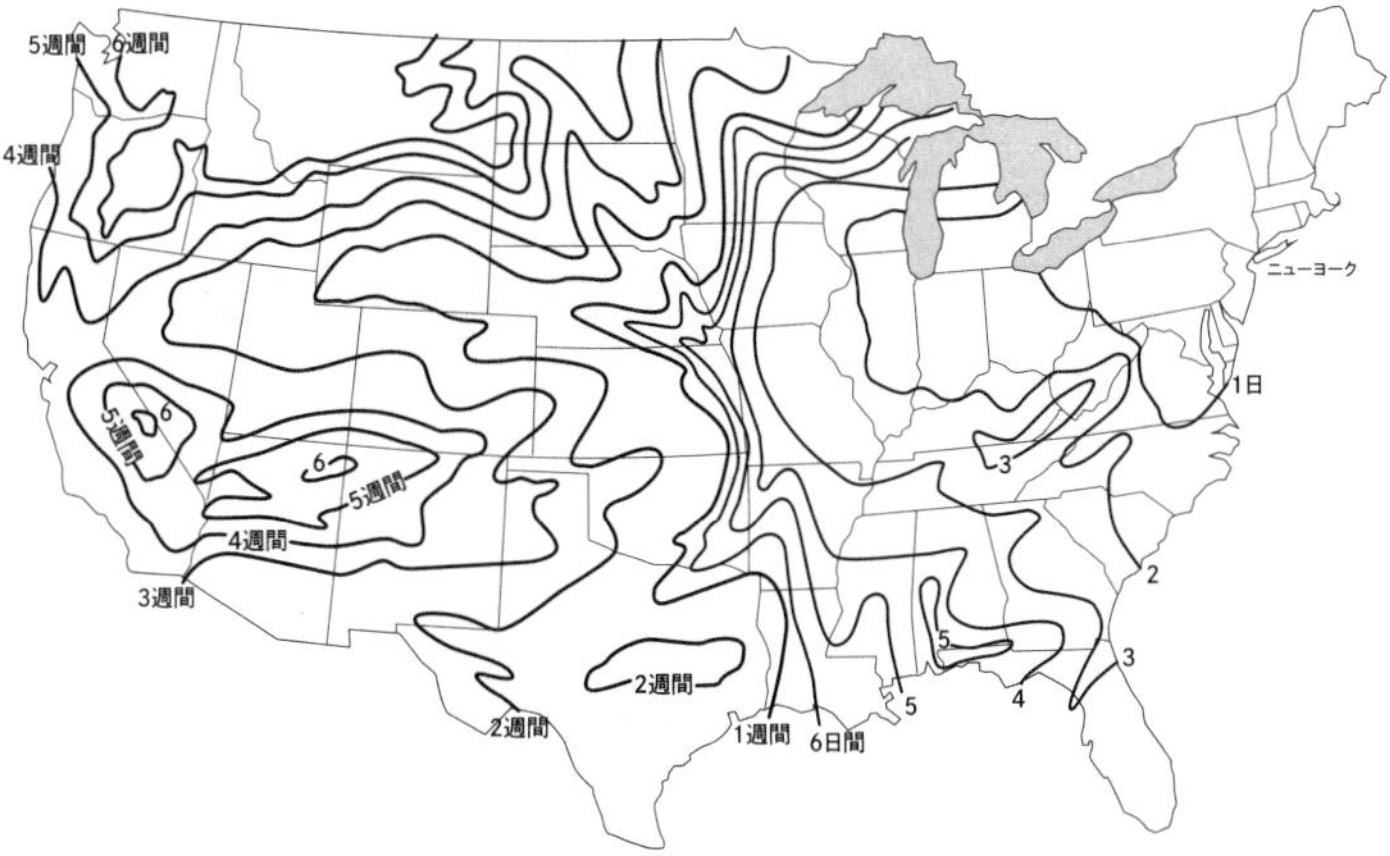

図19　1857年には、移動にかかる時間は、数十年前よりもかなり減っている（Atlas of Historical Geography of the United Statesより、許可を得て転載）。

郷の実家から八〇キロメートル離れたところに住んでいる息子の一家は、里帰りに二日かかるので、そう頻繁に実家と行き来できないが、同じ距離でも列車を使えれば二時間なので、祖母が孫の顔を見にくるようにもなるだろう。[28] 鉄道で、国は地理学における「時空間の圧縮」を経験した。つまり、ある地点から別の地点への移動にかかる時間が短縮したので、この二地点間の距離の重要性も低下した。世界が縮んだということだ。

時速約三〇～五〇キロメートルというのは、駅馬車の二～三倍の速度なので、鉄道以前の人々にとっては息をのむほど速かった。ほかの新しいものと同様に、抵抗する人々もいた。「神が蒸気［鉄道］により恐ろしい時速二五キロメートルで移動すべく知的生物を設計したならば、聖なる預言者らを通じてそれをはっきりと予言していたはずだ」[29]。この意見は、ミシシッピ川の西にまもなく鉄道が開通する一八二八年に、オハイオ州のランカスター教育委員会によって表明されたものだ。しかし、こうした反対をよそに列車は現れて、空前の速度で走るようになった。

鉄道によって商売そのものの性質も変わった。列車以前、小さな店は全商品を大量に保管していなければならず、破損や盗難のリスクがつきものだった。鉄道で数週間ごとに新商品の入荷や全商品の補充が可能になり、店は以前よりも少量の商品で、小さいリスクで経営できるようになった。鉄道以前には、西部の辺境地の商人は季節にあわせて働いた。夏は安定して販売できたが、冬は運河や川が凍結するので、店に客がこなくなり商品も届かなくなった。当時の商売は繁盛するとそのあとは商品が欠乏した。鉄道は、人やものの移動を自然の冬の凍結から切り離して、安定的な商品流通をもたらした。

鋼鉄レールを可能にした鉄と炭素の溶融混合物のおかげで、全国にさまざまな商品が拡散し、地元で入手できる品物だけで暮らすこともなくなった。アメリカでは鉄道線路が急成長し、ベッセマー製鋼法以前の一八四〇年には五三〇〇キロメートルの線路が敷設され、そのちょうど二〇年後の一八六〇年までには地球の外周より少し長い五万キロメートルになる。[30] 一九〇〇年までには世界を一〇周できる長さになった。[31] つまり、アメリカ合衆国のほぼ全域が結ばれて、各地域の生産品を欲すれば全国どこからでも手が届くようになった。

鋼鉄のおかげで、夕食のメニューの幅が広がって人々の楽しみが増えた。誰もが十分な量の食事をとれるように、生産品の供給地と国民の需要が結ばれた。鉄道以前には、各地域は地域内の労働だけで成り立ち、地域で買い物をして暮らすものだったが、その考え方が、レールで国内各地の生産物が結ばれたことで変化した。ミネアポリスは小麦、シカゴは畜産物、ルイジアナは砂糖、ミズーリはトウモロコシを豊富に生産し、それぞれの地域は他の地域の必要に応じて生産物を供給する用意があり、生産物の交換に安価な輸送手段が求められ、鉄道がそれに応える形となった。

鉄と炭素の溶融混合物は鋼鉄を作り出し、鋼鉄製レールは国内に張り巡らされ、国を建設し、国民を養った。だが、鋼鉄がしたことは、それだけではなかった。

「融合」してできた休暇

クリスマス休暇は、現在の私たちが知っているようなものではなかった。サンタとトナカイが現れたのは、キリストが誕生した翌年ではない。子どもたちはクリスマスがくるまで、少なくともあと三世紀待たなければならなかった。[32] 一八〇〇年代までにこの休暇は、それまでのヨーロッパの宗教的伝統や異教徒の伝統のさまざまな要素を取り入れ混ざり合い、一八四三年にチャールズ・ディケンズの『クリスマス・キャロル』（村岡花子訳、新潮社、ほか）が出版されると、現代人の視点から見てもそれと認識できる形ができた。このディケンズの本（と毎年だれもが思い出すエベネーザ・スクルージとタイニー・ティムという登場人物たち）によって、クリスマス休暇という冬の伝統の最終的な完成形態になったのだ。

ヨーロッパで盛り上がったクリスマスがアメリカに伝わったばかりのときには、それほどの人気はなかった。一八九四年の『ニューヨーク・タイムズ』紙で当時一〇四歳のジェイン・アン・ブラウン夫人が「彼らはクリスマスよりも元日のことを考えていた」[33]と述べている。夫人は長い人生にわたってこの休暇の変化を見てきて、ニューヨークの人々が現代とは違ってクリスマスを重要だと思っていなかった時代を目撃していた。これは、ニューヨークだけではなかった。

フィラデルフィアでは、クリスマスは面白くない休暇期間の始まりで、この期間には酔って騒ぎながら町を歩き、お金を無心する人々が現れた。冬は工場が閉鎖して[34]労働者が職を失い、手元にお金がなくなった失業者たちが、休みの期間に寄付を頼むためにお金持ちの家を訪ね歩いたのだ。無一文の人々は施しを求めて歌うのがお決まりだったが、これがやがてクリスマス・キャロルを歌うというはるかに楽しい行為に変わった。クリスマスはおおむね価値が高まり中産階級の価値観とも一致し、「プレゼントをあげて、くつしたの中を満たし、家族と御馳走を食べる」[35]時間になっていったと、民俗学者のスーザン・デイヴィス（イリノイ大学名誉教授）は書いている。

クリスマスが変化したことは、このころに多くのクリスマス・キャロルが生まれたことからも明らかだ。その中には以下のような今もよく歌われる曲も含まれる。

一八三九年　「ジョイ・トゥ・ザ・ワールド」（Joy to the World）

一八四〇年　「天には栄え」(Hark! The Herald Angels Sing)
一八四七年　「さやかに星はきらめき」(O Holy Night)
一八五〇年　「天なる神には」(It Came upon a Midnight Clear)
一八五七年　「我らはきたりぬ」(We Three Kings of Orient Are)
一八五七年　「ジングルベル」(Jingle Bells)
一八六八年　「ああベツレヘムよ」(O Little Town of Bethlehem)[36]

だが、休暇のこうした変容には裏もある。歴史家のペニー・レスタッドによれば、クリスマスがプレゼントをあげる大事な行事に変わったのは、経済を停滞させないためだったという[37]。そして商品やプレゼント、クリスマスのアイテムを移動させるには、鋼鉄のレールを走る列車の利用がうってつけだった。

クリスマスのさまざまな断片は縫い合わされて巨大なタペストリーになった。まずは、クリスマスツリーだ。ツリーを売る商売が一九世紀には活発になった。一八九三年の『ニューヨーク・タイムズ』紙には、「あらゆる商品取り引きと同様に、市場において激しい競争や商談の成立が進行中[38]」であり「その市場ではクリスマスツリーのみが扱われる」と書かれている。一二月初旬からクリスマス当日まで、メイン州の業者が各都市でツリーを売って回った。ツリーが売られているというのは今ではありふれた話だが、当時はニュースになった。メイン州で伐採されたツリーは、ニューヨークまで列車で運ばれていた。

クリスマスカードも登場した。一八八二年にある郵便局員が、「四年前にはクリスマスカードなんてめったにお目にかからないものだった[39]」が、「それからみんな熱狂的になって、カードの商売は年々大きくなっているようだ」と話している。クリスマスに欠かせなくなった最後の要素は、プレゼントをあげる習

図20　クリスマス休暇が贈り物をする行事になったので、クリスマスが近づくと郵便局の職員は抱えきれないほど大量の荷物を扱うようになった。

わしだ。一八九〇年に『ニューヨーク・タイムズ』紙は、「プレゼントをあげたりもらったりする大流行《エピデミック》[40]」が起こっていると書いている。こうしたクリスマスの変化を誰もが快く思っていたわけではない。一八八〇年の『ニューヨーク・タイムズ』紙は、「この流行は無駄遣いがすぎて、ほとんど無謀な出費と思われる」が、「どの階級の人々もプレゼントに大金をかけることを競い合っている[41]」と書いた。これらの実直な意見をよそに、鋼鉄レールの上をクリスマスツリー、クリスマスカード、クリスマスプレゼントを満載した列車が走り、社会はその勢いに飲み込まれていった。

　アメリカ合衆国が南北戦争とリンカーンの死により分断されたので、これを統合する偉大なものを必要としたと主張する研究者もいるだろう。実際、この冬の休暇は国の絆として機能するようになった。商売と鉄道がレールを使って、クリスマスのタペストリーを縫い合わせたといえる。アメリカの文化の一部である買い物は、鋼鉄レールが可能にした。列車は商品をもたらし、また人々を店へ運んでこうした商品を買うようにさせ、循環システムを作り出した。クリスマスはこれを促進したのだ。

私たちの知っているクリスマスは、企業の重役会議室で生まれ、鋼鉄に保護されたといえる。クリスマスが商売のために作り出されたことを裏づける証拠には、感謝祭の時期にまつわるものもある。エイブラハム・リンカーンは一一月の最後の木曜日を感謝祭とし、国民の休日にすると宣言したのに、その数十年後、フランクリン・D・ルーズベルトは財界首脳や百貨店ロビイストの熱心な勧めによって、感謝祭を一週早めて、一一月の第三木曜日とした。これが、クリスマスシーズンを手前に伸ばすことになって、人々が買い物をする期間が長くなったのだ[42]。列車は、大統領のサイン一つで一足早く蒸気を吐いて走り出し、サンタのプレゼントを子どもたちへ楽しげに運んで、彼らが休暇を――列車と鋼鉄の後押しで生まれた休暇を――楽しむお手伝いをした。

一八八四年の『サイエンス』誌には、ヘンリー・ベッセマーの製鋼法は「一世紀の四分の一という短い期間で、人間の産業のうちでも最大の産業の一部に、徹底的な大改革をもたらした発明である」[43]と書かれており、実際、鋼鉄が潤沢に供給されるやいなや線路に使用されて国内各地が互いに結ばれた。強力に国を結ぶものが必要とされたとき、リンカーンという名の偉大な人物が登場し、それから、別の形で国を結ぶ鋼鉄という名の材料が現れた。ベッセマーの炭素と鉄の溶融混合物は、まずは距離を圧縮し、続いていくつもの都市を作り、商取引から現在お馴染みのクリスマスまで数々の興味深いものを生み出して、私たちの社会をこの奇妙で複雑な時代へ強く押し進めたのだ。

第3章

伝える

初めは鉄製で、後に銅製になった電信線が、コミュニケーションの高速伝達方法を生み出して、情報を形作り、そして意味を形作った。

遅すぎた戦争終結の知らせ

一八一五年一月初旬の朝、アメリカ陸軍少将アンドリュー・ジャクソンは、小型望遠鏡を使ってルイジアナ州の戦場をじっと見ていた。そこは、この何週間ものあいだ英軍を食い止めている舞台だ。都市ニューオーリンズから約一〇キロメートル南方、ミシシッピ川沿いのぬかるんだ土手に、彼の率いる部隊がいた。兵士たちはどこからどう見てもプロの軍人ではなかった。兵士として訓練されていたのはごく一部で、あとは辺境地からの民兵、ボランティア、商売人、解放奴隷、先住アメリカ人と、海賊が数名[1]。この準備不足の四〇〇〇人の兵士[2]に、米国の存在がかかっていた。対する英軍は、訓練を受けた一万兵[3]だ。

一八一二年に火蓋が切られた米英戦争（第二次独立戦争）はそれまで三年間にわたって続いており、戦況のニュースは馬や船で各地に運ばれて、何週間もかけて世間に伝わっていた。予想されたとおり、アメリカという新しい国家はまだ十分に大きい軍隊を構築できず、戦況は有利ではなかった。さらに、対外的な戦いだけでなく国内でも争っていた。アメリカ合衆国の北部は団結していなかったので、イギリスは、ニューオーリンズ南部を一撃すれば西部にも影響が及んでこの国が崩壊することを確信していた。その行く手を阻む唯一の人物が、短気で気性が激しいアンドリュー・ジャクソン少将だった。

図21　エドワード・M・パクナム卿。英軍の指揮官として、ルイジアナ州の戦場でアンドリュー・ジャクソンと戦った。

図22　アンドリュー・ジャクソン。米軍の指揮官として、ニューオーリンズの数マイル南方に所在するシャルメット・プランテーションに布陣した。

ニューオーリンズの戦いは敵国同士のぶつかり合いだったが、異なる気性の対立でもあった。英軍を率いる三八歳の少将エドワード・パクナム卿は教養ある軍人で、皇族につながりのある一族の出身だった。若くて大柄で熱血漢だった彼は、配下の兵士らに「ネッド」と呼ばれて親しまれ、大きな尊敬を集めていた。これに対し、米軍率いるジャクソンは四七歳、赤痢にかかってやつれており、一八〇五年の決闘で受けたピストルの弾も心臓のすぐそばに残ったままだった。彼もまた、兵士たちに「古いヒッコリー」と愛称で呼ばれたが、それはヒッコリーが彼らの知る限り最も丈夫な木だったからだ。ジャクソンは教育をほとんど受けておらず、指揮官としての真価も不明、天才的軍人でもなかったが、ロットワイラー犬のような獰猛さがあった。

一八一五年一月八日、夜明けの光が差すまでに、英軍は米軍壊滅に向け三度目の試みを開始した。ニューオーリンズ近くの戦場は、ミシシッピ川の茶色い水と黒い湿地帯に挟まれた砂糖のプランテーションの中だった。前線に堀と土塁を設けたジャクソンの布陣は、中央部分は強固だが端のほうが弱かった。敵の英軍は、この弱点を突いて両端から攻撃する計画を立てた。英軍を指揮するパクナム少将は思慮深い人物で、採用した複雑な戦略では、各部隊が正確に協調した行動をとり、時計の各部品のように完璧に相互に機能し合うことが必要だった。攻撃は、ミシシッピ川をわたって攻める部隊、ミシシッピ川上流側の端から攻める部隊、湿地帯の端から攻める部隊、布陣の中央を突撃する部隊による全部で四方向だった。パクナムはこの戦場をチェスの知的な競技会と見なして、敵のキング一駒をとれれば勝ちだと思っていたが、ジャクソンはチェッカーのような素朴なゲームと見なして、盤上の駒をたくさんとったほうが勝ちだと考えた。

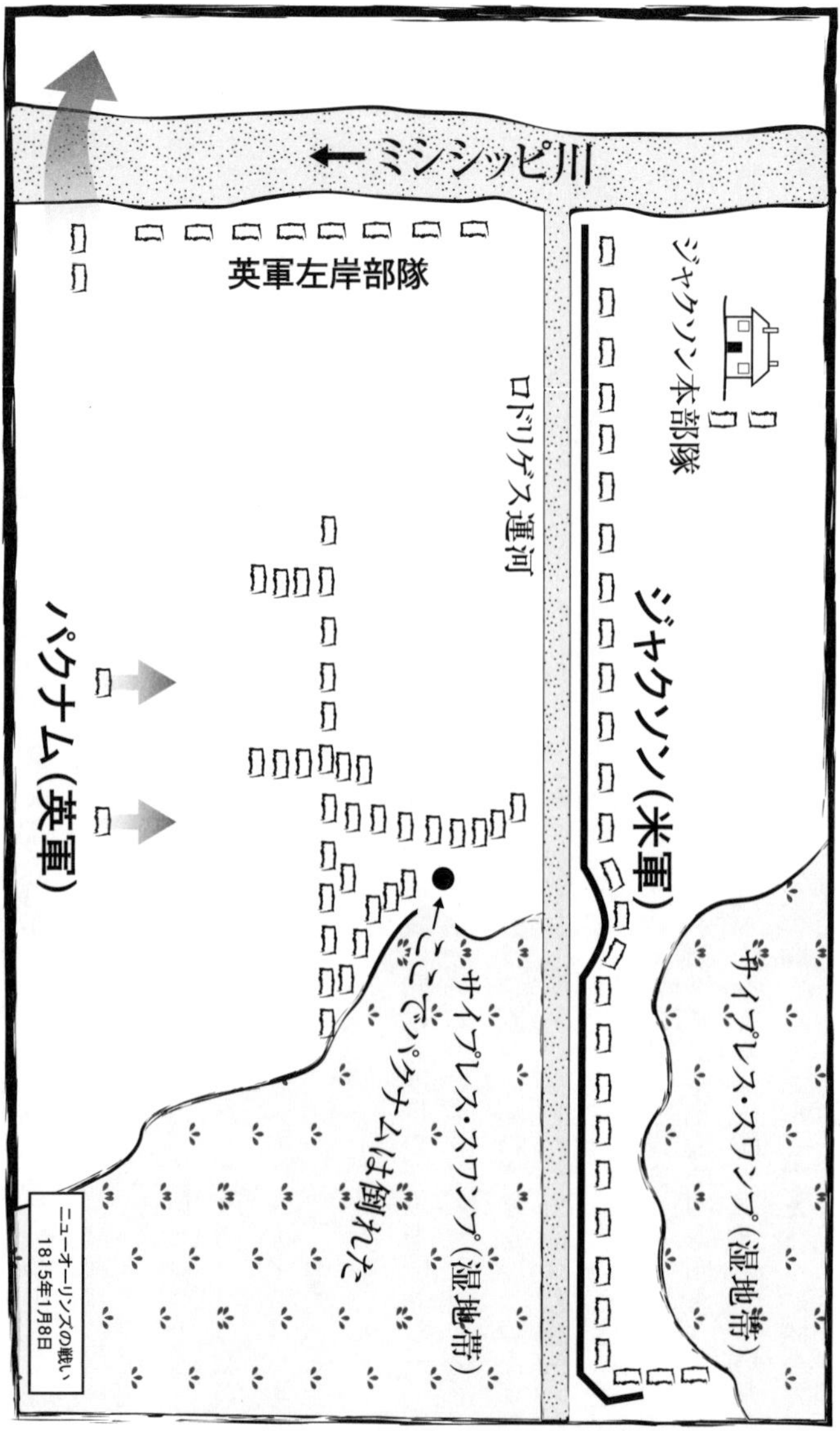

図23　1815年1月8日のニューオーリンズの戦いの説明図。

戦闘が始まり、やがて戦局は米軍側に有利となる。ミシシッピ川をわたって進軍する英軍の船が、泥にはまって動けなくなり、ジャクソン軍の背後から仕掛ける予定の攻撃が遅れてしまった。さらに人間の弱点も戦況に加担した。徒歩で突撃する英軍の部隊が、計画では梯子《はしご》を土塁にかけてあがり、束ねたサトウキビを堀に投げ込んで水の上を進軍する予定だったが、梯子とサトウキビの束を持って行き忘れたのだ。この「とんでもない大失態」[4]に気づいた部隊はとりに戻ったので、チェスの指し手のタイミングがますます狂って、同時進行するはずだった作戦どおりに攻撃できなくなった。

米軍の上空に大音量で砲弾が飛んでくるようになると、兵たちは戦う前に爆撃で震えあがった。ジャクソンは、乗り慣らされていない馬に対するように、断固として動じずに父親らしい言葉をもって、兵たちの逃げ出したい衝動を抑え込んだ。ジャクソンの命令で攻撃は開始して、米兵たちはマスケット銃の引き金を人さし指でグッと絞り、あるいは大砲の火打石をグイッと引き、狙っては撃った。当時は自動式の武器が登場する以前で、米兵は前進するレッドコート（英陸軍兵）を標的に、轟音をあげて素早く仕留めていった。英兵は土塁を襲撃して、銃で撃ち返してきた。銃撃や砲撃の音は激しく鳴り続けたが、二時間たたないうちに徐々に少なくなっていき、やがて数発になり、ついに途絶えた。

たちこめていた煙が晴れてジャクソンが小型望遠鏡で戦場を見渡すと、何千もの赤い軍服が倒れていて、息を引き取った場所で凍っていた。パクナムは大砲に直撃され二つに切り裂かれた姿で横たわっていた。そうした戦場を見詰めていたジャクソンも、心臓から数センチメートルのところに昔の銃弾がまだ埋まっていた。戦闘は終わり、勝てそうもなかったアメリカ人は、わずか一〇〇人の犠牲者を出したのみで、勝利を収めた。

ところが、これは無駄な勝利で、両国の兵たちの犠牲には意味がなかった。善良なるアンドリュー・ジャクソン少将は知らなかったが、ニューオーリンズの戦いが始まる前に米英戦争は終わっていたのだ。ジャクソンと英軍が戦う二週間前、一八一四年のクリスマスイブにベルギーの都市ガンで講和条約が結ばれて、米英両国の国境や政策を戦前の条件に戻すことが決まっていた。だが当時、サミュエル・モールスによる電信の発明には二〇年近く待たねばならず、講和の知らせは小包のように船で運ぶしかなかった。知らせは何週間もかかってようやくワシントンに届いて、二月一六日に満場一致でガン条約は承認された。戦闘から二か月後の三月六日にジャクソンが公式ニュースを受け取るまでに、ルイジアナ州の緑の草木は生い茂って、英軍の兵士たちの遺骸をすっかり包み込みつつあった。

　南部のサトウキビ畑で兵たちはいたずらに命を落としたが、この知らせの遅れはさらに大きな波紋を生んだ。

　歴史のほんのつかの間、アメリカの最もすばらしいものの前にジャクソンは立っていた——軍には、黒人と白人、金持ちと貧乏人、プロとアマチュアの兵士、先住民と入植者、数名の犯罪者さえいた。これらの人々には違いが無数にあったが、共有するものがもっと大きかった。力を合わせて自分たちの幸せを追求する機会を求めて、英軍を押し返したのだ。ジャクソンは、戦争中に黒人に対して、報奨と名誉を白人と同じ形で与えると約束した。戦場ではアメリカ先住民族の兵に囲まれて英軍に立ち向かった。戦場の近くの女性に協力を求めて、兵士の衣類や負傷者の包帯を準備させた。ジャクソンはさまざまな人々をまとめたのだ。大勢の人々は一つになった。だが、このまとまりも、ジャクソンがこれらの人々に置いた価値も、長続きしなかった。

　この勝利の後、ジャクソンの人気があがり、彼はやがて大統領になる。大統領在任中には、アメリカから先住民族の排除をすすめ、彼らの多くは「涙の道」で命を落とした〔訳注：一八三〇年成立の強制移住法により一〇万人の先住民がインディアン居住地へ強制移動させられた。特に一八三八年、チェロキー族一万五〇〇〇人のうち四〇〇〇人が三〇〇〇キロメートルを移動途上で死亡したことから、「涙の道」「涙の旅路」と呼ばれる〕。彼はアフリカ系アメリカ人の奴隷を国内で所有し続け、自分のプランテーションで奴隷を使って大きな富をたくわえた。また、資産家だけが持っていた選挙権を広げて、白人男性すべてが持つようにしたが、女性の権利は無視した。ジャクソンはアメリカ大統領として有名になり、自分と共通点がある人々の生活を改善した。その他の人々をゲームのチェッカーの駒のように送り返し、押しとどめ、あるいは先住民のように排除した。ニューオーリンズの戦場でのつかの間だけ、ジャクソンは、黒人、ケイジャン人、クレオール人、インディアン、そして白人をまとめあげて導いた。アメリカのいわばモーセとなってアメリカを解放したのだが、戦後には、約束を破るとともにアメリカのファラオになった。当時サミュエル・モールスの電信があったなら、不要な戦闘をする前に講和の知らせが届いたことだろう。そうすれば、ジャクソンの権力への道が阻まれて、戦後のアメリカは違っていた可能性もあるだろう。

電光を送り出す

サリー号のデッキから、サミュエル・F・B・モールスは涙をこらえつつ大西洋の向こうの母国のほうをじっと見ていた。彼はニューヨーク市に向かう郵便船で帰国の途についていた。郵便物や商品が積まれたこの帆船は、フランスのルアーブル港（セーヌ川が英仏海峡に注ぐ地点）を出帆して、気まぐれな風の力で進んできた。モールスがフランスを出立したのは一八三二年一〇月一日で、結婚記念日の直前だった。モールスはそれまでの七年間というもの、この日が近づくたびに悲しみに沈んだ。絵画を描く技法を学んで画家としてのキャリアを向上させるために外国で暮らすのだとモールスは宣言したかもしれないが、少数の親しい友人たちは、彼が三年間ヨーロッパにいってしまうのは妻のルクレティアを思って嘆き悲しむためだと囁き合ったことだろう。ルクレティアが一八二五年に心臓発作で亡くなったことで、モールスは深く傷つき、その後の年月では心安らぐことがなかった。のちに兄弟に「この傷から毎日新たな血が流れる」[6]と打ち明けている。モールスの悲しみは、愛する妻にさよならの挨拶をする機会がなかったことで増幅した。妻の死後、生活の負担が重くなりすぎたので、大西洋をわたってヨーロッパへ逃れた。ヨーロッパの特にロンドンはかつて、彼の青春時代を形作り、彼が絵画を描く技法を学び画家になる決心を新たにするのにふさわしい時をもたらした。今回、モールスは落ち込んでいて無一文に近い四一歳の男として海をわたり、三人の子どもを親戚と友人に委ねたまま、時間と空間による癒しを求めてフランス、それからイタリアですごした。

　イェール大学の学生として古い赤レンガの建物のあたりを歩き回っていたころから、モールスは画家になりたいと望んでいた。彼は自分が「芸術の知的分野」[7]と呼んだものを楽しむようになり、ヨーロッパの巨匠たちがしてきたように、壁画や史跡でキャンバスを埋め尽くした。彼は自分の労働の成果で無理なく暮らすつもりでいた。上背が一八〇センチを超えるがっしりとした体つきだった若者は、残念ながら今はやつれてやせ細っていた。さらに悪いことに、アメリカ人の好みによって彼の仕事のほとんどは肖像画を描くことだったが、彼は肖像画には表現様式が少ないと見なしていた。とはいえ、二〇代と三〇代のときは生活費を稼ぎ出すために、モールスは実家から駅馬車でほんの数日でいけるニューイングランド地方の多くの土地から、母親の親戚が住む南カリフォルニアに至るまで広く旅をして回り、お金を払ってくれれば誰であろうとその肖像をキャンバスに写し取っていた。

一八二五年の一月に、運よくモールスは美術界で次のレベルの仕事へ移行するための絶好の機会を得た。有名なラファイエット侯爵の全身肖像画を依頼されたのだ。フランスの軍人のラファイエットはアメリカ独立戦争（一七七五〜八三年）で義勇軍を指揮してアメリカ人と肩を並べて戦った英雄であり、当時の数少ない存命者だった。モールスは、ジョージ・ワシントンに次いでラファイエットを二番目に尊敬していた。父親のジェディディア・モールスはワシントンの友人だった。ジェディディアは闘志あふれるプロテスタントの聖職者で、有名なアメリカの写真家でもあり、自分の息子が画家になることを望まなかった。フィンリーというミドルネームで呼ばれていたサミュエル・モールスは、貧しい暮らしを望まず、また実家からあまり遠くへ離れたくないと思っていた。小さいころにも、全寮制の学校から逃げ出して厳格な両親のもとに帰ってきてしまうほどだった。そのため、ニューハンプシャー州コンコードで肖像画を描いているときに出会ったルクレティアとついに結婚したとき、モールスの人生に欠けていた部分が満たされ、二人の絆は「強い愛情」[8]で結ばれた。その妻の死は彼を無力にし、妻の他界の知らされ方も彼に傷を残すことになる。

一八二五年の冬、首都ワシントンでラファイエットは肖像画のために二日にわたって長い時間、椅子に座っていた。この間にモールスはホテルで妻あてに、自分が出席したホワイトハウスでの行事について伝える手紙を書いた。二月一〇日の水曜日の日付けを記し、「きみからの手紙が待ち遠しいよ」[9]としたため封をした。そのちょうど三週間前に、コネチカット州ニューヘイブンでモールスの両親のもとにいたルクレティアは、三人目の子を出産したところだった。産後の回復は遅く思われたが、着実によくなりつつあり、彼女の機嫌がよいのは確かだった。夜、寝室に下がるとき、まもなくニューヨークの夫と暮らすことが楽しみだと話をしたという。

モールスは妻に手紙を書いた数日後の土曜日、思いがけなく父親からの短い手紙を受け取り、何かよくないことが起きたのを察知した。父親はピューリタンの子孫らしく感情にまかせた無駄な努力はしない人だったが、その手紙は「愛情をこめて最愛の息子へ」[10]という書き出しだった。そして、「私の心は苦痛と深い悲しみの中にある」のは、「お前の最愛の、そして愛されてしかるべきお前の妻が、突然思いもよらず亡くなったからだ」と続いた。ルクレティアはモールスの手紙を受け取ることはなかった。なぜなら、彼がペンで羊皮紙に書き始める三日前にルクレティアは世を去っていたからだ。ルクレティアは不治の病、手紙によると「心臓の病」によって、月曜日の夜に息を引き取った。この悲劇的な知らせを受けてすぐに、モールスはワシントンから駅馬車でニューヘイブンに向けて急ぎ出立した。日曜日までにボルチモア、月曜の夜までにフィラデルフィア[11]、火曜日までにニューヨークを経て、水曜日の夜にニューヘイブンに到着した。到着したときには、ルクレティアが埋葬されてから四日をすぎていた。

ラファイエットの肖像画を完成させるためにモールスはニューヨークに戻った。キャンバスに描かれた暗い雲は、この指揮官の大きな顔との対照を生み出す芸術的技巧というだけではなく、モールスの気持ちが現れたのかもしれない。それに続く数年間、モールスは形だけは美術界でさらなる地位を確立して、得られた名声で喪失感を埋めていた。だがおおむね生活には張りがなかった。何年たっても、彼にとって時はルクレティアが死んでから止まったままだった。知らせが届くのが遅かったことを彼は呪った。彼は以前にも連絡ののろさで悩んだことがあった。何年も前の若いころにロンドンから両親あての手紙に書いている。「瞬時に情報を伝えられたらいいのにと思う。だが瞬時に三千マイル向こうへは伝わらない」[12]。そして、「お互いの便りが届くには、四週間という長い時間を待たなければならない」と続けた。妻の死によって、もっと速いやりとりをしたいという願いはますます強まった。そして、悲嘆のあまり、悲しみから

図24　モールスが駆けつけた妻ルクレティアの眠る墓。コネチカット州ニューヘイブンの一家の墓地にある。妻の死はのちにモールスがテレグラフ（電信）を発明するきっかけとなった。

逃れるために海外を旅したいという気持ちが駆り立てられた。そういうわけでモールスは、母を亡くした三人の子どもたちを親戚に預ける手はずを整え、準備もそこそこにヨーロッパへ旅立った。

一八三二年に帰国の途に就いたとき、モールスは海外で望んだ名声と富はほとんど得られていなかった。サリー号での長い七週間のあいだに、気乗りはしなかったが、同じく乗船していた一九人の乗客と知り合いになった。全員が食事で顔を合わせるので、旅のあいだに互いの仕事を知るようになり、海に浮かぶ孤立したコミュニティが生まれた。ある夜、ボストンの若い医師で後に地質学者になったチャールズ・T・ジャクソンが、パリの医科大学の講義に出席したときに見た電気に関する科学実験の話を夕食の席で披露した。ジャクソンはワイヤーをU字型磁石に輪にして巻きつけると磁石が強くなる、といった電気学と電磁石に深く興味を持つようになっていて、ソルボンヌ大学の周りを何周も巻いたワイヤーを電気が瞬時に伝わったという実験について長々と話した。聞いていた者は、疑わしそうな表情を浮かべた。すると、ジャクソンは続けて、アメリカの英雄ベンジャミン・フランクリンの話を始めた。フランクリンは、激しい雷雨の中で凧揚げ実験をしたことで有名だが、ほかにも数キロメートルのワイヤーをとおして電気スパークを送る実験もしていて、一方の端にスパークが触れた瞬間に、それとまったく同じスパークが反対の端で観測されることに気がついた[13]。こんなに素早い方法で知らせが送れたらすごいことじゃないか、と誰かが指摘した。それまでぼんやりしていたモールスがはっとして尋ねた。「ぼくらにもできるんじゃないか[14]」。

会話は続いたが、モールスの疑問に応えるものではなかった。モールスには稲妻のようにアイデアがひらめいた。夕食後、サリー号のデッキに上がり、くつろいだところで、スケッチブックにアイデアを描き出した。夜どおし寒い空気にあたりながら、電気を使ってワイヤーをとおしてメッセージや「情報」を行

図25　サリー号のデッキにて。サミュエル・F・B・モールスはヨーロッパで数年すごした後のニューヨークへの帰途で、言葉を圧縮してコードにすることで、電気を利用してメッセージを送るというアイデアを思いついた。

ったり来たりさせることについてぐるぐると考え続けていた。イェール大学では、自然哲学教授のジェレマイア・デイ〔訳注：モールスは一八一〇年に卒業したが、その後の一八一七～四六年に、デイはイェール大学学長を務めた〕による物理学の授業をとった。デイ教授は学生すべてに手をつないで輪になるようにさせると、学生の一人に電気ショックを与えた。モールスは「まるで誰かに自分の腕を軽く叩かれたような感じがして」[15]、そのショックを全員が同時に感じたと、家への手紙に書いている。電気が瞬時に移動することができるなら、メッセージも即座に送れるのではないかとモールスは考えた。そんな発明が実現すれば、全寮制の学校に入った少年が両親からの愛情をちょくちょく感じとることや、ロンドンにいるアメリカ人のティーンエイジャーが実家と連絡をとること、あるいは死に際の妻に夫がさよならをいうことができるかもしれない。

　翌朝、モールスは朝食の席に前日と同じ服で現れると、あたりに夜の潮風のムッとするにおいを漂わせた。大西洋の真ん中で秋の夜、モールスはずっと考え続けていた。現実を離れた海の上で、文明から遮断されて、彼は世界とコミュニケーションをとる方法を練っていた。モールスは電磁気テレグラフ〔訳注：telegraph（テレグラフ）は現在の電信のこと。ギリシャ語を語源として作られた言葉で、テレ（tele）はギリシャ語で「遠方の」、グラフ（graph）は「書くこと」を意味する〕[16]と呼んだその自分のアイデアに夢中になり、機会があるたびにチャールズ・T・ジャクソンに質問して、アイデアをノートに書き留め、電光を送る方法をひねり出そうとした。船室の絵は未完成のまま、彼は新しいことを考えていた——発明だ。サリー号は旧約聖書のヨナの巨大な魚のようにモールスを呑み込んで、モールスは「腹」の中でじっと考え続けるうちに、美術からは遠ざかり、発明という新しい方向へ進んだ。一月一五日、サリー号がニューヨーク港に到着したときには、モールスのアイデアは頭の中で具体化されていた。

　三年間というもの画家としての技術を磨くために留守にしていたにもかかわらず、港に着いて二人の弟シドニーとロバートの顔を見るや、モールスは電気で「情報」を送る装置のアイデアのことを話すばかりだった。弟たちには、モールスの留守中の子どもたちや家族、そしてアメリカについて、たくさん話すことがあった。そうした三年間のニュースの価値が、海上の六週間でひらめいたアイデアでかすんでしまった。モールスは乗船したときには落胆して悲嘆にくれながら空っぽの心を抱えていたが、海によって新たな情熱で満たされていた。だが、まず考えるべきなのは、ずっと離れて暮らしていた子どもたちと自分自身の生活を立て直し、援助を得る手立てを見つけることだった。

一八三五年までに、モールスはニューヨーク市大学〔後のニューヨーク大学（NYU）〕芸術教授の地位を得て、自尊心は必要十分に満たされた。安全なゴシック様式の壁の内側で最高レベルの芸術にふたたび立ち向かい、二年間にわたり合衆国議事堂の円形建築の内部の絵画を描くため、政府からかなり大きな手数料を受けることになって、それが一八三四年に開始された。アメリカは革命の夢から労働の国家へ変化し、首都は欧州の各都市に肩を並べるようになることを望み、アメリカが生まれた理由と事情を説明する絵画を必要としていた。手数料はあてになるように思われたが、その絶好の機会はまもなく失われて、彼は大いに落胆した。さらに悪いことに、肖像画を希望する顧客が年々減ってきた。モールスは王侯貴族のように振る舞っていたが、懐《ふところ》に余裕はなかった。情熱を傾けた相手に欺かれたように感じ、芸術について「私が彼女を捨てたのではない。彼女が私を捨てたのだ[17]」と語った。

モールスを落ち着かせたのは、電信についての秘密の作業だった。サリー号で生じた突然のひらめきのあと家に持ち帰ったのは、妻が死んで以来忘れていた情熱だった。彼はまずきちんと各部品を集めて原始的な機械を作り、ワイヤーを通じて電気信号を送ることにした。彼の電磁気テレグラフである。そのように名づけたのは、すでに存在していた視覚的な通信の光学的テレグラフ（腕木通信）と区別するためだった。

これは、テレグラフ・ヒルと呼ばれる丘にしばしば設置された柱に、機械的な「腕」が取りつけられている装置で、手旗信号式にメッセージを発信し、望遠鏡で読み取るものだった。

モールスはニューヨークの画家のアトリエで、周りにある道具を使って、初期の電磁気テレグラフを作り出した。キャンバスを伸ばして張る木枠を作業台に置く。鉛筆をのこぎりで半分に切る。古い時計を分解して、内部の歯車を取り出す、といった具合だ。

モールスの装置は運動場の設備に似ていた。木枠には小さなブランコがついていた。ブランコに座っている幼児のかわりが鉛筆だ。ブランコを押す母親の代わりが、ワイヤーを巻きつけたU字型磁石で、ワイヤーに電気のパルスが流れて、鉛筆を前後に揺らす。これらのパルスからの目に見えない指が鉛筆を押し上げたり下げたりするので、鉛筆はスタッカートのダンスを踊りながら、細長い紙に走り書きをする。それでできた鉛筆書きの跡は、小学三年生のアルファベットの書き方で使う「v」字の練習用紙に似ていて、文字が互いにぶつかったりスペースが開いたりしている。「v」の字のとがった底の部分はモールス符号の「短符（・）」（トン）で、線の部分は「長符（—）」（ツー）である。この「トンツー」が、電気信号としてモールスの電磁気テレグラフの別の部分「送信機」で作られる。

送信機からトンツーを送るために、モールスは運動場の別の「遊具」、シーソーを借りてくる。シーソーの一方が上がると、他方は下がるが、そこにガラガラヘビの口から突き出る毒牙のようなワイヤーが出ているので、それが下方の液体水銀のプールに浸かって、回路がつながって電気が銅線を通って受信機へ向かう。トンツーを作り出すために、モールスは弟の家の火格子の一部を融かして[18]、取り出した液体鉛を金型に流し込み、うっかりこぼしてカーペットに焦げを作りつつ、薄い物差しを成形する。それを短く切り、のこぎりのような歯をその金属片の全体ではなく端にだけ作る。歯の部分はトン（短符）で、歯がな

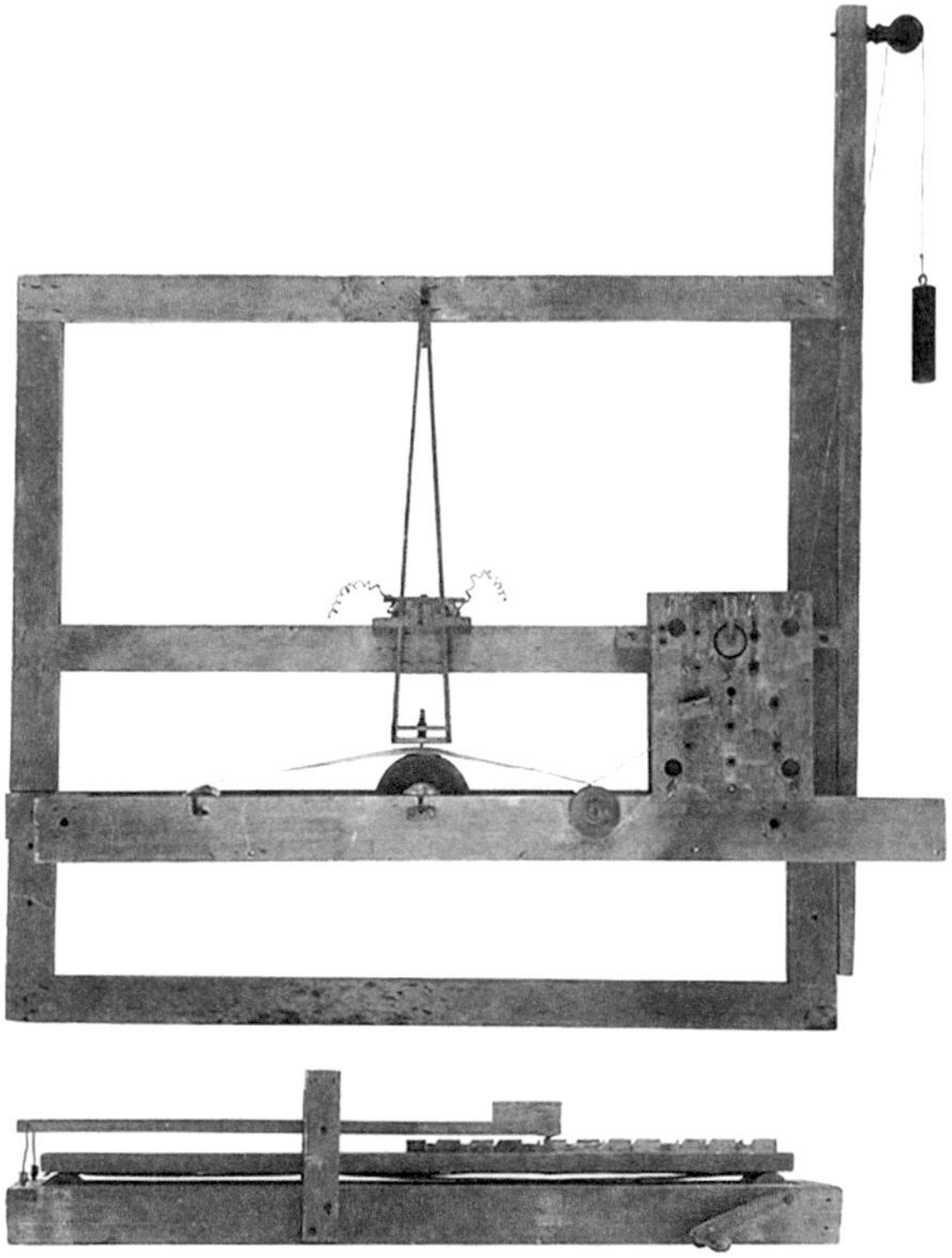

図26　モールスの初期のテレグラフ。彼のアトリエにあった部品から作られている。コードの受信にはキャンバスのフレームに埋め込んだ電磁石を使い、それが鉛筆を押したり戻したりして細長い紙にコードを書いた。シーソーのような装置がのこぎり歯の上をとおって、コードを送信した。

い部分（スペース）がツー（長符）になる。サリー号で書いたメモから、モールスは「歯の量」と「歯と歯の間のスペース」に基づいた数字のコードを考え出した。アトリエに戻るとシーソーの下側に金属片を置いて、コードに従ってスライドさせた。一本の歯がシーソーの端を押し上げると、反対の端が下がり、電気パルスが発せられて受信機に向かう。鉛筆は細長い紙にvの字の走り書きをする。紙を送って進ませているのは時計の歯車だ。モールスは自分が編纂した辞書の記載どおりに、その走り書きされたトンツーを数字に翻訳し、さらに数字を文字に翻訳する。

こうしたガラクタのような装置をきちんと動くようにさせるのには、画家の仕事のように美的感覚はいらなかったが、モールスには非常に骨が折れることだった。乏しい手持ち資金でワイヤーを買って、自分のアパート内に張り巡らせてなるべく長い経路でメッセージを移動させるようにした。試しに、のこぎり歯を滑らせてメッセージを作り出し、送信機を押して回路をつなげたが、受信機は動かなかった。パーツをしっかり締めなおして、しっかり接続させ、何度か繰り返してみた。だがピクリとも動かなかった。

素人のノウハウでは限界で、科学の専門家が必要だった。一八三六年一月、モールスがニューヨーク大学の同僚で化学者のレナード・ゲイル教授に声をかけると、ゲイルは即座に問題を指摘した。長いホースを使って水を流すには大きな圧力が必要なのと同様で、電気も長い距離を流すにはさらに押す力が必要だった。モールスはイェール大学でベンジャミン・シリマン教授の授業で学んだとおりに電池一個で実験したが、ゲイルによれば、隊列を組む兵隊のように電池五、六個を並べてつなげれば[19]、各電池からの力が加わって、強い力になるという。ゲイルはモールスがワイヤーで巻いたU字型磁石も子細に調べた。モールスは磁石にワイヤーを緩く数回巻いていたが、磁石の強さを十分にするためには、数百回とはいわなくても数十回は巻く必要があった。これについては、ニュージャージー大学（後のプリンストン大学）の教授で物理学者ジョン・ヘンリーが書いた一八三一年の論文をゲイルが読んでわかったことだった。モールスは自分の装置を動作させるべく、これらの修正を盛り込んだ。

サミュエル・モールスは絵画と発明に労力を費やしていたが、さらに政治にも首を突っ込んでいた。忠実なプロテスタントとして育ったモールスは、ローマ教皇とカトリック教会をひどく嫌っていた。彼だけではない。アメリカにアイルランド系カトリック教徒の移民が大量流入したため、多くのアメリカ人は新参者によってパイの取り分が減っていくことを恐れていた。モールスは「われわれの民主主義的制度が損害をこうむっている」と書き[20]、アメリカは「それら［民主主義的制度］を脅かす物騒で無教養な外国人による危険から自らを守る」べきだと切実に訴えた。モールスと大衆の怒りは、やがて本格的な憎悪となって特定の国籍と宗教の人々に向けられた。モールスはアメリカ生まれの国民を守る反移民（ネイティビスト）党に入る。党員は自分たちを「ネイティブ・アメリカン」と呼んだ。妻に死なれ芸術に捨てられ、打ちひしがれた彼が最後に恋した相手はアメリカだった。誰がアメリカ国民でありうるのか、誰がアメリカ国民ではありえないのかに関して彼には確固たる考えがあり、奴隷制度は社会の取り決めとして神によってなされたものとさえ信じていた[21]。彼の考えるアメリカを守るために、無意識の本能に突き動かされるまま自分の考えを雄弁に主張して、念願どおり有名になり、反移民と半カトリックを旗印にニューヨーク市長選に出馬した。それで大敗を喫すると、まもなくこの気の変わりやすい男（父親にはいつも「お前が同時に二つのことをうまくやるのは不可能だ」と戒められた[22]）は、発明に舞い戻ってきた。それでも、誰がアメリカ人で誰がそうではないのかの考えを主張することはやめなかった。

モールスは彼のテレグラフ（電信）の実験をほぼ隠れてやっていたが、ついには非公式にニューヨーク大学の学生たちに、彼の発明を実際にやって見せ始めた。そうした実験はたいていうまくいったが、彼は心配になりつつあった。新聞ではほかのテレグラフが、特にフランスの視覚的（光学的）テレグラフが報じられていたのだ。電信のオリジナルの製作者を特定しにくくなってきたので、モールスは自分の研究を公開し、発明の経緯を整理する手段として新聞などに自分の発明についての記事を書かせた。そうした努力は奏功したが、思わぬ面倒を招いた。サリー号に同乗していた電気マニアの医師チャールズ・T・ジャクソンが、まもなくモールスについての記事を読んで、自分は共同発明者であるから[23]今後の記事にはそう記載すべきだと主張したのだ。自分の全エネルギーをテレグラフに注いでいたモールスには同意しかねた。どちらも互いに対してますます辛辣になっていき、法的争いになる恐れがでてきた。その間にも、モールスは実験を進めて電気信号の耐久性を高めていった。

　一八三七年九月二日、集まった友人や学生、教授たちの前で、モールスは素朴なテレグラフの実験を行った。ゲイル教授の講義に利用される長い講堂に、銅の撚《よ》り線でできた五〇〇メートル余りのワイヤーを張って、電気信号をうまく送って見せた。[24]観衆の一人、アルフレッド・ヴェイルは当時三〇歳、ニューヨーク大学で神学を学んだ元学生で、ニュージャージー州の父親の製鉄所で機械工をしていたが、目前の実験に衝撃を受け、その可能性に惹きつけられた。ヴェイルは不幸なことにあたっても養育的な見方をする牧師のような心を持っていたが、健康に恵まれず、天職と思われた牧師になることがかなわなかった。少年のような顔立ちに黒髪、聖人のような忍耐力を持つ彼は、新たに人生の天職を探していた。モールスの装置は原始的なものに見えたが、ヴェイルは自分の癒しの手でその木枠を、機械部品や電子部品を使った金属製の機械に変えられるだろうと確信した。腕がいい穏やかなヴェイルと、やる気はあるが動揺しやす

図27　サミュエル・F・B・モールス。電磁気テレグラフ（電信）で素早くやりとりをする方法を発明した。

図28　アルフレッド・ヴェイル。モールスのアイデアに命を吹き込み、多くの改良を行った。

いモールスは互いに補い合うので、二人は協力して取り組むことにして、ジャクソン大統領時代版のスティーブ・ウォズニアックとスティーブ・ジョブズになった。

何か月もかけて電磁気テレグラフを金属製に作り変えて、革新的な受信用電磁石で現在では「リレー」（継電器）と呼ばれる中継器を発明して長距離間でも信号を送れるようにすると、彼らの運が変わり始める。アメリカ連邦議会は発明者たちに向けてコンテストのチラシを配り、遠隔地へメッセージを送る最善のアイデアと発明品を求めた。モールスはそれを読んだとき、勝利の喜びを味わえるまであとわずかのところにいた。ヴェイルとモールスはこのコンテストに優勝するためにエネルギーを集中させた。

テレグラフがしっかりしたものになってくると、モールスは一八三七年九月に特許の予備申請（仮出願）をして法的に地盤を固めた。組み立てに関しては、ヴェイルはニュージャージー州モリスタウンに所在する父親のスピードウェル製鉄所で試験を始めた。モールスのニューヨークの部屋に比べて、こちらのほうが板張りの床の大きなスペースが使えて、優れた工作機械がそろっていたからだ。一八三八年一月六日という寒い日に、ヴェイルは古い倉庫の中で、三キロメートル余りのワイヤーケーブルを壁に張り巡らせて実験を行い、成功させた。[25]

二人はいっそう自信を深めたところで、ワシントンでのプレゼンテーションに向けた準備として、公開でその装置を使った実演を始めた。まず、モリスタウンの住民の数百人の前で、電気スパークのメッセージを三キロメートル余りのワイヤーをとおして送った。次は、ニューヨーク大学で一六キロメートルのワイヤー、フィラデルフィアのフランクリン研究所でも同じ長さのワイヤーで、送信を行った。彼らのテレグラフは進化して、自分の辞書に基づいて何千もの数字コードから単語に変換するという膨大な方法の代わりに、モールスは単語をトンツーという文字と数字に対応した無駄のないコードに落とし込んだ。そしていくつもの実験の成功経験と、トンツーという新しいアルファベットを携え、自分の発明で可能になったものをワシントンの政府関係者に見せる準備は整った。

二月一五日から、モールスは首都ワシントンでテレグラフの実証実験を始めた。二月二一日には、当時の大統領マーティン・ヴァン・ビューレンの目前でも実験を行った。彼のメッセージは一六キロメートル以上のワイヤーでも送信に成功した。政治家はみな息を呑んだ。ほかにも政府のコンテストの応募者はいたが、彼らのシステムはゆっくりとした手旗信号のプロセスを使って「情報」を伝えるものだった。モールスは人類がかつて見たことのない最速の伝達方法で一〇個の単語を直ちに伝送した[26]ので、他の方法を黙らせたも同然となった。この勝利は大いに祝う価値があった。だが、モールスにはまだ解決しなければならない難題が残っていた――彼の新発明のテレグラフ（電信）を設置し実用化するための資金調達である。モールスに電信線の敷設資金を与えるという議案を合衆国議会にかけさせて、承認を得るという、まさしく難題だった。

モールスの議案が議会にかけられるのを待つあいだの一八三八年五月に、モールスは外国特許をとるために長旅に出て、かつてすごしたイギリスとその他のヨーロッパ各地を訪ねた。アメリカ特許はすでに四月に申請しており、獲得に自信があった。アメリカでの勝利の甘い香りに鼻孔をくすぐられ、他国での勝利の可能性を調べるためにヨーロッパとロシアに向かった。

モールスはまずイギリスの特許をとろうとしたが、すでにイギリス版の電信が存在するからといって、当局は彼の話を聞こうともしなかった。モールスがアメリカで苦労していたあいだに、イギリスではチャールズ・ホイートストンとウィリアム・クックという二人の発明家が、電線でメッセージを送る独自の方法に取り組んでいた。モールスは自分の特許の余地を作り出すために、アイデアの独自性を示そうとした。イギリス版の電信では、曲がったコンパス針でメッセージが視覚的に作られるのに対し、モールスは鉛筆を動かして紙に書かせるために電磁石を用いた。イギリス版では五本の針の位置が一文字を表したのに対し、モールスはトンツーのシンプルなコードを翻訳した。イギリス版では、六本のワイヤーが信号を送ったが、モールス版は一本でよかった。さらに、モールス版はメッセージを鉛筆が走り書きするものだったが、イギリス版は違った。彼にとって違いは明らかに思われたが、彼が自分を電信の発明者と呼んでアメリカの新聞を通じて自分の発明の公表を切望したことが、ここではマイナスに働いた。発明の公表により、イギリスでの特許獲得の機会は無効化される。さらに、当局は彼の発明の申請の厄介な詳細を調べるつもりもなかった。こうした理由で、イギリスでの特許の獲得は不首尾に終わった。次に彼はフランスへ向かった。

パリでの成果も似たようなものだった。彼の電信は特許取得が可能だったが、フランスには追加規定があり、発明は一年以内に実際に活用されていなければならなかった。モールスの電信装置の導入の計画は、当初は見込みがあったが、その後に可能性が消えた。ロシアでも、前向きの結果は何も得られなかった。モールスは一年近く外国を回って、電信の改良に使えたはずの貴重な時間を食いつぶし、一八三九年四月に手ぶらでアメリカに帰国した。

一八四〇年、モールスの米国特許は六月二〇日づけで登録されたが、電信網の敷設にはまだほど遠い状態だった。一八三七年恐慌（アメリカの金融危機）後に、不況の雲が議会や国の新しいアイデアすべてに暗い影を落とし、あらゆることが休眠状態に陥った。そのあいだ、モールスは発明から目をそらして、一八四一年四月、またしても反移民と反カトリック主義を掲げてニューヨーク市長に立候補したが、今回も落選する。選挙運動のかたわら、自由な時間には電信の価値を人々に知らせる努力をしていた。だが彼の議案は取り上げられる気配もなかったので、選挙後にはワシントンに赴いて、議員たち一人ひとりに説明を重ねて宣伝して回った。お役所仕事での遅れも次々に生じ、一八四三年一月二三日のモールスの日記には「私はまだ待っている、待っている」[27]とある。その数日後には、この宙ぶらりんの状態で「ますます焦りと苦痛が増している」[28]と書かれている。

ついに議案が一か月後の一八四三年二月二一日に提出されたときには、それは冷やかしの対象になった。[29]下院では、モールスの電信は絵空事だろうと発言した議員もいた。一八四〇年代に偽医者が治療に磁石を使ったため、磁石の科学は理解を得にくくなっていた。二月二三日に投票が行われ、モールスの電信の議案は六票差で辛くも下院を通過した（賛成八九票、反対八三票、棄権七〇票）。

勝利を喜ぶのもつかの間、次は上院で審議されなければならなかったが、時間がなかった。すでに何百もの議案がモールスの議案の前に並んでいたが、上院議会の会期終了は三月三日だった。モールスはひたすら上院議会で寝ずの番をして、会期最終日の夜には「一ドルに満たない」[30]最後の金をポケットに、腹の具合がずっと悪いのをこらえながら傍聴席に座り続け、法案が通らなければ飢え死にまではしなくても、自分はシシュポスみたいに議案の岩を再び山頂目指して押し上げる運命だと鬱々《うつうつ》と考えていた。自分の議案の上には先に審議される予定の議案が山のように積まれている。順番が回ってくるとは到底思えず、一年間の研究が山積みの下で押しつぶされるのをこのまま見続けるのに耐えきれなくなった。閉会時間がくる前に、地球の重力に税金を課せられたかのように体を起こし、ホテルへ戻って荷造りをした。

翌日、朝食をとっていたモールスは、友人の米国特許庁長官ヘンリー・エルスワースの当時十代だった娘アニー・エルスワースに呼び掛けられた。惨《みじ》めで落ち込んでいたが、アニーが目に入ると、いつものように彼女に会えて喜んだ。アニーは「おめでとうございます」といいながら近づいてきた。彼の議案は、閉会ぎりぎりの時間に反対者もなく可決し、大統領がサインして、資金援助が決定していたのだ。モールスは、ワシントンとボルチモアのあいだ六五キロメートル以上を結ぶ電信線を敷設するための資金として、当時の三万ドル、今日の九〇万ドル（約九六〇〇万円）を獲得した。

憂いが晴れて、モールスは喜びの不思議な感覚を覚えた。新たに手に入れた幸せに酔いしれて、知らせを運んでくれたアニーにプレゼントをあげることにした。電信で送る最初の公式メッセージとして、若い彼女が考えた文章を採用すると約束したのだ。そういうわけで、今やモールスの取り組むべき仕事は、彼女の言葉を電気パルスで送信するために、ワイヤー製のハイウェイを作り出すこととなった。

議案書のインクもすっかり乾き、モールスは首都ワシントンとボルチモアを電信システムで結ぶ目標に向かって活動を開始した。資金を手にしたので、人を集めてチームを作った。メンバーは、装置の管理をするヴェイル氏、科学的サポートをするゲイル教授、ワイヤーとワイヤー敷設を管理するために新たに加わったジェイムズ・フィッシャー教授だ。モールスは予算とスケジュールを記録管理した。ワイヤーを保護用の鉛管に入れて、ワイヤー網を埋設する計画だった。だが、管を埋設するのは容易ではなく、いくらかの論争の後、モールスはすぐれた鉛メーカーを見つけて、さらにエズラ・コーネルという名の若者にも出会った。コーネルはナイフのような鋤《すき》を使って溝を切り掘って、管を地中で保持できるようにした。溝を作るプロセスで前進したが、モールスのスケジュールからは遅れていた。

これ以外にも一時的な中断はまだあった。[31] 一八四三年一二月までに、ワイヤーの欠陥と管の漏れ穴が生じたため、モールスはフィッシャーを解雇しなければならず、ゲイルは健康問題で辞めなければならなかった。そして冬になると、屋外でのあらゆる作業は完全に阻まれた。モールスは春まで敷設作業を休止した。だがそのあいだに、F・O・J・スミスという詐欺師まがいの政治家が[32]、政府からのこのプロジェクト資金を吸い取って自分の懐に入れ、モールスを法的な問題に巻き込んだ。モールスはスミスと手を切って解決するのにひどく苦労したので、電信の厄介極まる技術的課題をも楽しく感じるほどだった。

一八四四年三月に、電信線の設置工事は再開されたが、今度は違うやり方だった。ワイヤーは地上高くに設置され、ケーブル試験はもっと頻繁に実施された。電信ネットワークの開通が近づくと、モールスはチームとともに、一般の人々に彼らの新しいシステムをアピールする計画を考え出した。民主党に対抗する政党のホイッグ党が、ボルチモアで党大会を開く予定があり、そこで副党首が発表される。新聞も政治家も、よだれが出るほど欲しいその情報をいつもは場所により一日か二日後に受け取っていた。モールスはその貴重な情報を、ワシントンで心待ちにする人々にわずかな時間で、つまり数分以内で届けようと考えた。ところが、電信線はまだボルチモアのだいぶ手前までしか届いていなかった。それで、モールスとヴェイルが出した解決法は、一八四四年五月一日に、副党首候補が発表されたらその名前を手にボルチモアから電車に乗って、電信線の終点まで運び、次にヴェイルがそこから、ワシントンで待っているモールスあてにその名前をニュースとして電信で送る、というものだった。のしかかっていたあらゆる制約のために、抑制されたデータ量で送信は実現して、そのときモールスの発明は玩具から道具へとステップアップした。ヴェイルの送信した信号が到着すると、そのメッセージのスピードに人々は夢中になり、党首と副党首がヘンリー・クレイとセオドア・フリーリングハイゼンに決定したというメッセージそのものよりも関心が集まった。

電信線の敷設が完了して設備が整って、ついに五月二四日に実演する日がやってきた。母なる自然は幸先のいい日をもたらし、大空には雲一つなく、いつものひどい湿気は消え、穏やかな風は人々の緊張を和らげた。モールスの計画は、彼が装置を叩いてトンツーを発信し、ヴェイルがそれと同じコードをモールスに送り返すものだった。モールスが首都ワシントンの最高裁事務所から送り出す電子パルスを、ヴェイルはボルチモアで待っていた。

モールスは約束通り、アニー・エルスワースに最初の公式メッセージを選ばせることにした。アニーは敬虔《けいけん》な母親に助けを求めた。引用する言葉は、この発明に対する畏敬と驚嘆を表すもの、ただし、発明がかき立てる恐れを表すものにしたいと考えていた。母親のエルスワース夫人は旧約聖書の一節を（『民数記』二三章二三節より）選び、アニーがそれを紙に書いてモールスに渡すと、モールスがその言葉を電気パルスに変換する。モールスは、

トン・ツー・ツー、スペース（W）
トン・トン・トン・トン、スペース（H）
トン・ツー、スペース（A）
ツー、スペース（T）
……

と打ち込んでいった。

ヴェイルはこれらのトンツーという長短の符号でできたコードをボルチモアで受け取ると、同じメッセージをワシントンに向けて発信した。この「神のなせる業（What Hath God Wrought）」というメッセージ

とともに、新たなコミュニケーションの時代が幕を開けた。

電信は電気パルスを送ることで情報を届けるという工学上の驚異的な発明であり、まもなく電信は国の社会機構の一部となり、国をひとつのものへまとめあげた。モールスの驚異的発明は国や国民の役に立ち、そしてわずか数十年で情報の消費という新たな国民的習慣が植えつけられた。そのことがとりわけ明らかになったのは、ジェームズ・A・ガーフィールドという敬愛された第二〇代アメリカ合衆国大統領の短い在任期間のことだった。

大統領のベッドサイドの世界

ジェームズ・A・ガーフィールド大統領は、ホワイトハウスの仕事を離れて夏休みに入ったわずか数分後に、予定をがらりと変えることになった。モールスの最初の電信から四〇年近く後の一八八一年七月二日、ガーフィールドはボルチモア&ポトマック鉄道駅を出発して、メンターにある自分が所有する農場で静養する予定だった。しかしその前に、ウィリアムズ大学の二五周年同窓会に出席して、そこでスピーチをして名誉学位を授与されることになっていた。ガーフィールドがもう一つ楽しみにしていたのは、ニュージャージー州の海沿いにいる妻のルクレティアがマラリアから回復していたので、まもなく会えることだった。あとわずか数時間で、列車が彼を（電信メッセージみたいに）妻のもとへ届けてくれて、いっしょにジャージーショアのそよ風を感じているだろう。この日、ガーフィールドは予定がひどく遅れて、首都ワシントンのうだるような熱さの中で、近くのチェサピーク湾で捕まったカニのように茹で上がりそうに

図29　ジェームズ・A・ガーフィールド大統領は、首都ワシントンのボルチモア&ポトマック鉄道駅に入った直後に狙撃された。

なっていた。ようやく解放されて、ワシントンの鉄道駅〔訳注：ボルチモア&ポトマック鉄道駅（現存しない）〕の中央に乗りつけた馬車から飛び出し、たくましい体でBストリート〔訳注：現在のコンスチチューション・アヴェニュー〕のエントランスの石段をリズミカルに駆け上がり、女性用待合室前の静かな狭いスペースに並んでいる木製ベンチを通りすぎていった。駅構内のメインホールに向かっているとき、爆竹のはじけるような音がして、ガーフィールドは右腕の皮膚が焼け焦げて引き裂かれるのを感じた。[33] 戦うべきか避難するべきかを考える間に次の爆発音が響き、背中の激しい痛みに襲われ、がくりと膝をつき、それから大理石の床に音を立てて倒れ込んだ。

国務長官のジェイムズ・A・ブレインは、大統領が馬車で移動中のわずかな時間も仕事をしようと同行していた。ともに顎ひげをたくわえカリスマ性のある二人の男性は、馬車を降りると駅構内へ腕を組んで入っていき、ガーフィールドの大統領としての新たな任務において歴史に残る成果をあげるべく、夢中になって語り合っていた。だが、ブレインの目前で朋友は倒れ、高揚感に満ちた会話がはじけ飛んだ。この雄弁家で熟練の政治家は「なんてことだ。彼が殺された」[34]と叫んだ。ガーフィールドが休暇から戻ったら、やり遂げなくてはならない重要な仕事が山ほどあった。だが、そうした夢やアイデアがすべて、ガーフィールドの肉体とともに崩れ落ちてしまった。

それからの数分間は最も長かった。仰向けに横たえられたガーフィールドには意識があり、自分のうえを馴染みのない顔が行き来しているのがわかった。駅や通りで呼び集められた医師や、近くで開業している医師など、一〇人以上の医師が大統領のもとにやってきた。ガーフィールドは耐え難い痛みで消耗し、意識が急に薄れたり戻ったりしていた。医師の一人ひとりが、傷を検分するために彼をひっくり返し、そのたびに彼のからだ中に痛みが走った。医師たちは清浄でない指や医療用プローブを傷に差し込み、彼にひどい苦痛をひととおり与え終えると、彼を安心させるために言葉を尽くした。だが、医師たち自身にも彼が生き延びられるかはわからなかった。

ついにガーフィールドは馬の引く救急車でホワイトハウスに運ばれた。途中、レンガの道路が車輪にガタガタと与える衝撃が彼の苦痛をいや増し、夏用のグレーのスーツに血が広がるとともに命も流れ出してしまいそうだった。医師たちは当初はガーフィールドが生き延びるだろうと確信していたが、詳しく検査して時間がたつにつれ、所見は見直されていった。彼は果てしなく続く痛みの中で、妻のことが頭に浮かんだ。親しい友人の陸軍大佐アルモン・ロックウェルに、ニュージャージー州のエルブロンにいる妻にメッセージを送ってほしいと頼んだ。ルクレティアがその日に受け取った予期せぬ電信には、「私は大統領からご依頼を受け、彼がひどい怪我を負ったことをあなたにお伝えします」とあり、「彼は意識がしっかりしていて、あなたがすぐにきてくれることを望んでいます。あなたにどうぞよろしくとのことです」と結ばれていた。[35]病後まもないルクレティアは、二時間かかる場所にいる夫のもとに直ちに向かうという使命をになった。ガーフィールドは生きるか死ぬかの瀬戸際にいたが、彼もまた、夜明けを見るという使命

図30　チャールズ・ギトー。ガーフィールドの暗殺犯で、生活面でも情緒的にも不安定な男だった。

を負った。

ジェームズ・エイブラム・ガーフィールドを知る誰もが、彼は優しい正直な男性で、卓越した意志と知性を持っていると評した。彼はオハイオ州クリーブランド郊外の貧しい農家で育ち、貧しさを抜け出そうと勉学に励んだ。彼の才能は並外れていて、それは誰が見てもよくわかるものだった。彼は一方の手で英語の一節のギリシャ語訳を書きながら、他方の手でラテン語訳を書けたということは語り草になっている。ガーフィールドは小さな大学の学長となり、連邦軍（北軍）の司令官として活躍し、オハイオ州の下院議員を務めたあと、アメリカで最高の地位、第二〇代大統領に就任した。厚い胸板で明るい青色の目のガーフィールドは、当時四九歳、合衆国で指折りの大統領になるように運命づけられていた。リンカーンのように黒人について先進的な考えを持ち、ケネディのように著名人としての貫禄を備えた魅力的な雄弁家

図31　ジェームズ・A・ガーフィールド。人々に愛された第20代アメリカ合衆国大統領だった。

図32　ルクレティア・ガーフィールド。狙撃の知らせを受けると、夫のもとへ駆けつけた。

だった。だがリンカーやケネディと同様に暗殺者の銃弾で衝撃的な最期を迎えることになる。

大統領を狙撃したのは、チャールズ・J・ギトーという名の四〇歳の流れ者だった。ギトーは体重六〇キログラムに満たないか細い男で、夏のこの暑い日にダークスーツを着て、茶色い顎ひげを生やし、肌には黄疸が出ており、[36]空虚な灰色の目をしていた。ギトーは誰の目から見ても落ち着きがない男で、法律関係の仕事、保険の販売、宗教団体での熱心な活動、後には新聞の発行など、さまざまなことに手を出して何一つまともな成果を挙げられなかった。金を稼ぐ才はなかったが、そうでなくても人の話は聞かなかった。

ギトーは銃撃を実行したとき、ポケットに「政治的必要性」[37]として自分が大統領を銃撃することを認める手紙を持っていた。実行すれば、彼が熱狂的に支持していた共和党の別派閥が政権を握るだろうというのだ。イリノイ州フリーポート出身のギトーは、ニューヨーク州北部から、シカゴ、ボストン、そしてニュージャージー州のホーボーケンまで、次から次へと渡り歩き、家賃を踏み倒して移ることもたびたびだった。ギトーの望みは、ガーフィールドの新政権で大量に立ち上げられる役所で職を得ることだった。ギトーはホワイトハウスに十数回も押しかけて、パリ総領事を目指して掛け合ったが、そのたびに退けられ、ギトーにはその理由がわからなかった。そうしていくうちに、ガーフィールドを排除しようと思いついた。ギトーはかつて、「大統領が片づけば、すべてはうまくいくだろう」と書いている。[38]ワシントンで銃弾が発射されて数時間以内に、ニューヨークの誰もが事件を知ることになった。一八八一年に電信会社と新聞社は、社屋の扉の外に設置した巨大な黒板に、電信のメッセージを掲示して都市の人々の注意を引き、その日の事件を知らせた。電信線は線路と並行して張られていたため、農場で働く人々は鉄道駅に集まってきて事件を知った。社会は、国内のよその場所の出来事を新聞記事で読むことにますます慣れていった。

リンカーンが大統領に在任中の一八六一年までに、ウエスタンユニオン社所有の何万マイルという電信線が国じゅうに張り巡らされて、それを使ってAP通信社などの通信社が記事を配信していた。南北戦争以来、戦闘その他の遠くの出来事の情報をやりとりするのは当たり前のことになり、ニューヨークからシカゴ、シンシナティ、セントルイス、ニューオーリンズ、カリフォルニアまで、そしてその間の全地点で、電信網に沿って情報が往来した。新聞はストーリーを汲み出して、一般の人々はそれを飲んで乾いた喉を潤した。

『ニューヨーク・タイムズ』紙に「ガーフィールド大統領、暗殺者に狙撃される」という大見出しが掲載されると、人々はガーフィールドを敬愛していたのでニュースにくぎづけになった。彼は就任してわずか四か月だったが、下院議員時代から非常に愛されて人気の高い雄弁家だった。大統領が生きるために闘っているとき、さまざまな人々が祈りをささげた――黒人は、ガーフィールドが解放された奴隷も平等であると考えていたために。[39]東海岸の移民は、彼が何もないところから立ち上がってきたために。[40]西部の人々は、彼が開拓者の息子であり、質素な西部保留地〔訳注：オハイオ州東部エリー湖南岸の地域で、かつてはコネチカット州が所有を主張した土地。一七八六年に連邦政府に割譲されたが移住者のために保留され、一八〇〇年にオハイオ州に譲渡された〕で育ったために。そして、驚くべきことに、南部の人々も彼のために祈った。ガーフィールドは奴隷廃止論者で、南部の人々の暮らしを変えようとしていたが、彼は教育と事業が正しいことを信じていた。[41]電信が伝えたガーフィールドのニュースは、こうしたさまざまなグループの人々を結束させた。

翌日、電信会社の前には、人々が集まって人垣を作り、「より楽観的な見方が優勢である」[42]という黒板のメッセージを見てみな安堵した。さらに「彼の体温と呼吸は現在正常である」と書かれている。ガーフィールドはその夜をなんとか乗り越えた。妻がその夜、機関車の限界を超えて駆けつけ、彼は元気づけら

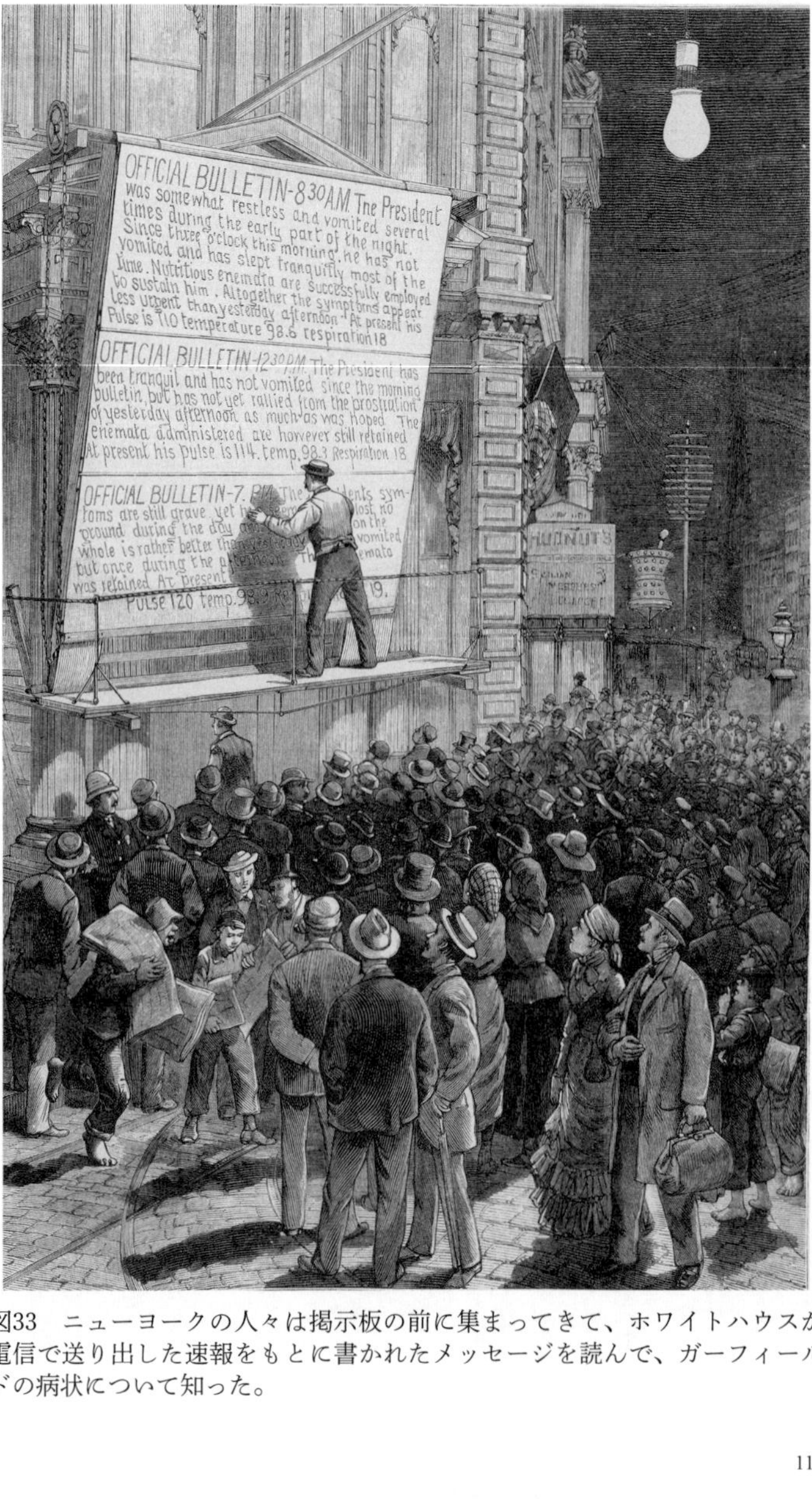
OFFICIAL BULLETIN-8 30 A.M. The President
was somewhat restless and vomited several
times during the early part of the night.
Since three o'clock this morning, he has not
vomited and has slept tranquilly most of the
time. Nutritious enemata are successfully employed
to sustain him. Altogether the symptoms appear
less urgent than yesterday afternoon. At present his
Pulse is 110 temperature 98.6 respiration 18
OFFICIAL BULLETIN-12 30 P.M. The President has
been tranquil and has not vomited since the morning
bulletin, but has not yet rallied from the prostration
of yesterday afternoon as much as was hoped. The
enemata administered are however still retained
At present his pulse is 114. temp. 98.3 Respiration 18
OFFICIAL BULLETIN-7. P.M.
toms are still grave
ground during the day
whole is rather better
but once during the afternoon
was retained At present
Pulse 120 temp. 98.9

図33　ニューヨークの人々は掲示板の前に集まってきて、ホワイトハウスが電信で送り出した速報をもとに書かれたメッセージを読んで、ガーフィールドの病状について知った。

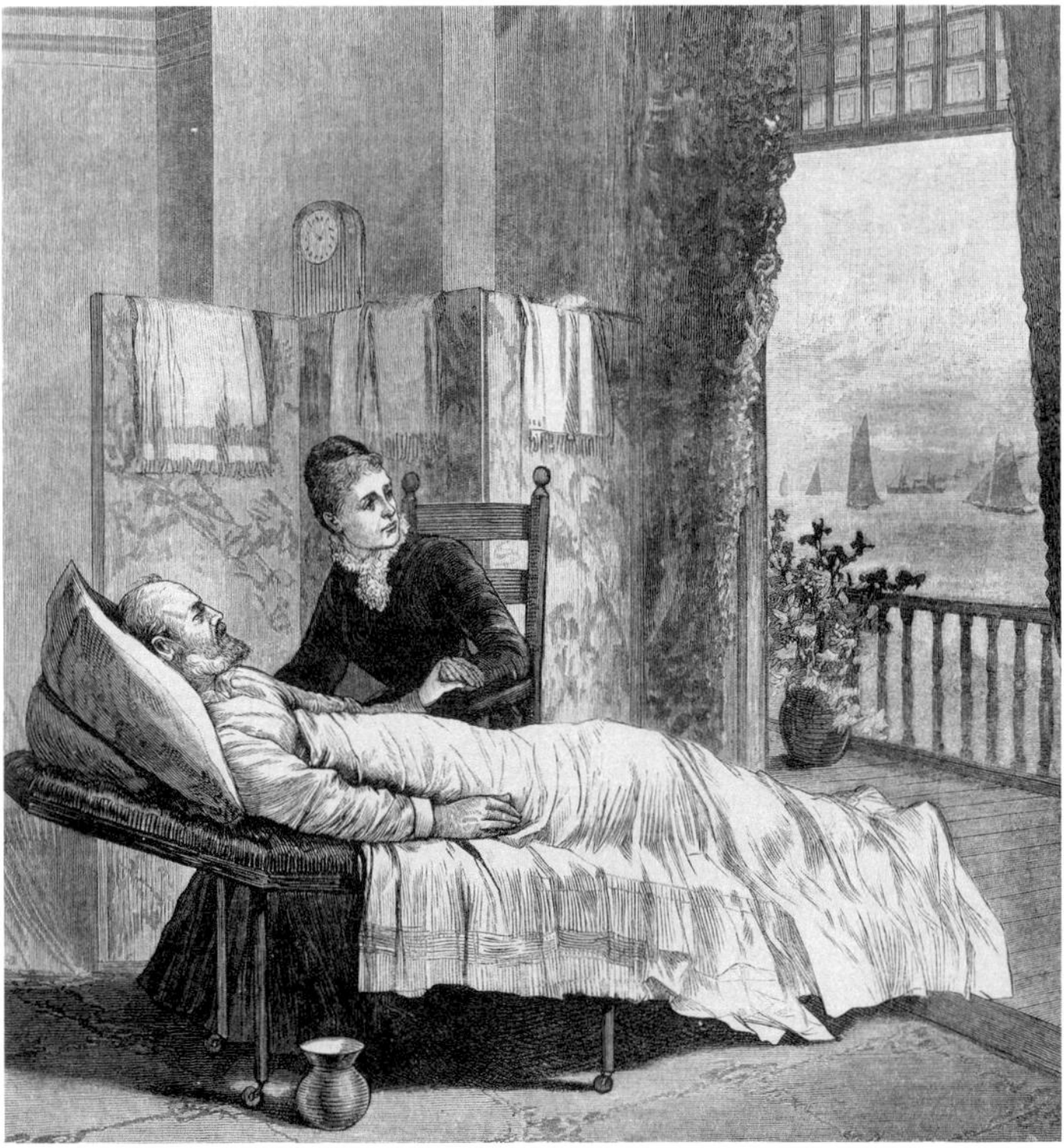

図34　療養中のガーフィールドが好きだった海の近くへ越してくると、妻はベッドサイドを片時も離れなかった。アメリカ国民もまた、電信を通じて彼に寄り添い続けた。

れた。ルクレティアは夫のベッドサイドを片時も離れず、また掲示板に集まる人々はいや増して、彼らもまた寝ずの番で見守った。

ガーフィールドの献身的な個人秘書、二三歳のジョセフ・スタンリー＝ブラウンは、ホワイトハウスからの公報を電信で報道機関に送るという気の進まない仕事をして、国民とそのリーダーのあいだの懸け橋となっていた。公報は一日に三回、朝、正午、そして晩に発行されて、大統領の現在の容体を伝えた。報告される内容は無味乾燥あるいは退屈になりすぎることはなかった。ガーフィールドがどのぐらいよく眠れたか、何を食べたか、気分はどうかといったことが含まれた。医学面では、体温や脈拍、呼吸が常に記載された。ほとんどの公報は短い報告で、前回の公報からさしたる変化がないか、容体は悪くないということを国民に知らせるものだった。

次の数週間にはよいニュースが広まった。公報から人々は、ガーフィールド大統領が楽しくすごし（一八八一年七月七日）、「固形食」をとり（七月一七日）、「快適で楽しい」様子で（七月二九日）、「気持ちよさそうに昼寝をした」[43]（七月三一日）ことを知った。ガーフィールドが銃創の近くを手術したとき、医師たちは七月二四日に人々へ知らせた。これらの医師は銃弾がガーフィールドの問題の主原因だと考えた。電話の発明者アレクサンダー・グラハム・ベルにまで助力を要請して、ベルは金属が近くにあると音を出して知らせる金属検知器を作り出した。ベルは検知器を持って七月二六日にホワイトハウスのガーフィールドのベッドサイドを訪れ、鉛の近くで鳴る検知音に耳をそばだてた。しかし、大統領の上半身に留まる暗殺犯の銃弾は見つからなかった[44]。

公報の形式でのニュースは、ホワイトハウスから発行され続けた。銃撃から一か月近くたった八月一日、ガーフィールドは「気分が前よりよくなった[45]」。大統領は回復しつつあるように見えて、国民は希望を膨らませた。八月初旬の数週間に、公報では、ガーフィールドが「すばらしい日」をすごしたと繰り返され、そのうちの一つにはガーフィールドが「心地よく眠った[46]」とも書かれている。大統領は国民の反応に驚き、「人々はこのように適当に仕立てられた私についての話に嫌気がさすだろうね」と述べた[47]という。だが実際のところまったく逆で、国民は知りたがり、自分たちのリーダーと通じ合っていたいと願った。彼が銃撃された日、「全国各地とヨーロッパからの電報がホワイトハウスに次々に届いてやまなかった[48]」と『ニューヨーク・タイムズ』紙は報じている。南北戦争後、アメリカには亀裂が入っていたが、電信で配信されるガーフィールドについての最新情報が、再びこの国を融合させた。

一八八一年八月のワシントンは息詰まるような暑さで、気温が上がるほど、大統領の容体についての国をあげての懸念も増していった。八月二五日の朝の公報は、アメリカ人に直接語りかけて、「現在のワシントンから大統領を移送する件について真剣に検討された[49]」とある。ガーフィールドの医師たちは、息苦しい暑さから彼を脱出させ、また国民の懸念も和らげたいと考えたが、大統領の病状が重すぎて動かせなかった。いつでも熱があがりかねない状態が続き、唾液腺の感染症で顔が膨れ上がり、絶え間ない「胃部の不快感」があった。南北戦争中には司令官だったガーフィールドは、妻に「病とのこの戦いは戦闘よりもはるかに悲惨だ[50]」といった。

ガーフィールドの公報の内容は、ほとんどは楽観的だったが、実際の診断はそうではなかった。医師たちが公報にポジティブなことを書いていたのは、ガーフィールドが公報の内容を聞いて自分が危険なことを知るのは、望ましくなかったからだといわれている。大統領は自分のカルテを見て、「私はいかなるときも、明確で詳細な内容と厳然たる事実を完全に理解してきたのだ[51]」と述べた。そして自分の症例を部外者であるかのように調べた。だが、カルテと公報や新聞の言葉は彼を打ちのめした。死が目前に迫っていることは紛れもなかったからだ。体重一〇〇キログラムほどの恰幅《かっぷく》のよさで知られていたガーフィールドは、半分に近い六〇キログラムほどにまで体重が落ちていた[52]。

　九月の初旬に、ガーフィールドはニュージャージー州の海の近くに移ることを望んだ。子どもの頃の夢は船乗りだったが、故郷のオハイオ州は内陸で、運河での仕事ぐらいしかなかった。出立には列車の経路沿いに大勢の人々が立ち並んで見送った。その後も公報は出され続け、国民は大統領がよく食べた（一八八一年九月一二日）ことや、咳が減った[53]（九月一二日）ことを知る。一六日には、夜間に脈が不安定になった。一八日には「激しい悪寒」が一時間続き、発汗して、「ひどく弱った[54]」。

　翌日の夜、何の前触れもなく、一九日午後一一時半に公報で「大統領は午後一〇時三五分に死去した[55]」と発表された。五〇歳の誕生日のわずか数週間前、ジェームズ・A・ガーフィールドは八〇日前に受けた傷による感染症と戦った末に亡くなった。彼がどのように亡くなったのかを人々が知りたがったのは確かだろう。それに対して公報は「心臓のあたりに激しい痛み」があったと答えた。海辺の町で彼の愛した海に面して彼の体は横たわり、電信のおかげで世界の人々は大統領のベッドサイドに寄り添うことができた。

　ガーフィールドは大統領としての時間は長くなかったが、ベッドで死にゆく間に歴史に与えた影響は目を見張るものだった。彼の勇敢な姿が何百万ものアメリカ国民の「目にさらされ」、電信線で「生中継」されて、彼は金ぴか時代〔訳注：一八七〇～八〇年代〕版の「リアリティ番組スター」になった。日刊紙『ニューヨーク・イブニングメール』は、「苦しみのベッドに辛抱強く横たわりながら、文明世界を完全に征服した[56]」と書いた。ガーフィールドは九月には自分に残された時間が短いことを知り、静かで瞑想的な夜、親しい友人のロックウェル大佐に「私の名は人類の歴史に残るだろうか」と尋ねた[57]。ロックウェルは「残るだろう」

と答え、さらに「人々の心」に生き続けるだろうと請け合った。[58] 実際にガーフィールドは歴史に影響を及ぼしたが、この二人の男のいずれの想像とも違うものだった。大統領は国民みんなの病人だった。彼の死とともに、国民はニュースの頻度や品質、スピードに慣れっこになったのだ。

ギトーは自分がガーフィールドを狙撃したことは認めていたが、「ガーフィールド閣下は医療ミスで死んだ」とも主張していた。[59] これらの言葉にはわずかに真実が含まれている。ガーフィールドの背中の銃弾は脊椎や主要な動脈、重要な臓器にはあたらず、膵臓の脇の脂肪組織に無事止まった。だが、消毒していない指や洗っていない外科プローブが傷口の周りや中へ、感染症の原因となる危険な病原菌を繰り返し運び込んでいた。イギリスの外科医ジョゼフ・リスターがもたらした福音、石炭酸（フェノール）の消毒薬が使用されていたら、ガーフィールドも助かっていただろう〔訳注：リスターは一八六六年に消毒法を開発し、その後も無菌外科手術の研究を重ねて改良。一八七〇～八〇年代に、この方法が欧州で徐々に広く実践されるようになる〕。

ガーフィールドの大統領在任期間は二〇〇日間で、歴史には公職を目指していた男に殺されたと記録されるだろう。大統領として国を変革する機会は持てなかったが、彼は死の床にあって国民を一つにまとめ、ニュースを「消費」したいという国民の衝動をしっかりと形作った。電信の発明者サミュエル・F・B・モールスは、国じゅうに情報を伝えるワイヤーによって「この国全体が一つの近隣地域」になると予測していた。[60] ガーフィールドが傷を受けて床に臥《ふ》せると、電信に吸い上げられたメッセージが国じゅうに供給されて、それぞれ異質のコミュニティが、皆に共通のリーダーの病状を知りたいと強く願い、互いに引き寄せられた。かつて、モールスは情報があっという間に伝わるコミュニケーションのパワーを直感し、今起こっていることをもっと頻繁に知りたいという切迫感を自身の経験から理解していた。「神のなせる業」

という公式メッセージを打って、新時代の幕を開けるまでに、モールスははやる思いで大量の信号を送る実験を繰り返した。そうした信号は詩的とはほど遠いものだったが、画期的な時代の始まりを示すものでもあった。モールスは電信の実験をしていて、速いやり取りにも慣れてくると、実験に飽きてしばしばヴェイルに電信メッセージで「何かニュースはないか」と尋ねたという[61]。

ガーフィールドが亡くなってわずか数十年後、電信は生活のあらゆる部分にかかわり、全国のあらゆる場所に届くようになる。電信に流し込まれたメッセージは鉄線で、後には銅線で長距離運ばれた。だがまもなく電信は、それ自身が運ぶものの形を作り始める――容器が中に入れる液体の形を決めるように。

電信により言語は陶器のように形作られた

大柄でひげをきれいに剃った十代のアーネスト・ヘミングウェイは、アメリカ中西部で大望を抱いていたが、大学に進学するタイプの人間ではなかった。電信の発明から七〇年近くたった一八九九年に誕生し、小さいころに母親が気づいたように、彼は「何も恐れない」[62]ので、一九一七年に高校を卒業すると、イリノイ州オークパークにおける人生の流れ――誕生して、学校に通って、結婚して、子どもが誕生して、仕事をして、死を迎えるまで[63]――がわかっている平穏な世界から外へ出て、南西に八〇〇キロメートルほど離れた地を目指して旅立った。大きな体に列車のチケットとトランク、情熱と無限のエネルギーを抱いて、ヘミングウェイは列車に乗り込み、一〇月一五日にはミズーリ州カンザスシティの真新しいユニオン駅に到着した。多くの旅行者にとってこの鉄道のハブ駅は出発地点だったが、アーネスト・ヘミングウェイにとってはここが終点だった。数か月という短い期間、アメリカでも指折りの新聞社カンザスシティ・スターで働くためにやってきたのだ。これによって、彼は知らず知らずのうちに、電信を活用することでアメリカ英語の使い方を変える道を歩み始めた。

大都市の荒波の中、ヘミングウェイは新米記者としての数か月で、故郷での一八年間の生活で見たものよりも多くの人生を目撃した。当時のカンザスシティは、多発する犯罪と山盛りの腐敗、あちこちに流れるジャズといったものであふれんばかりの「御馳走の皿」だった。それらすべてによって、シティ内の人々は誰もが苦しめられていた。ヘミングウェイは日常的にシティの暗部を訪ねたので、なおさらだった。ニュース取材という「食物連鎖」の最下層にいたヘミングウェイは、警察署や、犯罪現場、救急病院の治療室でインタビューをした。[64] 情報源はあらゆる種類の仕事のプロで、医者やギャンブラー、警察官、売春婦、葬儀屋、泥棒といった人々[65]だった。ニュース記事を書くときは、ニュース室に駆け込んでタイプライターを叩き、あっという間に文字が打ち出されると、その紙をコピーボーイの指が「ひったくっていった」[66]。

後年、ヘミングウェイはカンザスシティ・スター社に勤務していた当時を振り返り、ニュース室は自分の技術を磨いた場所だと回想している。そこで彼は「執筆の仕事におけるかつて学んだ最高のルール」を得た[67]という。そしてよき相談相手として、カンザスシティで有名な新聞記者ライオネル・モイズを見つけた。モイズは彼に「純粋に客観性のある文書は、物語を話すという形式だけだ」と教えた。[68] ほかにヘミングウェイが受けたアドバイスは、人間からだけではなかった。『スター・コピー・スタイル』シートと呼ばれる新聞用紙に掲載されたリストには、書き方のヒントが一〇〇以上載っていた。このリストは始まりから、新聞の編集者が記事に必要とされる方向性を打ち出すものだった。最初の指示は次のとおりだ。

「短い文章を使う。最初のほうの各段落は短くする。生き生きとした英語で書く。肯定文で書く。否定文で書かない」

簡潔なアドバイスによって、このシートは記者の書く原稿に求められるものを示している。三つの欄でもっと具体的なルールも示されている。

「過剰な言葉はすべて削除する」
「形容詞の使用を控える」
「使い古された言い回しに気をつける」[69]

ニュース編集者はひたすら無駄のない言葉を望み、ヘミングウェイはすっきりとしたスリムな文章を送り出した。情報の流れがテクノロジーで制限されたので、『カンザスシティ・スター』紙のように新聞には合理的な事実伝達文が必要だった。タイプライターと石版印刷機に加え、電信によって事実伝達文は短くなった。

ヘミングウェイの『カンザスシティ・スター』時代の数十年前、一八三二年の電信使用の初めのころ、サミュエル・F・B・モールスは、若い助手アルフレッド・ヴェイルとともに首都ワシントンにおいて国のトップの前で行う電信の公開実験の準備をしながら、しばしばヴェイルを叱りとばしていた。「言葉をもっと縮めろ。theはできる限り省くんだ」[70]。モールスとヴェイルは、手書きのメッセージをトンツーの符号に翻訳し発信することで、メッセージを互いに送った。やりとりをもっと素早くするために、モールスはヴェイルがもっと短い事実伝達文にするべきだと考えて、ヴェイルに「ぜい肉を切り落とす」よう求めた。つまり、前置詞や美辞麗句など意味を持たない不要な言葉はすべて取り除けというのだ。モールスは電信を使って、アメリカ英語という「陶器」を形作る職人となった。

モールスの電信はのちに、ニュース報道に多大な影響を与えることになった。彼の発明以前は、各都市の新聞社は、海を渡ってきた情報を集めるために、記者を船着き場に送り出していた。これらの特派員は、船を待ち、ニュースを集め、それから自分の報告書を馬や鉄道、船、ハトを使って本社に送った。ところが、それまで何時間もかけて届いていた遠い場所の情報が、電信が開発されたためにわずか数分で届くようになった。残念ながら、この新しいテクノロジーはスピーディなコミュニケーションという利点があったにもかかわらず、大きな欠点もあった。電信線は、一度に一つのメッセージしか送れなかったのだ（後年、トーマス・エジソンが巧妙にメッセージを一度に二つ、のちに四つ送ることを可能にした）。よって、事件が発生するとあるいは新たな船が到着すると、熱心な記者たちは電信技手の仕事場に殺到した。ボストンの新聞社、ニューヨークの新聞社、ミズーリ州の新聞社、ヴァージニア州の新聞社といった各社の特派員は、店に一か所しかないレジに並ぶように待たねばならず、それぞれ自分の順番が回ってきたら、ようやく自分の報告書を打ち出して送信できた。情報の流れが滞るのを緩和するために、ルールが決められていた。送信は制限時間以内で行うこと（一五分以内の場合が多かった[71]）と、メッセージは簡潔でなければならないことだった。

電信会社各社は設立するときに、顧客が送信メッセージをなるべく短くしたくなるような価格設定を行って、電信線の空き時間を確保した。最初の一〇ワード（一〇単語）までは定額料金、それ以降は一ワードごとに定額料金の一割ずつ加算される。そうした価格設定では、一〇ワードのメッセージを一〇セント

（現在の三ドル相当）で首都ワシントンからボルチモアまで送ることができた。それと同じメッセージをもっと遠くまで送ると、例えばフィラデルフィアまでなら三〇セント（現在の九ドル相当）、ニューヨークまでなら五〇セント（現在の一五ドル相当）かかった。[72] そのような料金プランによって、顧客は相手とのやり取りを要約しなければと考えるようになり、一般の人々もそういうものだと理解した。一九〇三年までに、電信で送信されたメッセージの半分は一〇ワード以下、平均は一二ワードだった。[73] モールスが一八四四年に最初の公式メッセージとして"What Hath God Wrought"（「神のなせる業」）という四ワードを送信したとき、予言的な聖書の引用で時代の先触れをしただけでなく、簡潔さという基準も定めたように思われる。

電信サービスにお金をかける余裕があったのは企業だったので、企業が最もよく電信を利用することになった。一八八七年までに、電報の九〇パーセント近くは商業に由来し（ビジネスのやりとりから、株式の売買、競馬の賭けまで）、残りはほぼ新聞社が占めた。[74] 個人的利用、つまり電信が家族の用事で社会的に利用されたのは、全体のわずか二パーセントだった。[75] ビジネスは電報を活用したが、社会全体としては避けられていたのだ。電信の送信の費用は、労働者の一週間分の給料のほぼ一割だったので、緊急の場合でなければ、手紙で連絡を取り合うことが好まれた。このため、電報が家に届くときには恐怖感も呼び起こされた。たとえば、遠くに住んでいるきょうだいへ「チチシス、スグカエレ」という電報を打つなど、電報は悪い知らせになりがちだったからだ。長い説明はオレンジのように搾られて、気持ちや考えという「果汁」はスピードの犠牲になって除去された。つらい知らせのときには、遺族はもっと多くの言葉をかけられたかったことだろう。だが、簡潔さに思いやりの気持ちをかぶせるにも、ワード数の計算により、気持ちは勝てなかった。電信ではメッセージの人間らしさは半ば強引に取り去られて、限られた量しか伝えられなくなった。
結局、モールス信号の進展は、簡潔であるという前提にかかっていた。モールスはアルファベット文字それぞれに使用頻度に合わせてモールス符号（トンツー）の組み合わせをあてた。新聞記事の文字を数えて、アルファベットのeが最も多く使われていることに気づいたので、eは一つの「トン」（・）を割りあてた。二番目に多いのがiだったので、iは二つの「トン」（・・）で表すことにした。また、モールスと助手のヴェイルのやりとりにも簡潔さが忍び込んできた。彼らは慣習的に長い自筆の手紙を書く人々だったが、迅速なやりとりをするというこの新たな能力を得ると、文章に意味を加えない言葉の符号を解読することにイライラが増していったのだ。互いに向けた文字や電信のメッセージはどんどんぶっきらぼうになっていき、二人の間で省略表現が生まれた。モールスはしばしば、tという一文字でtheを表し、unでunderstand（理解する）を、bでbeを意味する[76]メッセージを出した。ヴェイルに「メッセージを縮めてくれ。だが、あいまいにはならないように[77]」と書き送り、ほとんど判読不能なコードを作り出していった。iiはyesの意味、1はwait a moment（ちょっと待て）、73はbest regards（敬具）だった。[78]
しばらく後に、電信会社用に標準コードが開発されて通信の速さは増した。何千という言葉が掲載された『秘密通信用語集』という辞書には、単語の各形に対してアルファベット文字と番号が振られている。w. 879はwire（ワイヤー）、w. 889はwisdom（知恵）、w. 899はwishful（望んでいる）[79]といった具合だ。一八七九年には、別のコード「フィリップス電信コード」が開発され、まもなく新聞社各社が使用するようになった。これを作ったのは、ジャーナリストで電信技手、後にニュースサービス会社ユナイテッドプレスのトップになったウォルター・P・フィリップスである。このコードは、ニュース室で非常に人気が高くなって、多くの略語が今日でもアメリカ人の語彙《ごい》に残って使われている。POTUS（President of the

United States、米国大統領）、SCOTUS（Supreme Court of the United States、米国最高裁判所）、OK〔訳注：oll korrect（all correctの意）の略語。ただし、ほかにもOKの語源は諸説ある〕は電信によって作られた言葉であり、簡潔さが美徳だった時代を思い起こさせる。

電信の制約が新聞の言語を「彫刻」し、ヘミングウェイはすっきりとした飾らない文章が好きで、それを自分自身のものとして使っていた。彼はカンザスシティ・スター社で働きだして六か月余りで、辞職することにした。第一次世界大戦が始まっていて、すぐに戦闘に参加したくてたまらなかったのだ。軍隊に入ろうとしたが視力が悪くてかなわず、赤十字の救急車の運転手になるためにイタリアにいった。スター社で得た執筆についての教訓は胸に刻まれていた。やがて、彼の書いた本が成功したことで、彼の短い平叙文〔訳注：修辞を用いずに情報や事実を単純に述べる文章〕は典型的なアメリカ英語になっていった。何世代か後には、学生たちは英語や英文学の先生にうながされて、ヘミングウェイスタイルを取り入れていくようになり、知らず知らずのうちに電信の影響は広がっていった。

アメリカ英語の簡潔さは、イギリスとは違う個性を持ちたいというアメリカ内での大きな推進力にも起因した。アメリカ革命戦争（独立戦争）で砂地に国境線を引いた後、アメリカは言語によっても自身をイギリスから切り離した。イギリスとアメリカはどちらも同じ母語を使うが、スペルの違いがある（tyreとtire、centreとcenter、colourとcolorなど）。慣用句にも違いがある。幸運を祈るという意味で、イギリス人はtouch wood、アメリカ人はknock on woodという。発音にも違いがあり、schedule（スケジュール）は、イギリス人が「shed-yuleシェ・ジュール」でアメリカ人が「sked-yuleスケ・ジュール」、privacy（プライバシー）は「prih-vah-ceeプリー・ヴァー・シー」と「pry-vah-ceeプライ・ヴァー・シー」、vase（花瓶）

は「vahzヴァーズ」と「vayzヴェイズ」という具合だ。（それから、aluminum（アルミニウム）の発音も忘れずに。ユニオンジャック式発音「アルー・ミニウム」を耳にすると、星条旗式発音「アルー・ミナム」の人々はニヤリとするだろう）。それだけでなく、大西洋のあちら側とこちら側で話されている言葉には、意図的な目立つ違いがある。イギリス英語は、言葉数の多い表現で耳に心地よいイントネーションだが、アメリカ英語では、話すべきことを最も短い表現で話す。イギリス英語は学や教養があるように聞こえ、アメリカ英語は愛想がよくおおらかに響く。

モールスがボルチモアからワシントンに最初のメッセージを送ってちょうど四年後の一八四八年に、『デモクラティックレビュー』誌[80]で匿名《とくめい》の筆者は、電信の文学への影響について検討して、当時の言語がいっそう簡潔なものになることが望ましいとし、「この発明はアメリカ文学に影響を与えるだろうと思うのは期待しすぎだろうか」と問いかけた。書き言葉のスタイルで革命が起こったのは明白だ。それは、「一文の中でカンマとセミコロン、コロン、ダッシュというすべての道具を備えた文章」といわれていた複雑な文章から、もっとシンプルな文章に置き換わっていったからだ。それ以前の文章は、「ページ全体にわたってのろのろと長引く」もので、ピリオドがきてようやく文章（と読者）は苦境から逃れられる代物だった。その匿名筆者の願いは、電信が書き物を「簡潔で、短くまとまっていて、表現豊かな」スタイルを備えた完成形に近づけていくことだった。アメリカ人たちは新聞社の電信記事に触れたことで、アメリカ人らしい単刀直入な性質によりこの電信スタイルを採り入れたのかもしれない。その願いはかなえられた。従来の長い文章は、ヘミングウェイをユニオン駅に運んだ長い編成の列車によく似ていたが、電信を始めとしたいくつかの要因によって、思考の軽快な乗り物へと置き換わった。

一八四四年五月に首都ワシントンで実施予定の電信実証実験に向けて準備していたサミュエル・F・B・モールスは、アルフレッド・ヴェイルからのメッセージがもっと頻繁に欲しくて苛立っていた。自分の発明品のせいでわがままになり、それによって可能になった瞬時の通信を常習的に使うようになっていった。数日でもヴェイルから連絡がないと、叱責の手紙を何通でも送り続けるようになり、そうした手紙には「お前から手紙がこないことにはいささかがっかりしている」[81]などと書かれていた。モールスの時代の手紙は届くまでに何日も、ときには何週間もかかったが、モールスは自分が手紙を出してわずか数日でまだヴェイルからの便りがないと不安な様子を見せた。今日では、研究者たちが同じような不安に悩まされている。これも、モールスの発明の末裔《まつえい》「電子メール」によって、意図せず引き起こされている。

瞬時の通信が話題になるときには必ず、言語が悪いほうに向かっていることについて議論になり、ときには恐怖感が示される。興味深いことに、今日では言語学者たちは言語の簡略化について、あるいはオックスフォード・コンマ〔訳注：英語で三つ以上の要素をandやorで結ぶ場合に、andやorの直前にコンマを入れる書き方〕がきちんと使われているかについてはそれほど心配していない。学生は自分のスマホなどへの書き込みと課題に書く文章とは、「コード切り替え」ができることを示す研究がある。言語の形の変化は、言語とその構造を研究する人々には問題にならないが、形の変化したコミュニケーションがもっと幅広く影響を及ぼしつつあり、多くの人々がそのことを懸念している。言語学者でアメリカン大学の教授ナオミ・S・バロンは、「今、恐ろしいことが起きている」と警告する。[82]

サミュエル・F・B・モールスは、電信で瞬時のコミュニケーションへの道を開き、電信の「子孫」である電子メールやテキストメッセージ、そしてあらゆるメディアが生まれた。だが、私たちの持つデバイスにはマイナスの側面もある。「オンライン・コミュニケーションは、社会的交流を著しく弱体化させている」とバロンはいう。コミュニケーションは、言葉で書き表すことや、クールな略語を使うこと、巧みに選んだGIF《ジフ》画像を示すことだけではない。コミュニケーションは意味を表現するにとどまらず、私たちに意味を与えるのだ。離れた場所にいる人同士でメッセージを送信し合うのは、瞬時の形でのコミュニケーションであり、それが新たなリスクを生み出した。「危険なことだ。私たちはお互いに人間的でいる方法を忘れつつある」とバロン教授はいう。

対面で人と話すときは、お互いから手がかりを受け取っている。だがオンラインのテキストベースでは、「私たちは忘れているが、重要なのは、自分が相手に理解されているかどうかを感じ取るために相手から手がかりを得ることだ」とバロンは指摘する。チャットルームに誰かがいっしょにいても、実世界のこうした手がかりがわからないため、彼らが緊張しているかどうか、ぼんやりしているかどうか、口を挟みたがっているかどうかはわからない。そういう情報は、GIF画像や、顔文字や絵文字では伝わらない。世界のどの国の人よりも多くのテキストメッセージを送っているアメリカ人は、何かを急速に失いつつある。こうした非言語シグナルなしで、私たちは十分にコミュニケーションをとっていると独り合点しているが、非言語シグナルが加われば、コミュニケーションが不十分だったことがわかるかもしれない。さらに、オンラインにいることで、二一世紀の新たな神経過敏が生じた。これは、一九世紀にヴェイルとのやりとりでモールスが示した様子によく似ている。「私たちはすぐに返信しないと不安になる」とバロンはいう。

かつて、ある元フェイスブック社幹部が、ウェブサイトを毎日何十億もの人々が利用しているのは大きな間違いだと述べた。[83] ハーバード大学の二年生が、寮の自室でプログラムしたそれは、モールスの「よき隣人」を作り出し、いろいろな点で実際にダメージを与えている。私たちが瞬時のコミュニケーションで失いつつあるのは、お互いの表情を読み、会話をする能力である。人間は共同して生きている。だから、現実の会話が、オンライン空間での会話よりも好ましい。リアルの友人は、ネット上の友人よりも私たちにとって大切だ。対面でのコミュニケーションはウェブを介したコミュニケーションよりも優れている。ソーシャルメディアは私たちをソーシャル（社会的）ではない人間に変えて、私たちは言葉以外のレベルでコミュニケーションをとる能力を失う。オックスフォード・コンマは心配する必要はないが、はるかに重要なものを社会が失いつつある。自分のデバイスでのコミュニケーションは――電信という元祖テキストメッセージ用マシンと同様に――人間の触れられない部分を搾って捨ててしまう。幸いなことに、リアルでの会話をすれば、人間のそうした部分は戻ってくる。

「人とふれあわなければ、共感を育《はぐく》む機会ははるかに少なくなる。社会に共感がなくなれば、私たちはどうなっていくのだろうか」とバロンは語った。

第4章

とらえる

写真感光材料は、目に見える方法と見えない方法で私たちをとらえた。

馬についての疑問

その依頼はとても簡単なことのように思われた。ある男が、とある写真家に、疾走する馬の写真を撮ってほしいと依頼した。一見、単純な話のようだが、一八七〇年代には肖像写真の撮影にも長時間かかり、撮影される人は一時間近く立ったまま、座ったまま、あるいはまじめな顔をしたままでいる必要があった。カメラのレンズキャップを外している間にその人が動くと、実体のある人物が写真ではぼやけた幽霊に変貌している。写真感光材料にこうした制限があるので、写真家はスタジオに赤ちゃんがくるとたじろいだ。乳幼児はじっとしていないので、いかめしい顔つきの母親の膝の上が濃い霧状になってしまうからだ。カメラの前に誰かがちょっとだけ顔を出しても、写らないのは確実だった。そういうわけで、動いている馬の写真を撮るなど、問題外だった。しかし、依頼主は特別な男だった。ロックフェラー家のカリフォルニア版ともいうべきスタンフォード家の一員リーランド・スタンフォードは、「ノー」という言葉には不慣れだった。

スタンフォードは、カリフォルニア州知事を二期務めた後、セントラル・パシフィック鉄道の総裁になり、大陸横断鉄道の東へ向けた鉄道を建設し、政治と利益を撚《よ》り合わせて、不当な方法で莫大な財産を築いた〔訳注：後のスタンフォード大学の創設者でもある〕。スタンフォードは家の牧場で馬を大事に育てていて、それらの馬で大金を稼いでいた。馬に関するこの依頼をすることになったのは、彼の家がきっかけだった。当時よくあったように、スタンフォードはサクラメントにある宮殿のような邸宅を写真にしたいと考えて、サンフランシスコの写真家エドワード・マイブリッジを雇った。当時マイブリッジは四二歳、ウォルト・ホイットマンのようにふさふさと茶色いひげをたくわえていた。だが、間もなくスタンフォードの話は、大邸宅のインテリアから厩舎の馬のことへ変わった。

スタンフォードは、馬が走るときに四本脚すべてが地面についていない瞬間があるという理論を立てて、そのときの状態を「支えなしでの移動」[1]と名づけた。だが、彼には証拠が必要だった。言い伝えによると、スタンフォードの大金持ちの友人たちが彼の理論を馬鹿にして、地面に足が着いていなければ転んでしまうはずだとからかううちにエスカレートして、二万五〇〇〇ドル（今日の約五〇万ドル）というべらぼうな金額の賭けをすることになり、スタンフォードは自分のメンツを保つために証拠写真が必要になって、マイブリッジにその瞬間の写真を撮るよう依頼したのだという。マイブリッジは、動いている馬の写真が撮れる確信はなかったかもしれないが、芸術家として裕福なパトロンが欲しかっただろうし、自分の技術を後押しするプロジェクトに乗って、名声を得たいと考えたのだろう。マイブリッジはかつて、一角の人間になるつもりでイギリスからアメリカにやってきて、自分の名前の綴《つづ》りを（Edward からEadweard へ、また、MuggeridgeからMuygridge、さらにMuybridgeへ）変えて、職業も自分に合わないと思うより先に乗り換えていった。スタンフォードの依頼は、この写真家にとって絶好のチャンスだった。そういうわけで、マイブリッジが苦労で荒れた手を差し出すと、スタンフォードの肉づきのよい手にがっちりと握られ、「よろしく」と握手を交わし、異なる世界に生きてきた二人は手を組んだ。

マイブリッジはサンフランシスコで有数の写真家だった。怖いもの知らずで、太平洋岸やヨセミテ、ア

図35　リーランド・スタンフォード。アメリカの大物実業家・政治家で、馬の全速力での走り方についての疑問に答えを出すために、エドワード・マイブリッジに資金を提供して写真撮影の仕事を依頼した。

図36　写真家のエドワード・マイブリッジ。何台も並べたカメラによって動きをとらえ、時代の先駆けとなった。

ラスカなど人里離れた土地を旅して写真を撮った。マイブリッジは辺境地の撮影にふさわしく健康で頑強な肉体の持ち主で、五〇キログラムもの道具類を運び歩いた。写真を撮影してプリントするのに必要なものは、すべて持ち運んだ。薬品の瓶に加えて彼の機材には、木製カメラ、繊細なガラス板、水用のバケツ、暗室のテント、高価なレンズ、頑丈な三脚も含まれた。マイブリッジはボサボサの口ひげをたくわえたエキセントリックな男で、穏やかな青い目はしばしば激しく動揺しているように見え、台車を引くラバと触れ合うだけで文明とは距離を置いていることを楽しんでいた。

スタンフォードは、所有する馬の中でもトップクラスの速い馬オクシデントの写真を望んでいた。この馬の走るスピードは人々の興味を惹きつけていた。オクシデントを含めて競走馬は、南北戦争で破壊され再建された国でまだ傷の残る国民にとっての娯楽になっていた。国の分断は北と南だったが、名声の確立した東と新参者の西の間にも亀裂があった。オクシデントは、バラバラだった国民の気持ちを結びつけ、かつては土砂を運んでいた「小さな馬」が、競馬場で活躍する四本脚の王子様になったというシンデレラストーリーをもたらし、カリフォルニアを全国に知らしめた。

一八七二年、マイブリッジはサクラメントのスタンフォード所有の馬小屋に、重いカメラ機材をなんとか運び込み、全速力で走るオクシデントをとらえることを目指した。マイブリッジは感光と画像定着のためのガラス板を暗いテントの中に準備した。シロップのようなコロジオンをガラスの表面に垂らし、シェフがフライパンを扱うようにガラスをゆすって液を伸ばす。ガラス全体に塗布したら、今度はそれを硝酸銀溶液に浸す。この硝酸銀が画像を定着させる役割をする。次に、マイブリッジは太陽光を通さないホルダーにその処理済みのガラス板を入れてから、カメラのところに持ってきて、待つ。オクシデントは装具をつけられ、御者が乗った二輪カートを引いて、約一・六キロメートルを全速力で駆け抜ける。その間わずか二分二〇秒、毎秒およそ一二メートルという驚異的スピードである。[2] オクシデントの写真を撮るためには、カメラにとりつけたガラス板が湿っているうちに撮影しなければならなかった。塗布した薬剤が乾いてしまうと画像が定着しないので、いつもマイブリッジは薬剤の蒸発を最も心配していたが、今や馬のスピードがそれ以上の懸念だった。

マイブリッジが風景写真を撮るときは、カメラを設定すると、一刻を争って湿ったガラス板を中にセットし、カメラのキャップをとって数秒間おく。そしてまたキャップをかぶせる。走っている馬を初めて撮影したときも、マイブリッジはいつもどおりにキャップを開いて閉じたところ、何も写っていなかった。二回目には、開け閉めをもっと素早く行うと、ガラスにはぼんやりと影が映っていた。[3] これらの結果は、期待を持たせるものだった。スタンフォードは、走る馬についての解決策が最終的に得られそうだと喜んだ。マイブリッジは、自分の名が載った新聞の切り抜きをスクラップブックに加えるチャンスだと、やる気が増した。だが、公表するにはまだ写真の写りが薄すぎるので、もっとお金をかけて技術力を磨いて、はっきり見える写真を撮らなければならなかった。スタンフォードは財布の紐《ひも》を緩め、何台ものカメラを並べて使い、動きを薄切りにして、異なる段階でそれぞれのカメラにとらえてはどうかと提案した。マイブリッジはそれに従って、次の実験セット作りに着手したが、その後、仕事は中断することになる。

マイブリッジの人生は一筋縄ではいかなかった。ある女性と結婚したが、妻の浮気で三角関係に陥った。マイブリッジがその浮気相手の男を射殺して刑務所いきになり、三角関係は解消される。ちょうどそれは、彼がオクシデントの写真プロジェクトを進めている最中だった。三日後には「無罪」の判決で出所して、直ちにアメリカ中部に赴き、殺人より前に依頼されていた写真撮影の仕事にとりかかった。数年後の一八七七年夏に、再び馬の写真に取り組んだ。サクラメントとサンフランシスコで実験を続け、スタンフォードのパロアルト牧場に向かった。

殺人を犯す以前に行われた馬の撮影では、一瞬のあいだレンズキャップを外しておく方法によって、写真にはぼやけた影が映った〔訳注：露出時間が一二分の一秒とのこと（「高速度写真撮影方法による写真計測法：バイオメカニクスシネマトグラフィー」安藤幸次著『Japanese journal of sports sciences』誌1983-03、日本バイオメカニクス学会編より）〕。馬をはっきり見えるようにするために、琥珀の中の虫のように動きをガラス板上の「化石」にするには、カメラにもっと素早く「瞬き」させて、もっと短い時間をとらえる必要があった。これを実現するために、マイブリッジは木製の葉巻箱の板を二枚使った仕掛けを作り出した。[4] この二枚の薄板を平面上で上下に並べて置き、上下の間隔を五センチメートルほど開ける。その状態で、左右に小ぶりの細長い板二本を釘で打ち付けて固定する。できたものを立てた状態にして、フレームにセットする。セットされた二枚一組の

図37　パロアルト牧場のレーストラックの一部分を使って、トラックの片側に面してカメラの小屋、反対側には傾斜した壁が設けられた。トラックに糸を渡しておき、馬の体がそこを通過するときに糸が引っ張られると、カメラのシャッターが切られて写真が撮れる仕組みだった。

薄板は、窓のように上下にスライドできるようになっている。実験開始前には、ゴムバンドで上に固定しておく。次に、フレームを含めたこの仕掛け全体をカメラの正面に置く。そのとき、下側の薄板でカメラのレンズを隠した状態にする。これで撮影準備ができた。

馬が走ってきてカメラの側にきたとき、マイブリッジが紐を引くとゴムバンドが外れて、薄板がギロチンのように落下する。二枚の薄板に挟まれた隙間がレンズの正面を通過する瞬間、「いないいないばあ」といった体でレンズが覗き、その後、上側の薄板がきてレンズを隠す。よって、カメラにほんの一瞬だけ光を入れることができる。この新たなシャッターで、カメラは動きの一瞬を「見て」、凍らせたように止まった動きを写真のガラス板にとらえた。マイブリッジは撮影すると直ちに、暗室のテントに運び込んで現像の処置をした。テントの天井には穴があり、そこに赤い布が貼られていて、画像を損ねないようにしてあった。

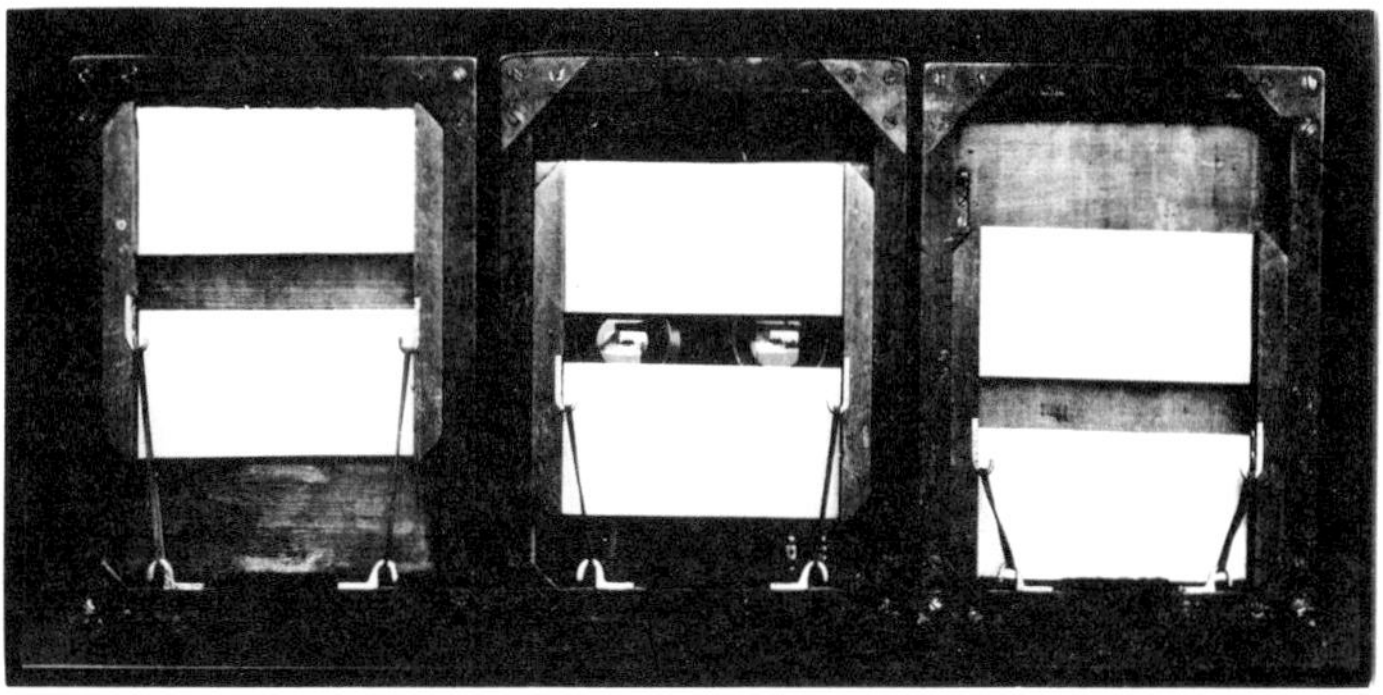

図38　カメラのシャッターは電気で高速に開閉して、カメラのレンズが一瞬だけ目前の光景をとらえるようになっていた。これは馬が空中に浮いている瞬間の撮影に成功したマイブリッジの極意の１つだった。

当初、カメラは一台で撮影していたが、その後は一二台になり、もっとあとには二四台が投入された。高速シャッターでは、ガラス板に「もっとくっきりした浮き彫り」で馬の形をはっきりと写し出すために、別の方法で被写体の馬から反射した光がカメラにたくさん入るようにすることが必要だった。そこで走行コースに屋外撮影スタジオを作り出し、コースの片側にカメラを、もう一方の側に新たに背景壁を設置した。光量を増すために、背景壁は白く塗り、壁面を（梯子のように）傾むけて、太陽光をよく反射させて被写体にあたるようにした。走行面にも白い粉を振りかけ反射光を増やし、より多くの光がレンズに届くようにした。マイブリッジは、走る馬のスナップ写真を撮るための硝酸銀や太陽光、シャッターなどの設定や調整でせわしなく動き回った。撮影を何度か繰り返すと、ゴムバンドはすぐに劣化してシャッターが瞬時に切れなくなったが、幸い、最新流行テクノロジーで解決した。電気ベルである。

　馬を一秒よりはるかに短い時間でとらえるためにもっと速いシャッターを必要としたマイブリッジは、電気に目をつけ

図39　馬が全力疾走するとき、4つの脚の蹄がすべて地面から浮いている瞬間がある。マイブリッジはその瞬間の写真の撮影に成功して、スタンフォードの要求に応えた。

て、ゴムバンドに欠けていたものを補った。当時、家電製品は日常生活に進出しつつあり、ヨーロッパで流行した発明品の一つに電気ベルがあった。ボタンを押すと、電磁石に巻きつけられている回路に電気が流れてベルの舌《ぜつ》が引っ張られ、ベルが鳴る。リーランド・スタンフォードの鉄道会社のエンジニアで、当時二六歳だったジョン・D・アイザックスは、この新たなテクノロジーをもとにして素早い引き金を作る方法を思いついた。シャッターを保持していたかんぬき（ラッチ）を、超高速の電流を使って電磁石で引っ張って、瞬きよりも素早くシャッターを落とした[6]〔訳注：このときの露出時間が二〇〇〇分の一秒とのこと。（「高速度写真撮影方法による写真計測法」より）〕。これで、マイブリッジのカメラの準備が整った。

馬の走行コースに沿って、マイブリッジは一二本の糸を胸の高さに張り、一二台のカメラにつなげた。[7]馬の足並みの一サイクルが完全に入るように、各カメラは等間隔をあけて設置された。走ってきた馬がゴールテープのように胸で糸を押し、紐が伸びると、カメラのそばの二片の金属が引っ張られて接触し、回路に電気が流れる。これが薄板でできたシャッターを始動させ、写真が一枚撮影された。続いて馬は、次の糸を引っ張り、次のカメラが作動する。こうして一連のカメラは、秩序ある射撃練習場のように、次々に一秒の数千分の一の動きを切り取っていった。おのおののガラス板には馬の体の動きの瞬間がしっかりととらえられた。

集めたガラス板には、動きの各ステップが現れていた。マイブリッジは撮影したガラス板を暗室テントで処理すると、うれしそうに出てきて、「地面から跳び上がっている馬の写真がとれた」[8]と宣言した。ガラス板上の画像は淡く、彼はそのうち一二枚を手作業で引き伸ばして、背景を白くし、馬をシルエットとする絵にした。写真は、走る馬が足を四本とも宙に浮かせた瞬間を示していた。

とはいえ、馬の四本脚が同時に浮いている瞬間があるという事実よりも、動きを写真のガラス板にとらえたことのほうが、はるかに大きな影響を及ぼした。マイブリッジが一瞬の時をとらえると、社会は写真をますます強く欲し、すべての瞬間をとらえることを求めるようになり、大量の写真が撮影されることになった。

すべては馬から始まったのである。

社会のアウトサイダーだったマイブリッジは、西海岸において写真撮影の分野で進化をとげてていたが、社会の柱となる人物も東海岸で革新的な写真技術を作り出していた。マイブリッジの名は歴史に残ったが、この東海岸の発明家は報われなかった。彼の名は、ハンニバル・グッドウィン牧師という。

牧師の憂鬱

ハンニバル・グッドウィン牧師が話すときは、いつも四〇〇人もの礼拝出席者で木製の信者席が満席となった。グッドウィンは弁舌が巧みで話に説得力があり、一八八〇年代に彼の声は教会の鐘に似て朗々と広く鳴り響いた。鼻眼鏡をかけ白ひげをたくわえたこの非凡な牧師は信者たちを愛し、信者たちもまた同じように牧師を慕っていた。礼拝の終わりには、多くの人々がいつまでも教会に残り、彼に話しかけ、彼から祝福を受け、彼の名言を聞こうとした。だがやがて、説教の後にグッドウィン牧師と触れ合う機会はなくなっていった。彼は礼拝が終わるとできるだけ早く、隣接する自宅に帰るようになったからだ。教区の人々はグッドウィンが何に夢中になっていたのかほとんどわからなかったが、彼の手に黄色がかった茶色の汚れ[9]があり、祭服の裾《すそ》にある染みと同じであることに気づいた。まもなく、この米国聖公会牧師が王者の風格なのに貧者の荒れた手のひらをしていることについて、噂話でもちきりになった。

グッドウィンは自分の周りでささやかれることに耳を貸さず、自宅の大きすぎる正面扉を押し開け、内部の木の階段を二階分あがって、屋根裏部屋の化学実験室に入るのが日課だった。このスペースが彼の世界の中心だった。一八六八年から八七年まで、ブリード通りとステート通りの交わる角、プルームハウスの教会から八メートルも離れていないところに彼は住んでいた。吹き抜けの天井の下にある最上階が彼の屋根裏部屋で、象牙色の壁には、グッドウィンの手の汚れと同じ色の染みがついていた。部屋の片側に暖炉と二か所の窓があった。グッドウィンは天井におよそ一五〇センチメートルの穴をあけて、日中の化学実験のために太陽光を採り入れた。夜間はオイル灯のもとで作業にいそしんだ。

妻のレベッカが階下から彼を呼ぶと、いつも無言か一言しか返ってこなかった。食事に現れたとき、妻

図40　グッドウィン牧師は、化学実験室として使っていた屋根裏部屋の天井におよそ1.5メートル幅で穴を開けて、太陽光を採り入れた。

と養子の子どもたちに注意を向けることは滅多になかった。食べ物、神、信徒の子どもたちの宗教的な幸せ以外には情熱は持たず、自宅のリビングで日曜学校を開いて教えていた。そして、日曜学校のある出来事によって、彼は目覚めている時間のほとんどを屋根裏部屋ですごすようになった。

グッドウィンは日曜学校で聖書を教えるときに、聖書の内容に沿った画像を見せたいと考えた。信徒や教区に呼びかけて幻灯機（マジックランタン）と呼ばれる光投影システムを買い入れた。願いはかなって、グッドウィンはアメリカの風景の新たな場面が写っている写真を何枚か手に入れたが、聖書の場面を描いた写真はほとんどなかった。幸い、グッドウィンは、写真撮影の愛好者だったので、子どもの信徒たちに見せるために自分で聖書に関する肖像写真をガラススライドに作り出すことをいとわなかった。

一八八〇年代の写真撮影術には、グッドウィンのように強健な体格が必要だった。重い機材にはゾウのような力強さを要したが、重い道具を運びながら脆《もろ》いガラス板を割らずに保持するために、クモのような優雅さも必要だった。グッドウィンは写真に撮るべき景色を見つけると、重いガラス板を取り出して、暗いテントの中で、感光用の薬剤がたっぷり入ったバケツにどっぷりと浸した。これでカメラのガラス板が使えるようになる（写真撮影の技術が進歩すると、ガラス表面に薬剤が厚く塗られた状態のガラススライドも販売された）。写真を撮ったあとは、ほかの薬品でガラス板を処理して、画像を定着させた。それらの作業すべてをトラブル込みで苦労して行って、ようやく写真はできあがる。それを、聖書の話を聞こうと彼のリビングルームに集まった子どもたちに見せるのだ。

グッドウィンは自分の作品に満足したが、残念なことに、ガラス板と子どもたちが共存できないことを知った。手伝う人々が、繊細な聖書の写真を幻灯機に挿入すると、ガラスがひび割れたり粉々に割れたりすることがよくあったのだ。多くのスライドが割れて、相手が心からの謝罪を示しても、グッドウィン牧師の苛立《いらだ》ちは募るばかりで、やがて、悪気のない人々が扱うときに壊れない、しっかりした写真を作り出す方法がなくてはならないと考えるようになった。

この方法を追い求めて、グッドウィンは自分の自由時間すべてを屋根裏部屋ですごすようになり、家族や信徒たちに素っ気なくなり、手や衣服に染みを作るようになった。彼はしなやかなプラスチック製写真フィルムを作り出そうとしていた。フィルムなら、画像の保持ができて、粉々になることもないだろう。

敬虔な米国聖公会の牧師が発明家だったというのは珍しい話かもしれないが、彼はいつも知恵が働き身の回りの修理を器用にこなすタイプの人だった。ハンニバル・グッドウィンは一八二三年四月、ニューヨーク州イサカから一六キロメートルほど北に位置する小さな町ユリシーズに生まれ、フィンガーレイクス

図41　ハンニバル・グッドウィンは、ニュージャージー州ニューアークの祈りの家教会の隣にあるプルームハウスに住んでいた。その屋根裏部屋を自分の化学実験室として、そこで写真フィルムを作った。

の湖岸にある農場で育った。いたずら好きで、手のかかる子どもだった。伝えられるところによれば、父親といっしょに危険でないタイプのハイキングにいったとき、悪ふざけがすぎてアメリカグマに追いかけられるはめになったという。[10] ハンニバルの悪いいたずらには悪意はなかったが、ただ、あふれる創造性がすべていたずらに向けられていた。

　天職を見つけようと励んだグッドウィンは、ピンボールのようなルートをたどった。一八四四年にイェール大学法科大学院に入学、その後コネチカット州ミドルタウンのウェズリアン大学を経て、ようやくスケネクタディのユニオン大学に落ち着き、幅広くリベラルアーツの科目（国語から化学まで）の授業を受けた。一八四八年に学士号を取得し、神と出会い、ニューヨークのユニオン神学校に通い、米国聖公会の牧師となった。グッドウィンは叙任されて、ペンシルベニア州やニュージャージー州、後にはカリフォルニア州のナパで地位を得て、それからニュージャージー州ニューアークに戻り、祈りの家教会の五代目の教区牧師として落ち着いた。

一八七〇年、人口一〇万五〇〇〇人のニューアークは、製造業の中心地であり、有力実業家の活動拠点となっていた。トーマス・エジソンは最初ニューアークを本拠地にしていたが、その後メンローパークの静かな土地に移った。ニューアークは、ジョン・ウェズリー・ハイアット（一八三七〜一九二〇年）が、セルロイドという新しいプラスチックを製造しているセルロイドカンパニー社の所在地でもあった。セルロイドは象牙の代替品として使われ始めて、ビリヤードボールや櫛《くし》、シャツの襟《えり》、カフス、ボタン、ピアノの鍵盤、玩具に使われた。グッドウィンはこの評判の物質が自分の聖書の画像に役に立つかもしれないと考えた。ハイアットの会社はセルロイドを薄板状や、棒状、管状で、また液状でも売っていた。グッドウィンはディンキーと呼ばれる馬車で、ニューアークのメカニック・ストリート四七番地にあったその会社を訪ねて、セルロイドをいくらか手に入れた。

ハンニバル・グッドウィンは、日曜学校の写真用のフィルムを作るためにさまざまな薬剤を選び出した。髪の毛ほどの薄いフィルムが作りたかったため、科学を利用した。「私は大学の課程で化学についていくらか知識を得ていた」とグッドウィンは語った。「それを使って、私はほとんど真っ暗闇の中で実験を始めて、薬剤と化合物を加えて新しい組み合わせを全部試してみた」[11]

グッドウィンはニトロセルロースの塊を溶かした溶液から、スノードームの雪のように、セルロースをうまく積もらせて薄い層にしたいと考えた。それを最後の調合でようやく実現した。ニトロセルロースを液体のニトロベンゼンに加えると濃いシロップ状になる。それを水とアルコールで薄めて、できた調合液

図42　ハンニバル・グッドウィン。ニュージャージー州ニューアークの牧師で、日曜学校で子どもたちに見せるための写真を作りたいと考えた。化学実験を重ねて、曲げられる写真フィルムを発明した。

図43　ジョージ・イーストマン。写真に関する起業家でイーストマン・コダック社（略称：コダック社）の創業者、曲げられる写真フィルムの最初の発明者の座を巡り、ハンニバル・グッドウィンと長期にわたって法廷で争った。

をガラスプレートに流し込み、乾かす。調合液の成分それぞれの働きによって、薄いプラスチック層ができる。アルコールはウサギのように素早く蒸発し、ニトロベンゼンはカメのようにゆっくりと蒸発する。液体の組み合わせのおかげで、ニトロセルロースはガラス全体に広がってから、ゆっくりと降って積雪のようにガラス表面を覆ったのだ。

実験を一〇年近く続け、その間には屋根裏部屋をほとんど爆発させたこともあったが、ついにグッドウィンは発明品の特許を申請した。写真用プラスチックフィルムのロールである。それは彼が教会を引退する年齢になって間もないときで、彼は新しい生活と経済的な先行きを考えていた。お金は家族と、貧しい人々と、化学実験に使ったので、ほとんど残っていなかった。だが、雑誌で「紙のように軽く、ガラスのように透明な」フィルムの必要性を訴える記事[12]を読んでから、自分の発明品が写真家の役に立つと確信していた。グッドウィンの発明はそうした基準に合ううえに、ロール状にした長いフィルムを使えば写真家は手早く撮影できるようになる。その特許を申請すれば、莫大な報酬を得るための道が開けると思っていた。だが彼は、イーストマン・コダック社〔訳注：通称「コダック」で知られている〕のジョージ・イーストマンという当時の富豪が、同じことを考えているとは知らなかった。

二〇年の務めののち、一八八七年にハンニバル・グッドウィン牧師は祈りの家教会を離任する準備をしていた。グッドウィンは健康状態が悪くなり、職務を果たすことが難しくなっていた。仕事の予定はなくなり、屋根裏部屋に引きこもり、写真フィルムの仕上げをしていた。プラスチックのフィルムを長くしていき、やがて一〇フィート（約三メートル）、三〇フィート（約九メートル）、最終的には五〇フィート（約一五メートル）の長さで作れるようになると[13]、まもなく特許を申請したいと考えるようになった。

一八八六年のブリザードの雪が融けきらず、そこからクロッカスが顔を出したころ、グッドウィンは自分の最高傑作――特許申請書に最後の仕上げを施した。一八八七年五月二日、特許庁に『写真用の薄膜とその作成課程』を提出した。発明品の薄膜と薄膜作成方法の両方が含まれている。だが、説教壇での牧師としての手腕は、法的文書に十分に生かされなかった。当時のたいていの申請書は、オニオンスキン紙（薄い半透明用紙）わずか五〇ページに明確な言葉で書かれたものだったが、グッドウィンの申請書は、聖書並みの厚さがあり、聖書のように読むものだった。そのため、彼の申請書は特許審査官の未処理ボックスで待たされた。

グッドウィンはワシントンの特許庁に何度も出向いて申請の処理を進めてもらおうとしたが、ガラス上でなかなか乾いてくれないフィルムのように、特許庁に急いでもらうことはできなかった。

グッドウィン牧師は、他の発明に取り組んで時間をつぶし、コダック社のジョージ・イーストマンに手紙を書いて、一七フィート（約五・二メートル）のサンプルに被膜と感光材を施すことを依頼した。[14] グッドウィンは自分のアイデアがまねされたり盗まれたりするとは思っていなかったからだ。イーストマンは興味をそそられて返信し、グッドウィンの発明について数え切れないほどの質問をした。グッドウィンはイーストマンに薬剤の入手先を教えたり材料の一部を送ったりした。グッドウィンはこの手紙のやりとりで、特許庁からの連絡を待つあいだの時間が速くすぎて、経済的な先行きの保証に向けて一歩近づくような気がした。

手紙のやり取りの真っ最中の一八八九年四月六日に、ジョージ・イーストマンは自分の特許を特許庁に出願した。それは、フィルムを作るために液体の薬剤を流して蒸発させるプロセスに関するもので、グッドウィンの特許出願の二年後のことだった。さらに、コダック社の従業員で化学者のヘンリー・ライケンバックも数日後の四月九日に同じプロセスの特許を出願した。特許庁では、グッドウィンとイーストマン、ライケンバックによる特許三つが非常に似ていることに特許審査官が気づいて、最初の発明者を明らかにしようとし始めた。イーストマンが自分の出願を取り下げたので、ライケンバックとグッドウィンの争いになった。その過程で、グッドウィンは自分の言い分を申し立てて、一八八七年に作成したフィルムのサンプルを提出した。この証拠により、特許庁はグッドウィンの申請が最初の発明であるとの見解を示し、グッドウィンの特許の審査を進めることが認められた。グッドウィンは勝利したと感じたが、それからすべきことを理解していなかった。コダック社が発明の優先権を黙諾したとき、グッドウィンは「問題は解決して終わった」と考えた[15]が、それは誤りだった。

善人のグッドウィン牧師が気づかぬうちに、世界最大級の独占企業とのチェスの試合がうかつにも始まっていた。グッドウィンは勝利を味わってはいたが、特許を確実に成立させるために改善すべき内容を特許審査官から忠告されても、耳を貸さなくなった。特許審査官は、ライケンバックにも忠告を与えていた。ライケンバックは自分の特許の調合範囲を狭めて、ニトロセルロースとショウノウを特定の量にした。グッドウィンは何も変更しなかった。

一八九八年一二月一〇日、ライケンバックは特許を勝ち取った。グッドウィンの申請は却下された。

グッドウィンは、正当な特許の持ち主は自分であると信じて取り戻そうとして、以前よりももっと多く特許庁を訪れて、わずかしか持っていないお金を使って、特許を確保する方法を多少は明確にしようとした。彼は自分の特許もしくはきちんとした説明が欲しかった。特許庁にもそれはできなかったが、特許審査官は、再度申請する方法について、グッドウィンにいくつかの提案をした。

その提案はグッドウィンの申請の調合にショウノウを含めることだった。グッドウィンは「ショウノウの原子ではない」[16]ものを使っていたので、含めると生じる「汚点」[17]は気にせず、特許欲しさに調査官のいうことを聞き入れた。それが、間違いだった。ショウノウを含めたことで法律上のパンドラの箱が開けられた。ショウノウとセルロースはいわゆるセルロイドの主原料のため、今度は、グッドウィンは自分の発明がセルロイドではないことを証明して、既存のものでないことを示さなければならなくなった。この失敗のおかげで、グッドウィンは金銭の獲得という目的にはまったく近づけなかった。山のような書類を作りながら、友人あての手紙に「私はますます年をとったが、ますます貧乏になった」と書いている。[18]

今やグッドウィンはライケンバックとの特許争いの敗れた側にいた。修正して、却下されて、また修正して、また却下されて、……これが果てしなく繰り返された。[19]一八九六年までにグッドウィンは新たに法的な代理人を得て、ドレイク&カンパニーのチャールズ・ペルという代理人が訴えることになり、一八九七年に最高特許審査官のトップに申請書を提出した。一八九八年七月八日、奇跡的に最初の却下決定は逆転し、グッドウィンが特許を取得する道が開かれた。グッドウィンの代理人たちによって、グッドウィンが申請書類で書き変えた内容すべては、特許の元の記載にすべて含まれていることが証明できた。また、グッドウィンは、特許申請が提出されたときにフィルムを作り出したことを証明できて、それを最初の発明時先後審査（インターフェアランス）〔訳注：かつてアメリカで特許審査が先発明主義だったときに、発明のときの先後を審査した手続き〕で示した。ジョージ・イーストマンは同審査で、成功したフィルムは一八八八年以前にはできていなかったと証言した。[20]

一八九八年九月一四日水曜日の朝、病気で弱っている七五歳のグッドマンは、自宅から六・四キロメートル離れたドレイク&カンパニーまで出向き、新たに獲得した特許を祝ってペルと彼の会社に祝辞を述べた。たちまち、グッドウィンは長い説教をすることもまだできることを自覚した。祝辞は会社の人々に、「神は絶望的なほどゆっくりと粉ひき器をひくが、ほとんどの場合は最終的に粉に仕立て上げる」[21]という彼の信念を思い起こさせた。

グッドウィンは特許を獲得するとすぐに、旧約聖書の少年ダビデのようにゴリアテことイーストマンに駆け寄りつぶてを投げつけ、この巨人を打ち倒そうとした。イーストマンはグッドウィンの調合レシピに基づいてフィルムを製造し、グッドウィンの特許権を侵害していた。ペルとペルの会社ドレイク&カンパニーは、コダック社を相手取って特許侵害で告訴し、年老いたグッドウィンと妻レベッカの残り少ない日々のたくわえの確保に近づいた。ペルとグッドウィンは、コダック社以外でグッドウィンのロールフィルムの発明を使っている会社のリストを作成して、特許侵害で攻撃するという計画を立てた。ペルが戦略案を詳しく説明するとグッドウィンは「おお、そうだ、そうだよ、そうだとも」と力強く答えたという[22]。

計画は、ニューアークに工場を作り、「グッドウィン・フィルム&カメラ・カンパニー」と名づけ、写真用ロールフィルムを製造するというものだった。だが、歩道のひび割れで、すべてが変わってしまった。一九〇〇年の夏に、グッドウィンはモントクレア通りの新居近くで、路面電車のステップを降りるときに、つまずいて、転んでしまった。一八〇センチメートル、一一〇キログラムという巨軀が舗道に強く打ちつけられ、左脚を骨折した。そしてそこから回復することはなかった。肺炎になり、その年の終わりの一九〇〇年一二月三一日に亡くなった。

ハンニバル・グッドウィンの妻レベッカは、まだ「健康も精神も損ねて」[23]いたが、夫の苦難を引き継ぎ、夫が病に臥《ふ》せっているあいだ会社の立ち上げを手伝い、もっと大きな会社のアンソニー&スコット社（後のアンスコ社）に合併させた。新会社は特許侵害でコダック社と係争を続け、一九〇二年に地方裁判所にまで持ち込まれた。さらなる遅延と上訴の後、裁判は一九一四年三月にグッドウィンに有利な形で決着し、グッドウィン側は合計で五〇〇万ドル（現在の一億二〇〇〇万ドル以上）を勝ち取って、グッドウィンの相続人と会社の間で分割された。グッドウィンは、自分の稼ぎ出したものをその場にいて受け取ることはできなかった。妻のレベッカも、受け取って喜ぶことができないほどすっかり衰えていた。判決の数か月後に、レベッカも亡くなった。

ハンニバル・グッドウィンは日曜教室で写真を作ろうとして苦労を重ね、そしてダビデとゴリアテの物語を実現することになった。グッドウィン牧師が思い知ったように、写真撮影は、子どもたちのために写真を作るだけのことではなく、大きな労苦にもなった。グッドウィンの法廷闘争のわずか数十年後、写真撮影は再び争いの中心になった。その争いは学校の子どもたちによって呼び起こされたが、文化的なものでもあった。そして今度は、写真撮影に含まれる邪悪な問題が、写真撮影の商売にとどまらず、化学組成そのものに組み込まれていた。

露出の問題

一九六〇年代にアフリカ系アメリカ人の母親は、一見すると邪悪さなど欠片《かけら》もないクラス写真という学校行事で、何かがおかしいことに気づいていた。[24] 毎年、節目の時期に、子どもたちはよそいきを着てきれいにして写真撮影に望んだが、子どもの持ち帰った大切な写真に、黒人の母親たちはひっかかりを感じていた。最高裁判所が一九五四年にブラウン対教育委員会裁判で学校の人種差別を廃止した後、クラスメートがぴったり並んで座ったカラー写真が撮影されたが、黒人と白人の子どもは平等に写っていなかった。子どもたちがカメラの前方で動かずじっとしていようと我慢しているあいだに、カメラはフィルムの感度に合わせて調整された。白人の子どもは、いつも見えるとおりに写ったが、黒人の子どもは顔の特徴が見えず、インクの染みになっていた。[25] フィルムは暗い色の肌と明るい色の肌を両方同時に写し取ることができなかった。フィルムの化学組成には、気づかれていないバイアスがあったのだ。長いあいだ、学校は人種によって分けられていて、黒人の子どもたちと白人の子どもたちの写真は別々に撮られていたので、フィルムのこの欠陥には誰も気づかなかった。だが、学校が統合されて、黒人の母親はカラーフィルムが自分の子どもを暗がりに置き去りにするのを目の当たりにした。

二〇一五年に、ロンドンを拠点にした二人の写真家アダム・ブルームバーグとオリヴァー・チャナリンは、この古いカラーフィルムを掘り起こして、なぜ一枚のクラス写真ですべての人種の子どもたちの肖像をとらえられないのか理由を突き止めた。彼らがそれに使われたのと同じ種類のフィルムをテストしたところ、「フィルムがそうした露出範囲に合わせた調整になっていなかった」とチャナリンはいう。[26] フィルムは白人の肌に最適化されていた。周期表が化学専門書で標準的に扱われるようになって以来、そうした色範囲を忠実にとらえる薬剤はすでに存在していたが、フィルムに使用される化学薬剤の元素構成は特に機密情報で、特定の色範囲がその他よりも好んで選ばれていた。フィルムの隠された歴史こそが、クラス写真に顔の写りの大きな差を生じる理由だった。

始まって間もない頃の写真撮影は、決して容易なことではなかった。初期の風景写真が困難な仕事だったのは、重い装置類のためだけではなく、薬剤と技術はほとんどが自家製だったからだ。写真家のエドワード・マイブリッジは、カリフォルニアの空や山の美しい眺めを、薬剤を塗布したガラスに白黒画像としてとらえた。レンズの上部分を覆って、明るい雲にはフィルムの露出時間を減らして、山の向こうが白飛びしないようにした。一世代後、フレッド・アーチャー（一八八九〜一九六三年）とアンセル・アダムス（一九〇二〜八四年）が、正しい露出時間を決めるゾーンシステムという技法を作り出して、白黒写真の撮影を体系化した。これらの各階調が中ぐらいの程度を中心として構成され、最も明るい白と最も暗い黒は一枚の写真の中でバランスよく平和に共存できた。写真撮影は、初期の白黒フィルムからカラーフィルムに進歩したが、このバランスのとり方が複雑になった。コントラスト（明暗の差）と色（シアン、マゼンタ、イエローの基本三色素の各濃度）を同時に扱って調整するからだ。何か一ついじると、他の何かを変えることになる。一つを変えるとまた別のことを変化させることになる。この負担をなくすために色彩科学者が生み出した技術によって、仕事が楽になった人々もいれば、問題が起こった人々もいたのだ。

色彩科学者が考案したのは早見用の「色バランスカード」で、印刷物やテレビで使用される各色の標準を示すものだった。この色カードを使って、カメラで撮った小さい写真は、印刷されて、広告板や雑誌、シリアルの箱、コマーシャルで、同じ見た目になる。眼医者さんにある視力検査表のように、この色カードは共通のもので、芸術家やデザイナー、写真家、撮影スタッフのスタジオなどに備えられていた。最もよく使われた色カードは、淡青色の目をしたブルネット（焦げ茶色の髪）の女性が、いくつかのカラフルな枕を背に、作り笑いをしているものだ。芸術家やデザイナー、写真家、撮影スタッフは、カードの色に写真や画面で見える画像を合わせるのも仕事だった。すべての物体のすべての色を、この標準の色カードに合致するようにした——女性の白い肌の色も。モデルの名にちなんで「シャーリーカード」と呼ばれたこのカードによって、色調が修正されたため、暗い色の肌は見づらくなった。

この標準の色カードを使う簡単な判定によって、フィルムはシャーリーの顔色が映えるように最適化されたため、肌の色がシャーリーと違う人間は、おかしく見えるようになった。シャーリーの肌に比べて、地中海沿岸の人々の顔には緑、中南米の人々は赤、アジアの人々は黄の色味が強く入っているため、それぞれ写真には宇宙人みたいに、焦げているみたいに、病人みたいに写ったのだ。シャーリーより暗い色の肌では、もっと極端に、まるで異世界のような写りになることも多く、ときには肌がすっかり黒く塗りつぶされることもあった。「技術はイデオロギーの中で生まれ、さりげなくそれを具象化する」[27]と写真家のオリヴァー・チャナリンは述べている。シャーリーカードが使われて、シャーリーの顔だけでなく肌の色も美の標準になったことから、クラス写真は白人の子どもには似姿を、黒人の子どもたちには似ても似つかぬものをもたらす結果となった。

　初期のダゲレオタイプ（銀板写真）〔訳注：ルイ・ジャック・マンデ・ダゲールが発明して一八三九年に発表した世界初の実用的な写真撮影技法〕のスタジオ人物写真は、マイブリッジの風景写真とは違って、人物をよりうまく写し出すものだった。光の条件をコントロールし、特定の薬剤を使用して、大きなガラス板で解像度を増すことができたからだ。これによって初期の写真撮影は、人物の似姿を再現する機会を広く均等にもたらすことになった。ダゲレオタイプの写真撮影は、ヨウ化銀をただ塗布することから始まって、人の顔を永久に白黒でとらえるものだ。ただし、肌の反射光でヨウ化銀の化学結合を変えるために、長いあいだ動かずにいなければならないことだけが欠点だった。このヨウ化銀は単純な組成なので自家製も多く、よって誰でも誰かを撮ることができた。
　奴隷制度廃止運動家フレデリック・ダグラス（一八一八～九五年）は、写真撮影は肖像画と違って、どんな地位にある誰でも自分の肖像を手に入れられるすばらしい大衆的媒体だとして褒《ほ》めそやした。ダグラ

図44　フレデリック・ダグラス。演説家で奴隷制度廃止運動家であり、かつては世界で最も多く写真に撮られた男性だった。自分の肖像写真を使って、人々が持っている黒人についてのステレオタイプを打ち消そうとした。

スは、「貧しい召使の少女が、週にわずか数シリングの給金で暮らしていても、今では高貴な女性や王族の女性よりも完成度の高い自分の肖像を持てるだろう」[28]と述べた。一九世紀に、ダグラスはこの新たなテクノロジーに深く感銘を受け、自分の演説では「ダゲール〔訳注：ダゲレオタイプの発明者〕は地球を画廊に変えている」と歓迎したと書いている。ダグラス（友人はダグラスをF・Dと呼んだ）のこれらの言葉は、私たちのソーシャルメディアの時代について予言しているようにも思われるが、当時彼が知っていたのは写真の重要性だ。

　生涯を通じて、ダグラスは奴隷の悲惨な状況に関して自分の経験から知ったことに基づいた演説をアメリカとイギリスで何百回も行った。テレビ以前の時代にはよくなされたように大勢の観衆を集めて何時間も演説を続け、観衆のほうもピクニックの用意で臨んで、演説に耳を傾けた。ダグラスは疲れ知らずで演説活動を続けたが、演説のない日には写真スタジオに足繁く通い、整った顔を撮影させた。その写真は売れて多くの人々の目に触れることになり、ダグラスは写真が自分のことを「語る」にまかせた。彼は自分の写真を使って、一八〇〇年代のアフリカ系アメリカ人のステレオタイプのイメージに立ち向かったのだ。

一九世紀半ばまでに、フレデリック・ダグラスは地球上で一番写真に撮られた人間になった。[29] マーク・トウェイン〔訳注：アメリカの小説家で著書に『トム・ソーヤの冒険』など〕、ユリシーズ・グラント、エイブラハム・リンカーンよりも写真が多い。ダグラスは、誰もが好感を抱くような写りの自分の写真を使って、黒人のアメリカ人の不愉快な描写に対して反撃に出た。一人の奴隷は五分の三人の人間だという法律があるアメリカで、ダグラスは人間を、黒人という人間を最高の状態で見せようと努力した。彼は白人たちが彼の肖像に自分たちが反映されていると考えることを望んだ。彼は肌が黒かったが、異人種間の生まれだったためにヨーロッパ人の顔立ちをしていた。[30] 写真を見た人は、彼の鼻はアングロサクソン系で、威厳があり、迫力のある人物だと見なしただろう。ダグラスは自分の肖像写真を使って、悪意のある表現を圧倒することを願っていた。

だが、一九世紀の末、ダグラスが写真撮影を気に入り始めたころに変化が起こり、ダグラスの後の人生においては、写真用フィルムはキッチンでの化学から、メーカーが大量生産する商品に変わった。企業の標準的な薬剤は、単純な化学成分から洗練された調合の薬剤へ変化し、フィルムはあるグループに属する被写体が最もよく表現できるように「焦点」が合わせられて、それ以外は見逃されることになった。

二〇世紀初期に、アフリカ系アメリカ人史の極めて優れた歴史学者W・E・B・デュボイス（一八六八〜一九六三年）もまた、黒人の前向きなイメージの肖像写真を作ることに明るい前途を見た。ダグラスの五〇年後に生まれたデュボイスは、ダグラスの経験とは違い、自分の時代に黒人の写真を撮るのが難しいことに気がついた。白人の写真家は「ひどく下手糞な彼らの肖像写真」を撮ると彼は書いている。[31] デュボ

図45　W・E・B・デュボイス。アフリカ系アメリカ人の研究をした学者で、一般向けに売られている写真フィルムは、黒人の肌をうまく写せないと確信した。

イスの時代には、誰でも同じぐらいよく写る自家製写真はあまり撮られなくなった。長いことアメリカでは誰もが写真撮影に夢中だったので、コダックなど各社は消費者向けに写真用フィルムを大量生産し、現像とプリントのサービスを提供して、人々の欲求を満たしてきた。そうして作られた写真では、ある消費者のグループの人々の色合いが、他のグループの人々の色合いよりも、よく写し出されていた。

当時の新聞や雑誌には、黒人の顔の特徴が誇張されたカリカチュアとして、大きい目と暗い肌に笑顔というステレオタイプの「サンボ」〔訳注：黒人の蔑称〕が出てきたが、ダグラスとデュボイスは写真を使ってこれらを無効にさせたいと考えていた。一九世紀に写真技術の夜明けとともに、そうした屈辱的なイメージを短いあいだ一時的に軽減したが、それは初期の初歩的な白黒写真が、現実を明白に描き出したからだ。だが、その量産されたフィルムと後のカラーフィルムの薬剤は、白い肌の人の肖像が完璧に再現されるように開発されたので、黒い肌の顔には露出不足となった。写真では黒人は一様に、のっぺりした黒い形に白い目と明るい歯があるだけだったので、写真は意図的ではなくとも、ダグラスとデュボイスが嫌悪した有害なステレオタイプになっていった。この不愉快なカリカチュアが再び現れたのが、二〇世紀後半、子どもたちのクラス写真だった。

二〇世紀の調査報告書は、カラーフィルムの最初の生産者であるコダック社が、そのフィルムの欠陥を知っていたが見すごしたことを明らかにしている。[32] 一九五〇年代と六〇年代に黒人の母親の不満に耳を傾けていれば、先見の明があったといえるかもしれない。なぜなら、これは人種差別解消を求めて全米の多くの人々が立ち上がった公民権時代の幕開けだったからだ。黒人の活躍は見事だったが、現実はそれ以上だった。すべてが変わったのは、コダック社のフィルムを宣伝用に大量購入している大企業が大騒ぎをしたときだった。コダック社のフィルムが暗い色合いを差別待遇しているとして、家具メーカーとチョコレートメーカー[33]という まったく縁のなさそうな二つの分野の企業が抗議した。

どちらの業界も、濃い茶色に見えればいいわけではなく、詳細まではっきりと美しく見せる必要があった。顧客には、ミルクチョコレート、セミスイートチョコレート、ビターチョコレートの違いがわかることが必要だった。新婚夫婦には、新居にエルム材、ウォールナット材、オーク材などのテーブルを気に入ってもらえるようにはっきりと見せなければならない。コダック社の従業員はフィルムの調整に熱心に取り組んで、新しい調合のフィルムを作ったり、写真を撮ってテストしたり、ときには撮影したあらゆるチョコレートのおかげで体重が増えたりもした。[34] 黒人の母親の不満ではコダック社を変えられなかったが、こうした企業からの不満では変えられたのだ。一九七〇年代後半までに、新しい（そしてもっとインクルーシブな）カラーフィルムの薬剤設計の開発が進められ、八〇年代には新しい改良版コダック社フィルムが市場で販売された。

この新製品の宣伝にあたって、コダック社は当初のフィルムの差別に注目を集めたくなかったので、新フィルムでは「薄明りで黒毛の馬」の写真を撮ることができると発表した。[35] このロマンチックな表現は、オクシデント（エドワード・マイブリッジが一九世紀に走行中の写真を撮った馬）に言及しているわけではない。この詩的なフレーズは、今度の新たなフィルムでは暗い肌の人々でも写ります、というメッセージを伝えるコードだった。コダック社が化学組成の偏りを除去したので、濃い色の木材や、濃い色のチョコレート、濃い色の肌をとらえることが可能になったのだ。

そうしたフィルムは画像をとらえただけでなく、文化的偏見もとらえた。写真を撮るとき、カメラの前でポーズをとっている人にとって、たいていは気楽な時間であり、幸福な瞬間だった。だが、カメラの前でポーズをとるのは、楽しい場合ばかりではなく、耐え難い場合もあったのだ。アメリカの人々の多くは気づいていなかったが、アメリカのフィルム会社と彼らが作り出したフィルムのテクノロジーは、海外の邪悪な企てに利用された。一九七〇年代にフィルムを研究する若い化学研究者のおかげでこのひどい不正行為が明るみに出ると、彼女の行動は世界的な注目を集めることになる。

とらえられる

キャロライン・ハンターは学校の机から顔を上げて、一〇年生の歴史のヴォルダー先生をじっと見ると、先生は空気のように言葉を吸い込んだ。生徒たちにV先生《ミスター・ヴィ》と呼ばれた先生[36]は、一九六二年度のあいだ生徒の注目を集めて反人種差別を求める公民権運動にもっと積極的に参加するよう求めることで、ニューオーリンズの若い仲間を政治的に目覚めさせようとしていた。だが彼の呼びかけに答える者はいなかった。なぜなら、町のこの「隔離」地域において、彼は「侵入者」だったからだ。白人の修道女と黒人の男女が教員で、生徒全員が黒人のカトリックの高校であるザヴィエル大学プレパラトリースクールにおいて、ヴォルダー先生は黒人でも聖職者でもなかったのだ。しかし、彼の出した読書課題で、南アフリカに暮らす人々を描いた小説『叫べ、愛する国よ』（アラン・ペイトン著、村岡花子訳、聖文舎）〔訳注：映画化もされて一九九七年にアメリカで公開、映画の邦題は『輝きの大地』〕が、若いキャロラインの心に響いた。彼女はその本の文章を暗記して、代数学Ⅱの教科書に書き込んだり暗唱したりした。小説のストーリーは、彼女から一万三〇〇〇キロメートル以上離れた場所を舞台とし、黒人の隔離を含めアパルトヘイト政策の下での辛酸に光をあてていた。だが現実に起きていたそれらのことは、一九六二年当時のニューオーリンズにおける彼女自身の日常生活とも共通点があった。学校に向かう公共バスに乗るとき、一番後ろの席に座りなさいと指示する貼り紙があること。デパートに出かけてとても気に入ったワンピースを見ていたら、あなたにはそれは買えないと女性にいわれたこと。グリルでハンバーガーを焼いているにおいがする軽食屋に立ち寄ったら、あなたはカウンターで食べられないと店員にいわれたこと。『叫べ、愛する国よ』は彼女を目覚めさせ、ヴォルダー先生の授業を彼女の記憶に刻みつけたが、やがてそれは一〇代の日常の心配事の中に埋もれていった。

　キャロラインは六人きょうだいの一人として、信仰の篤いカトリック教徒の母親に育てられ、この母親によって、正しい行いをすることと教育を受けることの重要性が彼女の身にすっかり染み込んだ。キャロラインは賢く社交的で、長い文章を息継ぎせずに話しきることができた。満面のほほ笑み、濃い茶色の肌、パーマをかけたショートボブ、一五〇センチメートルほどの背丈の彼女は、自分の写った写真はたいてい気に入らなかった。ニューオーリンズにあるカトリックのザヴィエル大学ルイジアナ校という歴史的には黒人のために開かれた大学に入り、化学を専攻した。学費の足しにするために図書館で働いていたので課外活動をする時間もなかった。それで、卒業後に採用通知を受け取ったとき、喜んで自分の育った場所を離れることにした。仕事の選択肢には、ルイジアナ州の石油精製所、ニュージャージー州の製薬会社、マサチューセッツ州の写真フィルムメーカーがあった。キャロラインは北に向かってできるだけ遠くを目指し、一九六八年秋に化学研究者として企業のカラー写真研究所で働き始めた。マサチューセッツ州ケンブリッジに所在するその企業は、当時アメリカで一、二を争うほど愛されていたポラロイド社である。

一九六〇年代にポラロイド社は技術革新を成し遂げたが、それは二〇年後のアップル社と同様のものだった。両社ともに魅力的なリーダーが興した会社で、アップル社のスティーブ・ジョブズに対するポラロイド社のエドウィン・ランドは、大量の特許を生み出し、その数はエジソンに次いで二番目に多いと噂された。ランドとジョブズは神童だったが、どちらも大学を——ジョブズはリード大学、ランドはハーバード大学を中退していた。ランドはハーバード大学を最初の一年で去ったので卒業していないにもかかわらず、彼を敬愛する従業員たちがランド博士と呼ぶことを止めようとはしなかった。パイプをふかしていたこの人見知りの天才は、ポラロイド社を一から築き上げた。ヘッドライトのまぶしい光を抑えたり、サングラスで一部の光線を遮断したりするのに使用するプラスチック製の偏光板（ポラライザー）を初めて作り、これが会社の名前の由来となった。ランドの次の大発明がインスタント写真撮影についてのもので、そのテクノロジーに関する研究がキャロラインの仕事だった。

当時ポラロイド社は、誰もがクリスマスプレゼントに欲しがる商品を作っていた。インスタントカラー写真機（ポラロイドカメラ）である。この写真機で写真をパチリと撮ると、写真機の内部で写真用紙が二本のローラーのあいだを通る。すると、その白いフレームの下部に保持されている軟らかいバターのようなペースト状の薬剤〔公式に「グー」（べたべたしたもの）と呼ばれていた〕が、噴出して感光フィルムの上に広がって、写真が現像される。キャロラインたちが調合した薬剤によって画像が一分足らずで魔法のように現れたのだ。まるで、アラジンのランプから現れるジーニーのように。

一九七〇年九月、秋のある日の午後に、キャロラインは新しいボーイフレンドのケン・ウィリアムズと昼食に出かけた。ケンはポラロイド社の写真家で、背が高く痩せていて、顎ひげを生やし、キャロラインより年は上のアフリカ系アメリカ人だった。ケンは技術的直感を持っており、これまで独学で技術を磨いてきたポラロイド社では特に優れた芸術家の一人だった。色を引き出したり減らしたりする方法を知っていて、フィルムの袋を腕の内側に挟んで温めたり、雪で冷やしたりした。ポラロイド社の写真部門に入ることになったきっかけは、思いがけない幸運だった。マサチューセッツ州ウォルサムのポラロイド社の工場で、カメラ用フィルム組立工だったときに、管理人をしていた男がきれいな写真を撮るという噂がたった。ポラロイド社のある重役がケンの写真を目にして、ケンブリッジのポラロイド本社で働けるようにした。そこでのケンの仕事は、芸術部門でポラロイド商品の美しさを示すことだった。キャロラインに出会ったのもケンブリッジだった。そして、マザーグースの「ジャック・スプラットとその奥さん」のように凸凹コンビになった――のっぽのケンに小柄なキャロラインで、ケンは人気者の彼女を守り、おしゃれなキャロラインに比べてつつましかった。歳の差も教育の差もあったが、お互いに補い合う関係だった。ジャズのトランペットとドラムのように。

二人はケンブリッジのメインストリートにある三ブロック離れた別々の建物で働いていた。通りを隔ててMIT（マサチューセッツ工科大学）がある。ケンは未来的なガラス張りの高層ビルの一階で働いていた。キャロラインは、オズボーン・ストリートの角にあるレンガ造りの古い三階建ての二階が仕事場だった。彼女のビルの一階がランド博士のオフィスで、そこは記念すべき歴史的な部屋だった。というのも、かつて、ボストンの一室からアレクサンダー・グラハム・ベルが最初の双方向「長距離」電話をかけたとき、トーマス・エジソンがその場所で電話を受けたからだ。ランドの並外れた脳にふさわしい部屋だった。

キャロラインがケンとランチをするために外へ出ると、彼女の高い鼻にはさまざまなにおいが押し寄せてきた。研究所の各実験室は、ガソリンスタンドのように化学薬品の奇妙に甘いにおいを放ち、風がそれを運んでいた。近隣のいくつもの工場からのにおいも漂っている。西からの弱い風は、ネッコ社のお菓子工場からチョコレートやミント、ルートビアなど、楽し気な甘ったるいアロマを乗せて流れてくる。だが、こうしたよい香りの下には、屠畜場とタイヤリサイクル工場の悪臭も存在していた。

ケンのオフィスは、写真家たちのごちゃごちゃした部屋で、グリースペンシルやルーペ、金属製の直定規などが散乱して、ありとあらゆる平らな部分を埋め尽くしていた。木の葉が黄色くなるころ、ニューイングランド地方は肌寒くなり、ケンはジャケットを羽織って、キャロラインとランチに出た。二人は大事なこともそうでもないこともあれこれ話しながら歩き出したが、ふと扉の脇にあるコルクの掲示板に見慣れないものを見つけて会話を中断した。

IDカードの実物大モデルが、画鋲《がびょう》で貼りつけられていた。写真の顔はふつうだったが、「南アフリカ共和国鉱山部」という言葉は馴染みが薄かった。ケンが振り返って「ポラロイドが南アフリカにあったとは知らなかったな」というと、キャロラインは「私が知っているのは、南アフリカは黒人にとって悪い場

図46　キャロライン・ハンター。ケン・ウィリアムズとともに、ポラロイド革命的労働者運動（PRWM）を起こし、彼女も開発にかかわったインスタント写真が、アパルトヘイト政策下の南アフリカで非道な使い方をされていることを明るみにした。

所ということだけ」と答えた。[37]

「南アフリカ」という言葉を見ると、一〇年生の歴史の授業でヴォルダー先生に教わったことがポラロイド写真のように頭に浮かび、一〇代の彼女に強い印象を与えた本のことも思い出した。南アフリカが地球上の迫害の暗部であることは知っていたので、なぜポラロイドにはそこで取り引きがあるのかといぶかしんだ。南アフリカの残虐性についてアメリカで最後に耳にしたのは、これより一〇年前の一九六〇年代に、警察が抗議者の七〇人を殺したシャープビル虐殺事件がテレビに映し出されたときだった。その残虐性は依然として南アフリカに存在していたが、ニュースではあまり報道されなかった。最も新しいものでは、前年の一九六九年に、国連が南アフリカのアパルトヘイト政策について厳しく批判する報告書を出し、各企業や各国に「南アフリカ政府との協力活動はやめる」ように推奨したことが小さな見出しになっていた。[38]

写真は千文字にも等しいといわれるが、掲示板にあった写真からは十分には伝わらず、さらに疑問が生じただけだった。ランチを終えるまでに、もっと知る必要があると二人は確信した。

それから二週間のあいだ、キャロライン・ハンターとケン・ウィリアムズは仕事後に図書館に通い、南アフリカについてできるだけ多くの資料を貪り読んだ。キャロラインは大学時代に磨いた図書館利用スキルを活かして、大量の書籍や新聞の長大なマイクロフィルムから情報を掘り出した。そして、南アフリカは警察国家で、「パスブック」という身分証明書により黒人の南アフリカ人の行動をコントロールしていることを知った。パスブックは二〇ページの冊子で、持ち主の住んでいる場所、働ける場所、行ける場所の情報すべてが記載されていた。パスブックを携帯していないと、法外な罰金をとられるか、最長一か月の禁固刑で厳しい労働が科せられた。そのパスブックの心臓部が、ポラロイドで撮影された写真だった。

パスブックは一五〇〇万人の黒人の行動を監視しただけでなく、白人が支配する都市の中心地への出入りを蛇口のようにコントロールし、労働必要量により変えていた。[39]農場で労働者が必要なとき、パスブックの法律（パス法）は強化されて黒人たちをそうした場に縛りつけるようにする。戦時に労働力が必要になると、パス法は緩められて都市の工場へ労働力を引き込むようにする。ダイヤモンド鉱山で男たちが必要になると、パス法は再びきつくなって彼らを採掘場に釘づけにする。そして黒人たちが必要なくなると、隔離された居留地の「ホームランド」へ送り返して、白人と黒人を引き離した。

一九六六年にポラロイドは、カメラの新機種ＩＤ－２を開発した。この機種では、暗室や薬品を必要とせず、ＩＤカードと公文書のために六〇秒以内に二枚のカラー写真を出力した。これを使えば、写真を黒

図47　ポラロイド社のインスタントカメラID-2。これに似た機種が南アフリカの黒人のパスブック用の写真撮影に使用され、国による黒人の居場所の監視を可能にした。

人身分証用に一枚、政府保管用にもう一枚作り出すことが格段に楽になった。ＩＤ－２はスーツケースに収まり、一時間に数百の写真を撮れる。南アフリカの三五〇か所のパスブックセンター[40]に各一台、フィルム箱が数千個置かれて、黒人一五〇〇万人の肖像を容易にとらえることができて、国が所在についての情報を得ることができた——ＧＰＳトラッキング時代より以前のことだ。

南アフリカについて二人が読めるものはすべて読んだ後、一九七〇年一〇月一日にケンは本社の知り合いの重役に会って、調べてわかったことを話した。何週間も調べているあいだに、キャロラインとケンは義憤に燃えていた。だが経営者側の反応は鈍く、最初は南アフリカで使われているかどうかわからないとい張り、後には、使われているとしてもわずかだといった。そして、ケンにもっと情報を見つけてから、またこのことについて話し合いの席を設けようといった。だがケンは、ポラロイド社の南アフリカでの行動の証拠をすでにつかんでいて情報は十分だったので、行動を求めた。これは急を要する問題で、さらに話し合いをしている場合ではないと感じていた。次の話し合いが翌日に設定されたが、ケンは現れなかった。ケンとキャロラインはすぐに何か始めることを決めていた。

その週末、一〇月四日の日曜日に、二人はキャロラインの職場に向かい、オズボーン・ストリートの研究所の守衛所でサインをして、山のような紙を運び込んだ。南アフリカでのポラロイド社の活動を詳しく書いたチラシである。ここにくる前に、借りたタイプライターで作ったオリジナルをブルックライン・ストリートにあった活動家の新聞「オールド・モール」の事務所に持っていき、謄写機で印刷した大量のコピーだった。ガッタン、ガッタン、ガッタンと謄写機から一枚ずつ刷り出される紙は、インクの甘いにおいがした。そのガリ版刷りのチラシを、この日曜日にポラロイド社の掲示板とトイレの個室ドアの内側に貼り出した。あとは重役用の駐車場に置いた。用が済んで守衛所でサインをして外へ出ると、二人は休日の残りを楽しんで、翌日の仕事にそなえた。

月曜日の朝、ケンが車でブルックリンのアパートのキャロラインを拾って仕事場に向かうと、彼女の建屋の正面でフラッシュがたかれていた。ケンブリッジの警察とポラロイドの警備が二人を待ち構えていた。こうした警戒的な反応が生じた理由の一部は、頻発するベトナム反戦運動と五月に発生したケント州立大学銃撃事件のためにアメリカが厳戒態勢にあったためだが、それと同様に、チラシも見逃せないものだった。文章にはブラックパンサー運動のスローガンが使われ、最後に加えられた殴り書きの見出しには、「ポラロイドは六〇秒で黒人を投獄する」とあったのだ。

ポラロイドの経営陣は、反抗的な十代の子の親のように当惑して、最終的にキャロラインとケンが職場に戻ることを許し、彼らの「かんしゃく」が収まってくれるよう望んだ。

キャロライン・ハンターとケン・ウィリアムズは、ポラロイド革命的労働者運動（ＰＲＷＭ）と称して、かつてヴォルダー先生が訴えていた公民権運動戦略の精神で、ポラロイド社を南アフリカから引き揚げさせるというミッションのキャンペーンを正式に開始した。この二人の黒人の従業員にとって、会社の方向を変えるのは、手漕ぎ船で重油タンカーを押すようなものだった。だが、ポラロイド社には弱みがあった。企業イメージを守り、世論が味方になるように戦わなければならなかったのだ。ポラロイド社は社外に対して壁を設けたので、PRWMはそれを崩すしかなかった。「エリコの壁」のように〔訳注：「旧約聖書「ヨシュア記」第六章より。イスラエルの民を率いるモーセの後継者ヨシュアが、城門を堅く閉ざしていたエリコの町に入るために、主の言葉に従ってイスラエルの民に契約の箱を担いで町の周りを七周させてから鬨の声をあげさせ、祭司に角笛を吹かせると、城壁がついに崩れ落ち、町の占領に成功したという〕。

翌日の一〇月六日、ポラロイド社は従業員全員に向けて、南アフリカ政府にはカメラを売っていないとする文書を出して反撃し、南アフリカに「会社はないし、出資もしていないし、従業員もいない」[41]ことを経営陣が強調した。これはある意味では正しかった。南アフリカには、一〇都市にポラロイドの代理店「フランク&ハーシュ株式会社」があって、一九五九年以来、ポラロイド社の代理として機能していた。ポラロイド社は安価な労働力を求めて一九三八年からすでにあり、別の代理店「ポラライザー南アフリカ」[42]として進出し、フランク&ハーシュ社より前から製品を販売していた。ケンとキャロラインはポラロイドの主張に対して、反論する別のチラシを配った。

次はポラロイド社の番である。だが、ケンとキャロラインは、孫子の兵法書の教えどおり奇襲攻撃を実行し、チラシの配布から急遽戦線を拡大して、翌日の一〇月七日には政治的集会を開いた。正午にはテクノロジースクエア（テックスクエア）五四九番地のポラロイド本社の広場で、菩提樹の木の下に二〇〇人を超える見物人を集めて、キャロライン・ハンターとケン・ウィリアムズ、それからハーバード神学校の学生で黒人の南アフリカ人クリス・ンテータが演説した。その日のその時間より前に、ポラロイド社は全従業員あてに通知を出して、一九六七年以降に南アフリカに販売したID－2カメラはわずか六五台[43]で、それらは軍事目的のみに使用されている、という以前とは少し違う見解を示した。だが、ンテータは、ポラロイド社の商品が南アフリカじゅうでパスブック作成に使用されていることを示す生きた証人であり、集まった人々に向けてポラロイドの声明書は「うそのかたまり」[44]だと語った。

ＰＲＷＭのメンバーはわずかだったが、部分の和は総和より大きくなった。というのは、活動家のネットワークとメディアを使って、主張を広く伝えたからだ。大見出しになるような話題に飢えている新聞社や通信社、テレビのニュース番組に、キャロラインとケンはおいしそうな料理を差し出した。

この集会で、ＰＲＷＭは自分たちの要求を提示した。そして、ランド博士にあててポラロイド社のレターヘッドを使って、ＰＲＷＭはポラロイド社が南アフリカから出ていくこと、アパルトヘイトを非難すること、南アフリカで得た利益を解放運動[45]に使うことを望むと記述した。彼らの目的は遠大で行動は「過激」だったのは確かだが、彼らの取り組みが反乱ではなかったことは、二〇〇年近く前のボストン茶会事件と同じだった〔訳注：アメリカ独立前の一七七三年一二月一六日に、イギリス本国の植民地政策に反対する急進派の植民地人が、停泊中の東インド会社の船に積まれていた茶箱を海に投げ捨てた事件〕。翌日一〇月八日に、二時間にわたるポラロイド社首脳陣との話し合いで、キャロラインとケンは、自分たちの憤怒を繰り返し申し述べて、自分らの雇用主の悪徳行為について次々に事実を提示し、感情がますます高まっていった。翌日、ケンは解雇された。

それから数か月間、ポラロイド社とＰＲＷＭという力の差の大きいプレイヤーたちによる「テニスの試合」になり、観客は右に左に「球」の行方を追った。ケンは解雇から一一日後の一〇月二〇日に州議会議事堂を訪れ、当時マサチューセッツ州下院議員だったチェスター・G・アトキンズに会ってチラシを渡して、ケンブリッジの最大の企業の行動について報告した（球を打った）。すると、ポラロイド社は翌二一日に、メディアに対して報道発表で返答し、一九四八年以降ポラロイド社は南アフリカとの取り引きは断っているので、フィルムの販売をやめさせる方法を探すつもりだと述べた[46]（球を打ち返した）。すると、PRWMは、ポラロイド社の世界的ボイコット運動を開始して、きたるクリスマスシーズンにポラロイド社のカメラとフィルムの購入をやめるよう人々に訴えた（エースを決めにいった）。ポラロイド社は感謝祭の時期に、南アフリカでの行為を弁明しつつ、巨額の資金をかけて販売キャンペーンを打ち出した（ボレーで打ち返した）。PRWMはポラロイド社の莫大な予算に対抗できなかったが、チラシを大量に作り続けた。

次の「ゲーム」で、ポラロイド社は、一九七一年一月に報道機関に「南アフリカにおける実験」を行うと発表し、フランク＆ハーシュ社の黒人社員の給料を上げることと、その秋に南アフリカで実施する調査での推薦に基づき黒人従業員一五五人[47]に教育奨学金を与えるとした（ネット際を攻めた）。PRWMは新たなチラシを作成して、黒人がアパルトヘイトを批判することは法で禁じられており、しかも死刑に値する犯罪なので、そのような調査で南アフリカ国民が本当に望むものをきちんと理解することは不可能だと述べた（ポラロイド社の頭上を越す球を打った）。さらに、南アフリカの法律は、黒人労働者が同じ企業で働く白人労働者より多くの給料を得ることを認めていなかったので、黒人にはその教育制度が政府による劣等意識の植えつけ[48]と見なされることを指摘した。

キャロルの行動を力づくでやめさせる最後の手段として、ポラロイド社は一九七一年二月一〇日、ニューイングランド地方の雨模様の冬の日に、キャロラインを無給の停職処分とした。二週間後の二三日には、彼女が行動を改めないとして解雇した。彼女は月に九八〇ドルの安定した給料の職を失って、週に六九ドルの失業保険を二年間受け取ることになったが、わずかなお金もすべて信念のために費やした。一六セント切手を買って、教会や大学関係のグループなど「正しい考えの」団体にニュースレターを郵送し、ポラロイド社に抗議する方法を伝えた。キャロラインは仕事を探していたので、彼女とケンは「早朝と深夜に」[49]チラシを配った。

　ますます多くの賛同者が集まって運動の勢いが増し、賛同する団体が増えるとともに圧力も大きくなった。ポラロイド社が所在する場所に、またエドウィン・ランドがいる場所にも、運動する人々が集まった。二月二日午後二時、ランドが科学に関する基調演説を行うために招かれてニューヨークのヒルトンホテルの大宴会場にいたとき、キャロライン・ハンターとケン・ウィリアムズもその場にいた。二人は活動家の物理学者たちに招かれたのだ。そしてランドが舞台に上がる前に、ランドのテクノロジーについての懸念を表明した。明らかに、彼らはランドを苛立たせた。ランドは「私が彼らに腹を立てているのは、彼らが私の個人的目標を邪魔しているからだ」[50]と打ちのめされて語った。翌日の二月三日、キャロライン・ハンターとケン・ウィリアムズは国連のアパルトヘイト政策特別委員会でプレゼンテーションを行った。三月八日、エドウィン・ランドがハーバード大学で視覚についての講演をしたとき、PRWMに刺激を受けたこのアイビーリーグの学生たちは、ランドがまずは南アフリカの有色人種の人々について説明するまで、彼に話をさせようとしなかった。

　エドウィン・ランドは人とかかわるより自分の実験室の中で頭脳を使っていたかったたし、社内政治は好まず、ましてや世界政治に関心はなかった。彼は明らかに実験室の中でひらめきを得て、新しい製品の「生態系」をまるごと作ったが、彼の考えが、社会の中でのテクノロジーについてひらめくことはほぼないに等しかった。一九七一年にランドは株主たちに向け、南アフリカに存在し続けるポラロイド社の新たな計画について話し、「実験はほとんど必要ない」[51]と述べた。科学の教育を受けたランドは、「自然科学の役割は、失敗しても罪悪感を持たない方法を社会科学に教えることだ」とも語った。だが、科学者たちは自分の研究を自分の研究の応用から切り離せないということを、そして、概して自然科学と社会科学は協力して最高の仕事をするということを、ランドはやがて学ぶことになる。科学と社会は、一方の手が他方の手を洗うような関係にあるのだ。

最初のチラシを掲示してから七年後、ポラロイドは南アフリカから撤退することになる。この変革の発端は、キャロライン・ハンターとケン・ウィリアムズの取り組みが巨人の靴の中の小石のようになったことだった。それが、大学と教会に広がって、ポラロイド社に対する、さらに南アフリカで利益を得ているすべてのアメリカ企業に対する投資撤収運動という大きな圧力になっていった。ポラロイド撤退に直接つながったきっかけは、ポラロイド製カメラとフィルムが南アフリカ政府に迂回ルートで販売されていることが一九七七年に判明したことだった。フランク&ハーシュ社の従業員[52]インドゥラス・ナドゥーが発見した領収書によって、ラベルが貼りつけられていない箱に入ったフィルムが南アフリカ政府に送付され、ミュラー薬局と呼ばれるヨハネスブルグ内のドラッグストアで請求書が作られたことが示されたのだ。さらに、フィルムは他の国々からも南アフリカへこっそりと入っていたのがわかった。こうしてポラロイド社が南アフリカから引き揚げたことが、アパルトヘイト廃止に向けた「ドミノ倒し」のスタートとなった。のちに、キャロラインは、訪米したネルソン・マンデラから南アフリカの黒人の解放に向けたＰＲＷＭの運動に対する感謝の言葉をかけられた。

私たちの作るテクノロジーは無害ではなく、よりよいことのために利用されるとは限らない。テクノロジーは写真フィルムも含めて、その時代の問題をとらえ、信念と価値を示すものでもある。

カメラフィルムで予想できないようなあれこれを引き起こしたのは、フィルムメーカー一社に限らなかった。コダック社のフィルムは、学校の多様な子どもたちをとらえることができなかったが、ポラロイド社はインスタントフィルムで同様の問題に直面した。ポラロイドＩＤ－２のカメラは中流階級の白人顧客向けに設計されたので、それで撮った写真の写りは当初は暗すぎた。ポラロイド社では、この商品の足りない分の埋め合わせに「顔を明るくするボタン」（「ブースト」ボタン）をカメラの後ろ側につけて、押せばフラッシュの光量が増えるようにした。ボタンがなければ、暗い肌の人はほとんど顔の見分けがつかず、白い歯と明るい目だけしか写らなかった。ポラロイド社がこの追加ボタンを付けたのは、黒人が大多数を占めるアフリカのある国で使用されるＩＤカードの市場で儲けるためだった。

このブーストボタンのことは、ロンドンを拠点とする写真家のアダム・ブルームバーグとオリヴァー・チャナリンも二〇一五年に調べている。「黒人の肌は光を四二パーセント多く吸収する」とブルームバーグはいう。「ボタンはフラッシュをきっかり四二パーセント[53]強める」。暗い色がよく吸収することはよく知られていて、夏の海水浴にいく人は明るい色を着て暑さをしのいでいる。肌の色が暗いほど、熱も光も多く吸収するので、ブーストボタンには写真を撮るときに暗い肌を明るく照らす意図があったといえるだろう。

このバイアスは、今日でも繰り返しテクノロジーに組み込まれている。現在のデジタル写真撮影では、シリコンのピクセルは暗い肌を十分に記録するために最適化されていない。さらに、一部のウェブカメラは、アルゴリズムの指示に従って、濃い色の顔を認識して追従することができないが、白人の顔はできる。異人種間のカップルは感謝祭で家族が集まるときにも（家族との関係が難しくて苦労する人々もいるかもしれないが）、集合写真をうまく撮るのに苦労する。肌の色が一方は明るくて他方は暗いカップルは、セルフィーを撮りたくても、一方は写るが他方は白飛びして幽霊のようになるか、一方は写るが他方はシルエットのようになるだろう。愛は盲目かもしれないが、テクノロジーはそうあるべきではない。

フィルムとカメラや、その他のテクノロジー製品のメーカーが経験してきたことは、ある尺度でのある考えに暗黙の合意をするということだ。言い換えると、「これが私たちのやり方だ」というエスカレーターに、なぜそのやり方をするのかを問わずに乗っているということだ。この種のバイアスを専門的に表現すれば、「暗黙のうちに無批判に規範を取り込むバイアス」であり、私たちが肌身離さず持ち歩くスマートフォンの中にはこのバイアスが浸透している。だがこのバイアスはカメラのせいではない。カメラは人間の書いたコードの指示どおりに実行しているだけだ。

これらのデバイスは、私たちの世界に存在するバイアスをとらえてから、その文化が価値を置いている人に向かって語り掛けているのだ。私たちのテクノロジーが生活にますます浸透してくるとき、誰のためにそのデバイスが作られて最適化されたのかが、重要な議論になるだろう。目標は、今よりも前へ進んで、確実にテクノロジーが私たち自身の本当に望む姿をとらえるようにすることだ。

第5章

見る

炭素フィラメントは暗闇を押しのけて、そのおかげで私たちはよく見えるようになったが、それと同時に私たちの目を覆って、その過剰さの影響が見えなくなった。

魅惑の夏の夜

日が沈んで夏の一日が終わるころ、ホタルが現れて小さな明かりを灯す。黄やオレンジ、ライムなどの柑橘類の色の点滅は、子どもたちへの合図だ。東海岸からロッキー山脈に至るまで自然の魔法をつかまえて、メイソンジャー（広口ガラス瓶）に入れるお決まりの季節が始まったよ、と。

この六本脚の発信器には誰もが一様に心を奪われる。公園や裏庭、野辺、映画の屋外撮影場で点滅する光は、あらゆる種類の人々を喜ばせる。ホタルは地球全域において自然の魔術が具現化したものだ。遠い昔の日本ではサムライの魂が光の中に宿るといわれ、詩歌や美術に多くのインスピレーションを与えた。今日のマレーシアでは、ホタルが一斉に光を放つのを見ようとして、スタジアムも満員にするほどの人々が川岸の木々の間を埋め尽くす。アメリカのグレートスモーキー山脈〔訳注：アパラチア山脈の一部にあたり、東のノースカロライナ州と西のテネシー州の州境に位置し、国立公園がある〕で百マイルもの奥地に入って、何万という人々が腰の高さに広がる小型の「オーロラ」を見る。ホタルの小さなランタンの明かりは、多くの人々の心に届く。だが、知らず知らずのうちにホタルを敬愛する人間たちの手によって、ホタルの数は減りつつある。[1]

原因は、頭上で光る明るい照明だ。

昔からずっとそうだったわけではない。わずか数十年前、夜の空に光があふれる前は、光があまりにも少なかったことが電気照明への強い欲求を掻《か》き立てていた。長い年月、ホタルにとって暗闇は断然役に立っていたが、メイソンジャーを持ってホタルを追いかけまわす人々は、暗闇をそれほど好まず、夜はもっと違ったすごし方をしたいと願っていた。そんな過ぎ去った昔、きれいで安定した電気照明の獲得は、夢想家の人々に任された領域だった。そんな夢想家の一人で、実行家でもあったのがトーマス・エジソンだ。彼があるときぱっとひらめいて電球を作り出したように語られることも多いが、電球を作ろうとしていたのは彼だけではなく、最初に作り出したのも彼ではなかった。他の人々も長年この問題に取り組んでいた。実際、エジソンは人工照明をそれほど真剣に考えていなかった。だが、無名の発明家の家を訪れたことから、彼はひらめきを得て、ほぼ闇のない世界を作り出すことになった。

トーマス・エジソンは三〇歳になるまでに、すでにフォノグラフ（蓄音機）やストックティッカー〔訳注：電信で株価の情報を受信する装置〕、送話器、同時に四つのメッセージを送信できる電信など新機軸を打ち出して、世界を現代的に変えていた。エジソンの発明への飽くなき欲求は伝説的で、彼は「一〇日ごとに一つの小さな発明と、半年ごとに一つの大きなもの」[2]を約束して、それを守った。そして彼が追い求めていた現実的な「ホタル」が、彼の次の名案だった。当時、世界じゅうの多くの科学者が競って電気の明かりを作ろうとしているなか、エジソンはそれには関心がなくほかの発明に取り組んでいたが、コネチカット州アンソニア在住のウィリアム・ウォレスを訪ねたことをきっかけに、一転して大きな興味を持つことになったのだ。

ウィリアム・ウォレスはたっぷりとひげをたくわえた五〇代の男で、父親の銅・真鍮製造工場、ウォレ

図48　ウィリアム・ウォレス。コネチカット州アンソニアで、エジソンに電気のアーク灯を実際に見せた。彼が触媒のように働き、エジソンは電灯を作り出す取り組みを始めた。

ス&ソンズ社を預かっていた。じっくりと考えがちで質素な生活をしていたことで知られ、何かを見せびらかしたり注目されたりすることには関心がなかった。イギリスのマンチェスターで育ったが、一八三二年、七歳のときにアメリカへ移住した。両親は七人の子どもたちを連れて、コネチカット州で新生活を築いて産業労働の機会を得ようとしていた。当時、この州の各都市は、産出されていた金属をニックネームにしていた。ウォレスの家族は結局、「銅の都市」アンソニアに定住した。そこでウィリアム・ウォレスは素直に父親に従い会社を成長させるべく仕事を手伝った。だが若いウォレスとしては、自分は科学者であり、科学者として有名になりたいというのが本心だった。

一八七八年に彼は思いがけなく偉大なトーマス・エジソンから、あなたの新たな発明を見るために訪問したい、という電報を受け取った。エジソンは二か月間の西部旅行で、共通の友人ジョージ・バーカーからウォレスの研究について聞いていた。バーカーはペンシルベニア大学の物理学教授で、一八七八年七月二九日の日蝕を連れ立って見にいくグループにエジソンを招いた。そこでバーカーはこの「メンローパークの魔術師」と呼ばれたエジソンに、コネチカット州の電気の新発明は、優れた腕前のあなたには一見の価値があるものだから、ぜひ見にいきましょう、と誘った。[3] ウォレスとエジソンはそれより一年前に、エジソンを称賛するたくさんの人々がメンローパークにきたときに会っていた。しかし、今回は違った。若い自信過剰なエジソンのほうが興味を引きつけられて、ウォレスに会いたいと考えた。

ウォレスは自宅では自分の時間すべてを、ヴィクトリア朝風の大きな屋敷の三階ですごしていた。そこにある自分で作った私設実験室で、当時のアメリカトップレベルの大学物理学部[4]に肩を並べる研究をしていた。実験室には、望遠鏡や顕微鏡、静電発電機もあった。幻灯機を使った投影システムも設置されており、ガラススライドで旅行写真を投影した。壁には、天文学者ヘンリー・ドレイパーの望遠鏡で撮影された月の珍しい写真がかけられていた。ウォレスは凧《たこ》で雷の電気実験をしたベンジャミン・フランクリンのサインと、電信の父サミュエル・F・B・モールスの電信回線を持っていた。非常に多くの科学的な工作物があり、若いエジソンは九月に訪問したときにはそれらを見ることができた。

長いあいだ、ウォレスは仕事に邪魔される前の未明に、疲れ知らずで発明品に取り組んだ。息子のウィリアム・O・ウォレスは父親に忠実に会社の経営を手伝い、その間に父ウォレスは実験室で研究に取り組んだ。ときにはウォレスの妻サラが、銅線のコイルを何キロメートルも巻いて発電機や電磁石を作る手伝いをした。ウォレスの娘エロイーズは彼の理論のための共鳴板をいつも作り、また父親と同じぐらい研究を熟知していて、[5]ほかの発明家の訪問を受けるときは必ず科学的な解説をしながら案内をしていた（別の時代だったら、彼女は電気学分野で名をなしたかもしれない）。エジソンとすごす時が迎えられて、このよき日のための準備が整えられたのは、ウォレスの家族全員の協力のたまものだった。

一八七八年九月八日の日曜日、エジソンの訪問の当日、待っているウォレスの期待が高まったところで、ついに機械式ドアベルが鳴った。エジソン氏はリバティ・ストリートのウォレスの家に、お互いの友人ジョージ・バーカーとともに到着した。バーカーは恰幅のよい親しみやすい人物で、鼻眼鏡をとおして二人を見下ろした。ウォレスが非常に驚いたことに、来客メンバーは二人以外にもいて、お互いによく知っている仲のようだった。しかも、独学だったウォレスが、コロンビア大学の化学教授チャールズ・チャンドラーや、ウォレスの家の壁にかかっている写真を撮った有名な天文学者のヘンリー・ドレイパー博士、エジソンの一番助手のチャールズ・バチェラーといった著名な科学者の面々[6]を楽しませなくてはならなかった。ニューヨークの『ザ・サン』紙の記者も、エジソンのすべての動きを追っかけていたため、来客に混じっていた。

　普段は口数が少ないウォレスが、エジソンと何時間もしゃべり続けた。二人はほかのメンバーから離れて、ガス灯やオイル灯よりも優れた新しい照明の形について、どんなものを作り出したいかを話し合った。ウォレスは、何年もかけて一般向けに光をもたらす方法にたどり着き、エジソンに自分の発明を見せたく思っていたことを詳しく語った。

　来客者全員は、実験を見るために三階に上がった。そして贅沢な絨毯の上に立ち、ウォレスがスイッチを入れると発電機が震えてゴロゴロと鳴り出すのを見た。マンサード屋根〔訳注：四方向に向けて勾配が二段階になっている形態の屋根〕の天井に、二枚の炭素の板が奇妙なL字型金具で取りつけられてぶら下がっており、それら全体が球形のガラス製のボウルに入っている。二本の太いワイヤーがガラス製ボウルから床まで伸びている。光が点滅し、それから枠組みがシュッと鳴り、目が眩《くら》むような光が放たれて、サーチライトのように部屋全体を照らし出した。ウォレスはアーク灯で電気から光を作り、強力なスパークを発生させた。カーペットを歩いたあとに手からドアノブに走る静電気のようなやつだ。

この時点まで、家庭ではオイル灯かガス灯と、ときにはロウソクで明かりをとっていたが、どれも薄暗くて周囲が汚れやすく、ロウソクの場合は嫌なにおいもした。ウォレスは電気を利用して、二つの炭素ブロックの間で継続的に発光させて、光源をもっと明るくてきれいな形態にした。

　エジソンはそれを見ると、まさに「飛んで火に入る夏の虫」のように光に近寄った。少年のような顔に純真な喜びの表情が浮かんで、彼は目撃したものが嬉しくて気持ちを抑えることができなかった。来客はみな、年配者であるウォレス氏が成し遂げたことを褒《ほ》めそやしたが、エジソンだけは未来がガラスの球体の下で輝いていると考えた。いつも少々だらしないエジソンは、テーブルに図や表を何枚も広げて、それらをしげしげと見詰め、このアーク光の電気システムで生じる光量を素早く頭の中で計算した。エジソンは心を奪われたのだ。

　いよいよ、ウォレスにこのときがやってきた。ついに、電気の半神たちの住む殿堂に入るのだ——神ゼウスはエジソンである。長いあいだウォレスの科学研究は趣味として笑われてきたが、エジソンのグループに仲間入りすれば変わるだろう。ウォレスは裕福だが不自由な環境にいて、情熱のまま追い求めることが十分にはかなわなかった年月だったが、解き放たれようとしていた。これまで犠牲にしてきたものが、ついに報われようとしていた。

　見学していたエジソンを喜ばせたのは、ウォレスが最初のアーク光[7]を作り出したときの話だった。木のフレーム上に炭素ブロックを二つ取りつけて、それぞれ電気につなげて、塊の間の狭い隙間に小さな稲妻が橋を渡したときに、そのまばゆい光は生じた。ウォレスは一八七六年のある日に自分の工場の高さ六三メートルの煙突に人を上らせて、彼の新作の装置を取りつけさせた。そしてその夜には、そこからまばゆい白熱光が放たれて、非常に遠くのディヴィジョン・ストリートの町の住人がそれを照明にして新聞を読

図49　ウィリアム・ウォレスが作ったアーク灯（点線の部分に炭素ブロックを設置し、そこから発光する）。

めたということだ。また別の機会に、ウォレスは自分の工場でオイル灯の代わりにいくつかのアーク灯を並べて吊《つ》るして、従業員が昼勤務と深夜まで働く夜勤務の二交代勤務[8]をできるようにした。ニューヨークの『ザ・サン』紙はこのアーク灯について「一個あたり四〇〇〇本のロウソクに等しい[9]」明るさをもたらしたと報じた。

発明ということでは、アーク灯はそれ以前に作り出されていたが、光源としては真剣に受け取られていなかった。一八〇二年ごろに有名な科学者ハンフリー・デービーが、ロンドンの王立研究所でアーク灯を発見した。二つの炭素棒を離して吊り下げて、炭素棒に電流を流すと、稲妻のような明るいスパークが現れて二つの炭素棒の間に橋が架かる。彼はそれをアークと呼んだ。だが、デービーはアーク灯が照明として使いものになるとは考えず[10]、自分の公開化学実

図50　ウォレスは自分の工場の煙突にアーク灯を取りつけて、アンソニアを広く照らし、人々の話題を呼んだ。

験でちょうどよい余興として披露した。それから約七〇年後の一八七六年に、アーク光は歴史上に再び現れた。ロシアの電信技師パーヴェル・ヤブロチコフは、二つの炭素ブロックのあいだに電圧をかける「キャンドル」（ロウソク）を作った。その後モスクワでの仕事を辞めて、一八七六年のフィラデルフィア万国博覧会で発明を展示する計画だったが、彼はパリまでしかたどり着けなかった。彼の「ヤブロチコフ・キャンドル」は、光の都パリで大人気となった。ジョージ・バーカー教授は外国旅行中にその「キャンドル」を見て、研究仲間のウォレスに伝えた。ウォレスはその新しい発明について聞くとすぐに製作に取り組んで、アメリカで最初のアーク灯の一つを完成させた。それは、ウォレスのその日の来客たちにとっては確かに初めて目にするものになった。

アーク灯の背後にある驚異的な仕組みはウォレスの手腕によるものだった。工場の近くを流

図51　ウォレスのテレマチョン。ノーガタック川の水力を電気に変換する装置。

れるノーガタック川のエネルギーを利用して、テレマチョンという自作の発電機でアーク灯に電力を供給した。当時、バッテリーではアーク灯を発光させるのに十分なエネルギーを供給できなかったので、水力から電気への変換がポイントだった。テレマチョンを使えば、「電力はある点から別の点へ、まるで電信のメッセージのように伝送されるだろう」[11]と『ザ・サン』紙は書いた。エジソンはそこで見たものに夢中になって、直ちにアーク光の電気システムと発電機を注文した。ウォレスは喜んでそれに応じた。

来客が実験室を出て、お祝いの夕食の席に着き、エジソンは水のゴブレットを手にとり、ダイヤモンド針で「トーマス・A・エジソン、一八七八年九月八日、電灯の下にて」[12]と刻み、歴史におけるこの日を記念した。

エジソンは去るときにウォレスのほうに向きなおり、ほとんど祝福のような心からの握手をした。続いてエジソンが口にした言葉は、ウォレスに稲妻のような衝撃を与えた。「ウォレス、私は電灯を作ってあなたに勝てると確信している。あなたが取り組んでいる方向は正しくないと思う」[13]とエジソンはいった。ウォレスは電気で作った照明でエジソンの気を引いただけではなく、エジソンが単独で獲得する世界へと案内してしまったのだった。エジソンの栄光に浴するというウォレスのささやかな望みは薄れていった。

エジソンはアンソニアへの旅によって、電灯を作る道を進むことになった。ウォレスは創造に刺激を与えたが、あらゆる化学触媒と同様に、激しい反応を誘発したものの彼自身の状況は変わらなかった。

一八七八年九月八日はウィリアム・ウォレスの人生で最高の日になるはずだった。だが、そうはならなかった。それは、自分自身の光が消える日になった。

魔術師のすばらしいアイデア

エジソンは電灯を作るためのアイデアで興奮しながら、アンソニア訪問から急ぎ帰途についた。ペンシルベニア鉄道の列車がついにメンローパークの木製の小さなプラットホームに到着すると、彼は列車を飛び出してクリスティー・ストリートの人気のない赤土の道を二ブロック一気に駆け抜け、自分の家（と家族）を素通りして、小さい丘の上にある暗いグレーの二階建ての建物に向かった。この狭い下見板張りの建物は、列車の一両分よりも長く、歩くと昼も夜もなくぎしぎし音を出した。これが魔術師エジソンのメンローパークの研究所だった。エジソンは木の階段を急いで上り、細長い部屋に入った。部屋には、薬品ビンがあふれるほど入っている棚がいくつも設置されている。そこで大勢の助手に向かって、今やっていることを直ちにやめるように命じた。フォノグラフ（蓄音機）の改良は後回しになった。急いで行動することが必要だった。

ウィリアム・ウォレスの実験室を訪問したことでエジソンは感銘を受けたが、エジソンにもっと大きな

図52　メンローパークのエジソンの研究所。昼夜を問わず活気にあふれていた。

図53　エジソン（中央）と彼の研究所の人々。研究所の２階で、仕事を中断して撮られた写真。

刺激を与えたのは、彼が見なかったものだった。「その強い光が個人の家々まで届けられるような細かい分割が、なされていなかった」[14]とエジソンはいった。ウォレスのアーク灯は、古いフィルムカメラのフラッシュのようにあまりにも明るく輝いていて、光を弱めることは不可能だった。エジソンは光量を細かく分割することを目指した。だが、そうするためには別の方法が必要だった。

エジソンが必要とした材料は、加熱したときに白熱するが消失しないものであり、暖炉に入れたときの火かき棒のようにふるまうものだった。何世代ものあいだ文明は明かりを作り出すものを使い果たすことで――たいまつでは木材を燃やし、ロウソクでは蠟《ろう》を燃やし、ランプでは燃料を燃やすことで――暗闇を押しのけてきた。エジソンが必要としたのは、白熱する（高温で光りを出す）物体だった。

白熱光は、光の形態として新しい概念ではなかった。エジソンよりはるか昔の一八三八年に始まって、ベルギー、イギリス、フランス、ロシア、アメリカ[15]から、エジソン以前に二四人以上の発明家たちが、白熱光を求める旅に出た。だが、彼らが照明として示したもののほとんどは失敗に終わった。白熱光探求に失敗した仲間は数多く存在したが、エジソンは思いとどまらなかった。エジソンは仲間の失敗から学べると信じていた。

電灯の開発という新たな冒険的事業にとりかかり、エジソンは新会社を設立し、過去の発明の資料はできる限りすべて読み、必要なスキルを持つ人々を雇い入れ、研究所を拡張し、記者会見まで開いた。アイデアはたっぷりあったので、エジソンはテレマチョンを早くしてくれとウォレスに電報を打った。アンソニアから戻って一週間後、彼は『ザ・サン』紙に「私はそれを手にしている」[16]と話したが、本当は持っていなかった。エジソンは光を分割するにはあと数週間か数か月しかかからないだろうと思っていた。彼の創造力には、彼の虚勢だけが釣り合った。

図54　若い頃のトーマス・エジソン。

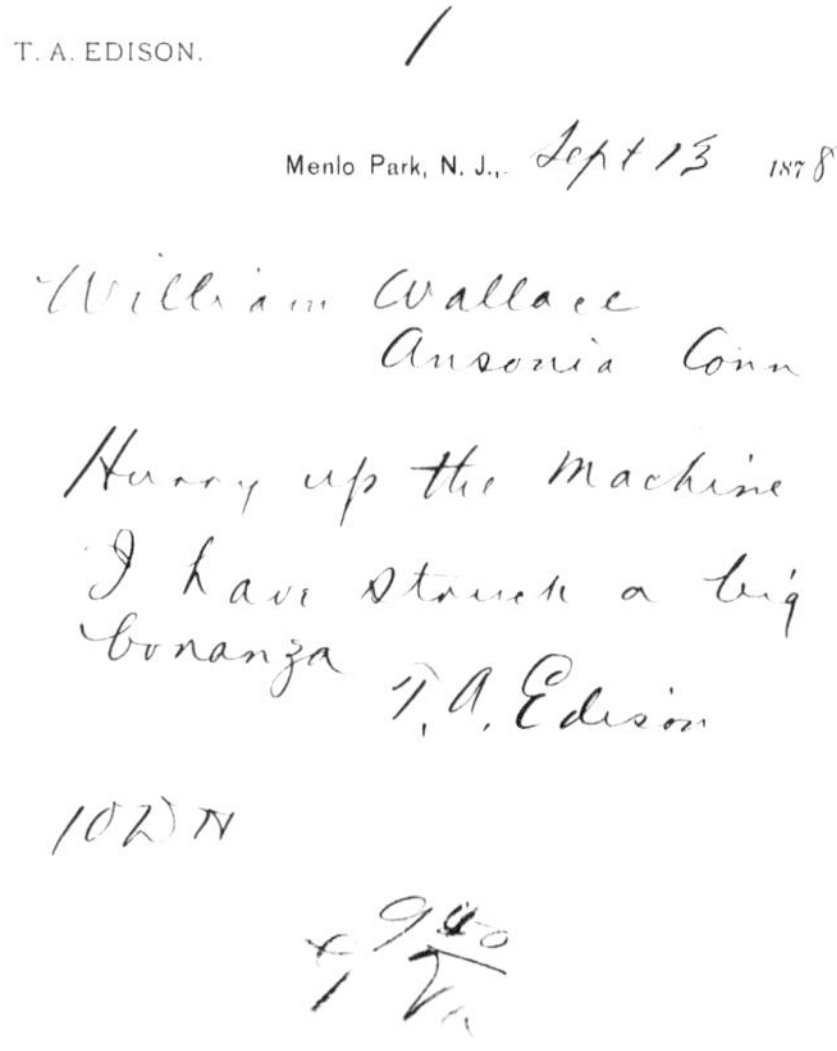

T. A. EDISON.　1

Menlo Park, N. J., Sept 13 1878

William Wallace
Ansonia Conn

Hurry up the machine
I have struck a big
bonanza
T. A. Edison

図55　エジソンからウィリアム・ウォレスへ、テレマチョンを早く送ってほしいと急かす手紙。

トーマス・エジソンは一八七八年の秋にコネチカット州のウォレスを訪ねる前にも電灯についてあれこれと多少は考えて、炭素フィラメントを遊び半分にいじくりまわしていた。[17]食卓に着いているときに、彼は紙を炭化させた（純粋な炭素を作るために紙を焼いた）。それを回路につないで、広口ビンをかぶせて、手押しポンプを使って空気を吸い出してから電流を流すと、炭素は赤く光って、それから消えた。光は数分しかもたなかった。この炭素フィラメントが「マラソンランナー」ではなく「スプリンター」だったのは、ビンの中に残っていた酸素と結びついて燃えてしまったからだ。それでも、エジソンはアンソニアから戻ると、大衆に電灯をもたらすという新たな探求に乗り出した。

初めに、電気で光を発するさまざまな金属で試したが、結局プラチナに集中してテストすることになった。プラチナは有望だった。[18]炭素のように燃えず、酸化もしなかった。だが、この新しい金属にはそれ自体の弱点があった。プラチナ製のワイヤーは熱せられると温度が高くなりすぎて、バターのように融けてしまい、壊れて光が消えてしまったのだ。複雑な回路を使って電気の一部をプラチナフィラメントに通さないようにして、過熱を防ごうとしたが成功しなかった。

エジソンの研究所は、ホタルの入ったメイソンジャーみたいな、発光するワイヤーの入ったガラスバルブでいっぱいになった。だが、何か月もかけて努力を重ねても、プラチナフィラメントはうまくいかなかった。エジソンがプラチナを明るく発光させられなかった理由は、この金属の性質に関係していた。フィラメントが発光するのは、それを流れている電流を原子が妨げるからで、この妨げること、つまり抵抗が、トースターの中のワイヤーのようにフィラメントを熱するからだ。よく光るのは電気の流れに抵抗する物質だが、残念ながらプラチナは電気の流れやすい物質だった。真に必要とされたのは、違う物質で作ったフィラメントだった、ということだ。エジソンは泣く泣くプラチナを諦めた。

一八七八年一〇月のある日、エジソンは、最初は不合格にした炭素に舞い戻り[19]、木綿糸に含まれているこの元素を試してみた。プラチナで起こったこととは異なり、電流は炭素をなかなか流れず、また細い炭素フィラメントほど流れにくくて、プラチナよりも多くの光が生じた。プラチナフィラメントの実験を一年ほど繰り返したことで、発光状態の改善に関係することはいくつかわかっていた。真空の重要性だ。高い真空度にすると酸素との反応がなくなって、プラチナのときと同様に炭素のフィラメントは長持ちした。

高品質の木綿を使って最高の炭素フィラメントを作り、エジソンは新たな実験を始めた。一八七九年一〇月末に、いくつかの電灯を同時に光らせて、どれが最もうまくいくかを調べた。強く発光するものや、いくつか輝点があるもの、中に空気が漏れているもの、原因不明で発光しないものもあった。ある電球はまる一時間光り続け、それが二時間に延び、三時間たち、最終的には四〇時間点灯し続けた。メンローパークの人々はみな徹夜して、電球の誕生を見守ることになった。

まもなく、世界じゅうで暗闇は二度と戻ってこなくなり、その現実が何もかもを変えることになった。

電灯は昔からの「ダンス」の結果だった。発明家たちは暗闇という問題を見つけ、その解決方法を見いだそうと執拗に取り組んで、そうして電灯は発明されたのだ。その発明は問題を解決し、人類の進歩を数量化できない形で推進した。ところが、電灯は発明家たちの予期できなかった形で生活を揺るがした。発明から一〇〇年余りで、人工照明は私たちの互いの関係や自分自身とのかかわり方を変え、私たちの身体やほかの生物種の性質そのものが変化したのだ。これらの電球が発した光線は、見える形で、また見えない形でも、私たちを動かした。

図56　エジソンの最初期の電球の１つ。

日の光の見えざる手

定期検診でタバコや酒、運動の量を答えてから、さらに「適切な光を浴びていますか」と質問されたら、驚いて医師の顔をもう一度見る人もいるかもしれない。「ヒッピーのヘイト・アシュベリー〔訳注：サンフランシスコにあるかつてのヒッピームーブメントの中心地。〕やニューエイジ系のセドナ〔訳注：アリゾナ州にあるネイティブ・アメリカンの聖地で、現在は「スピリチュアルの街」として有名独特の雰囲気を保ち、多くの人々が訪れる〕を訪れたときの話ではない。これは、現時点での進歩的な医療機関で行われるやりとりだ。今日、さまざまな病気は、運動不足、質の悪い食生活、寝不足、大気汚染などの公害、異常な遺伝子が原因とされている。だが、ほかにも原因がある——それは、電球だ。

人工の光に曝露した動物はさまざまな病気になることが研究で示されている。そうした病気には「癌や、心疾患、糖尿病、肥満の増加」[20]が含まれると、レンセラー工科大学照明研究センター（ＲＰＩ）所長マリアナ・フィゲイロ教授はいう。動物だけではない。交代勤務の労働者——警備員から外科医まで、九時から五時まではない仕事をする非常に多くの人々——は、癌や心臓病のリスクが増すということが、専門家によって明らかにされている。疾患についての大量のデータから必要なものを取り出して、人々がどこに住み、何をして、誰であるかに結びつけることで、研究者たちは疫学的な決定的証拠を発見してきた。他の医学的要因がすべて除外されたとき、それらの病気の原因の一つは、頭上で発せられる明るい光である。光は、体内時計、すなわち概日リズムを乱して、こうした健康問題をもたらしている。

現代の私たちは、古来の連れである暗闇を明るい照明によって失ってしまった。一つの文化として、私たちは幼い子どもたちのように暗闇を恐れ、暗闇をとにかくなくそうとする。街灯、玄関の明かり、常夜灯、クローゼット内のライト、冷蔵庫内のライト、オーブン内のライトもある。照明をあてられた通路や標識、玄関ベルもあれば、光るスニーカーや車のホイール、トイレの便座まで光るものがある。そして停電になっても、光はスマートフォンの中にまだ残っている。とにかく、私たちの身近から照明がなくなることは決してない。

だが、研究者によれば今は私たちにとって光が過剰だという。特に、間違った種類の過剰な光を一日の間違った時間帯にあまりにも多く浴びているので、そうした光が健康に影響を及ぼしているというのだ。その理由は、私たちの生物としての体にいきつく。

高校生物の退屈な授業を最後まで聴いたほとんどの人々と同様に、研究者は最近の一五〇年間で、目について知るべきことをすべて理解したと考えた。よく知られたように、光は目に入ると目の後ろの網膜に至る。網膜は光の情報を電気インパルスに変換し、それが脳に送られる。脳は、電気インパルスの各断片を集めて組み立て、視覚として知られているものを作り出す。だが、二〇〇二年に、ブラウン大学のデイヴィッド・バーソンの発見によって、目の機能[21]についての理解は根本的に変わった。

バーソンは、目（網膜）の中には視覚には寄与しない特別な光の検出器、他と違う光受容体があることを発見した。目のこの部分は、アメリカ独立戦争でのポール・リビアのように働くのだ。「陸路なら一つ、海路なら二つ」のメッセージ（ランタンが一つ点灯したなら英軍が陸路で、二つなら海路で攻めてきたこと）を伝える代わりに、この受容体は、昼なら何、夜なら何、という情報を体に知らせる。ちょうどポール・リビアが馬で走りながら愛国者たちに「陸戦に備えよ」あるいは「海戦に備えよ」と警告したときのように、目のこの部分は体に「昼に備えよ」あるいは「夜に備えよ」と警告を発し、センサー（青空の光に最も感度が高い）が光を検知すると、メッセージが目から脳、そして体の他の部分へと次々に伝播し、体に昼間であることを知らせるのだ。具体的には、そのメッセージは目の後ろの視神経から、高速で脳の視床下部にある視交叉上核《しこうさじょうかく》に到達する。視交叉上核はメッセージの信号を松果体という豆粒大の小さな部分に送り、メラトニンの分泌を抑える。メラトニンは、今は夜間だと体に警告する化学物質だ。メラトニンが止められると、「もうすぐ朝がくる、もうすぐ朝がくる」というポール・リビアの化学版メッセージが完成する〔訳注：一七七五年四月一八日からにかけての夜、愛国者ポール・リビアは伝令として馬で各地の愛国者に、ボストンに駐在の英国軍がチャールズ川をはさんで対岸のチャールズタウンに攻撃を始める動きを知らせて回った。この史実はヘンリー・ワーズワース・ロングフエローの詩「ポール・リビアの真夜中の騎行」で有名になり、リビアは独立戦争時の愛国者（パトリオット）の英雄的人物とされ、アメリカでは小学生がこの詩を学ぶとのこと。「陸路なら……」は詩の一節で、リビアの届けた警告をチャールズタウンの植民地民に、教会の尖塔にランタンを掲げて知らせたことを指す。結局、海路だったので二つ掲げられた〕。

メラトニンは夜にだけ分泌する古来の分子で、「今は夜だ」と体内の細胞に伝える。「それは私たちとともに進化した古い化学物質だ[22]」と米国立精神衛生研究所の名誉上席研究員トーマス・ウェーアはいう。体がそうした信号を必要とするのは、人間が本質的には二つの異なる生物、つまり昼間の人間と夜間の人間であるからだ。エネルギー節約の手段として、私たちの体は「オン」と「オフ」の時間がある。自分の今の状態は自分の周りの光によって、モード信号を送るメラトニンで切り替えられる。日中、私たちの体温、代謝、成長ホルモン量（ベースライン）は上昇する〔訳注：成長ホルモンはさまざまな要因に調節されており、よく知られているように分泌量のピークは夜間の睡眠時にある〕。夜には、それらがすべて減少して、私たちは「ログオフする」。だが、人工照明があると、私たちの体はこの必要な休息モードに入らない。

電気以前の大昔の私たちは、日中は太陽の光で、夜はロウソクの光で生活していた。夕暮れが近づくと、私たちの体は起きていても夜にそなえ、光の種類が太陽光からロウソクの光に変わるに従って夜モードに入り始める。ところが今日では、人工照明の氾濫で私たちは年がら年じゅう不自然に同じ種類の光を浴びていて、常に昼モードの状態に置かれている。影響はすでに感知できるレベルだ。トーマス・ウェーアは、「現代の人間が祖先よりも背が高いのは、ある程度は栄養状態やその他の要素が関係しているが、人工照明にも関係がある」という。

電灯以前には、人間の生理は季節に結びついていた。多くの女性は遅い春から夏に妊娠するものだった。私たちの体は、年間をとおして夜明けから夕暮れまでの長さ（日照量）の変化に従うことで、移り変わる季節をたどっていた。昼が長い夏は、冬よりもメラトニン生成が少なく、メラトニン量が少ないために成長ホルモン量が多くなり成長の機会が増す。だが、今日では、人工照明により一年間の季節の移り変わりが私たちの体にはほとんど「見えない」状態になっている。ウェーアは「私たちは受胎率の季節的変化をほとんど消し去った」という。ただし、一つの人工的所産にこのつながりは残っている。昼が長くて太陽光と成長ホルモンが多い「遅い春から夏の始まりに、体外受精は最も成功率が高い」とウェーアは語った。

人間にとって、エジソンの電灯のもとにいる状態は、成長ホルモンが冬の二倍近く分泌される夏季モードにずっと置かれているということだ。この持続的な成長モードで、体全体が成長ホルモンに浸っていることになる。すべての細胞は暴露されて、この過剰な刺激に反応する。「夏レベルの成長ホルモンを持続的に浴びると、それによって癌のリスクになる」とウェーアはいう。

癌は私たちの時代の病気で、確実でないことが多いので論じるのは難しい。おおむね、研究者の多くは癌が一つの細胞から始まると考える。そして、おおむね、その細胞が突然変異するのは「単なる無作為、ただの偶然だ」[23]とコネチカット大学の癌疫学者リチャード・スティーヴンスはいう。すると、人工的な光とどう関係してくるのか。ノーベル化学賞を受賞したアジズ・サンジャルが、その後の研究で、「私たちの知る突然変異のプロセスに影響を与える概日システムは、癌の原因に関与している」ことを発見したとスティーヴンスはいう。「私たちの細胞が損傷したDNAを修復するやり方には二四時間周期との関係」がある。何が起こっているのか詳細は不明だが、この研究は、私たちの体には成長モードと修復モードがあるとともに、暗闇に伴う癒しを必要とすることを明確に示している。

多くの因子が癌に寄与している。私たちの時代でこの分野の研究は必要不可欠だ。女性の健康に関していえば、乳癌では人工照明のことがしばしば見落とされている。スティーヴンスは、「乳癌のパンデミックは電灯の使用によって説明できることが指摘されている」という。今起こっていることを理解するためには、もっと多くの研究が必要だが、研究者が正しい方向に向かっていることを示すグループがある。「盲目の女性たちは乳癌のリスクが低い。彼女らは夜間に光を感知できない」とスティーヴンスはいう。彼女たちは生理学的な面で光の影響を受けない。多くの医学的報告は盲目の女性が乳癌の外れ値にあることを示すが、人工照明の光が女性にどのように影響を与えているのかを理解するには、はるかに多くの研究が必要だ。

目は心の窓だ、と詩人はいう。科学者によれば、目は時計であり、もっと正確には、時計のリセットボタンのようなものだという。私たちの体には一日の始まりを予測する固有の内蔵リズムがある。この体内時計は毎日約一二分ずつ遅れていて、「一日」が二四・二時間だ。私たちは視覚的手がかりのない暗い洞窟に連れていかれたら、ゆっくり時を刻むアンティーク時計のようになって、太陽の一日よりも遅れをとるだろう。だが、朝の光、特に朝の空の青い光を見ると、私たちの生物時計は地球と再び同期する。

空色に対して目の受光器が高い感度を持つのは、自然の巧みな選択であり、生物学的に意味がある。今は日中だということを体に伝える最善の方法は、ラジオの周波数を特定の局に合わせるときと同様に、この象徴的な色に目の一部を特別に合わせることだ。母なる自然は、白い光のすべての色、つまり虹の色（赤、オレンジ、黄色、緑、青、濃紺、紫）のいずれを使うこともできたはずだ。白い稲光を伴う雷雨が、私たちの祖先を夜モードから昼モードに偶然変えてしまうこともありえただろう。空色は日中に明らかに存在する。体にモードを切り替える時間だと知らせるための唯一無二の信号だ。

残念ながら、人工照明は自然の光、つまり太陽の光を完全にまねしてはいない。偉大な太陽が放つ光には、虹の色すべてが含まれる。人工照明には太陽光スペクトルの一部しか含まれず、白熱電球は赤みがかっており、家庭用蛍光灯やLED電球は青みがかっている。すると、エジソンによって定められた針路を修正して、現代の人々が人工照明の光のもとでうまく生活できるようにするにはどうしたらいいだろうか。処方箋はシンプルだ。癌疫学者リチャード・スティーヴンスによれば、私たちには「薄暗い夜と明るい朝」が必要だという。一日は、体内時計をリセットする明るい青い光で始めなければならない。「散歩をするのがベストだ。運動をして、明るい青い光をたっぷり浴びることだ」。室内にいる人には、LEDライトと明るい蛍光灯が、青い光の領域がかなり強い。

日中のあいだに青い光をたくさん浴びるのはいいことだ。だが、光の種類は一日が進むにつれ変えていかなければならない。「朝の光は体に一つの影響を及ぼす。［青い光が］夕方から真夜中にもたらされると、悪影響を及ぼすだろう」とレンセラー工科大学のマリアナ・フィゲイロ教授はいう。それが、光の色を一日のうちに変えなければならない理由だ。夕方には赤っぽい光にする必要がある。これにはパソコンやテレビ、スマートフォンの画面の青い光を減らすことも含まれる。フィゲイロは「夕暮れには［照明を］弱くし始めて、光源を白熱電球にする」ことだという。

現代の光の海を和らげる助けになるのは、新たなテクノロジーかもしれない。市販のスマート電球には、光の色を赤寄りや青寄りに調節できるものもある。さらに、照明研究センターのマリアナ・フィゲイロの研究室での開発品など、ウェアラブルのテクノロジーは、身に着けた人に必要な光の種類を伝えたり、光追跡装置で「概日ライト」を監視したりする。フィゲイロによると、このシステムを使えばアプリが「もっと青い光を浴びようとか、青い光を避けようとか、外へいこう」と誘うということだ。

夜間に目覚める人々には、科学者からのアドバイスもいくつかある。スティーヴンスによれば、「暗闇の中にいること」が一番だという。「そのほうがはるかに、再び眠りにつきやすい」。この知恵は数百年前までは当たり前のことだったが、みな忘れてしまった。私たちの祖先は、分割睡眠のあいだの真夜中に目覚めると、ロウソクの光のもとで食べたり、祈ったり、読書したり、家事をしたり、身近なことをあれこれしていた。今では、たとえ目が覚めても体は夜モードだと私たちは知っている。ロウソクの光は薄暗く、赤みがかった光なので、メラトニンを止める引き金にはならないだろう。明るい電気の光を真夜中につけると、メラトニンは急に分泌しなくなり、すぐに測定できれば下がっているのがわかるはずだ。「五分以内に電気を消せば、また元どおりになるだろう。二〇分を超えると、目覚めてしまう」とスティーヴンスはいう。

人間の健康を増進するためには、一日の適切な時間に適切な種類の光を浴びる必要がある。これは超自然的な主張ではなく、医学的根拠のあることだ。フィゲイロがいうように、「光は生物時計を駆動するものであり「体内のものすべてを駆動する」のだ。そのため、私たちは電球を、背景で光っている無害な物体として見るのではなく、人間の健康の原動力として見なければならない。

エジソンは人工光源の時代を導いたが、社会が必要とするのは、暗闇と触れ合う状態に戻ることだ。その理由は、私たちの健康問題だけにとどまらない。空の星は昔から人類と連れ立って、船乗りや開拓者が前進する助けになっていた。何世紀というもの、人類は無数の星を見てきた。今日では、都市の住民に見える星はおよそ五〇個だ。[24] なぜなら、ほとんどのアメリカ人は人工光源によって通常の夜空よりも明るいところにいるからだ。わずか数世代のあいだに、夜の暗さは変化した。私たちの曽祖父母が若いころは、月の見えない曇った夜は一か月間で最も暗い夜だった。今日では、月の見えない曇りの夜は、ごく明るいほうの夜だ。それは雲の中の水滴と埃が、ディスコのミラーボールのように光をあちこちに反射させるか[25]らだ。

私たちの知らない空の上のほうには、息をのむほどにすばらしい景色が存在する。だが、人工光源によって空が薄明るくなって、頭上で繰り広げられる天体映像が私たちには見えなくなっている。「映画館で照明がついたまま映画を見ているようなものだ」と天文学者のファビオ・ファルキはいう。私たちは「スクリーンのコントラストを失って[26]」、映画がよく見えない。

本来の夜空に私たちは無縁であるという事実は、一九九四年にあまりにも明白になった。ロサンゼルスのノースリッジ地方を襲ったノースリッジ地震（ロサンゼルス地震）が一月の朝に発生したとき、その夜は完全に停電になったので人工照明が一掃された。神経が張り詰めたロサンゼルスの人々の多くは、空に不思議なものを見て、緊急通報用の九一一番に電話をかけて、「灰色の、銀色がかった雲[27]」があると訴えた。南カリフォルニアの人々が見ていたものは天の川だ。報告によれば、アメリカの三分の二の人々[28]は、天の川をもう見ることができない。

私たちが見ている今日の夜空は、私たちの祖父母や曽祖父母が経験したものとはまったく違う。人工照明の手軽さから恩恵を受けたが、失うものもあった。『本当の夜をさがして――都市の明かりは私たちから何を奪ったのか』（上原直子訳、白揚社）の著者ポール・ボガードは、「人類の歴史において私たちにインスピレーションを与えてくれた経験を見逃しているということだ[29]」と述べた。頭上には街灯のベールがかかり、私たちのほとんどは荘厳な夜空のすべてを見ることがない。真の夜空は、ゴッホの『星月夜』のようなさまざまな明るさや色の星の数々で、目がくらむような三次元的な経験だ。荘厳な夜空のすべてを目にするとき、私たちは「夜中に戸外へ歩み出て、宇宙と直接向き合っている」。著書の執筆中に地球上でもとりわけ暗い場所を訪ねたボガードはそう語った。

尊大な気持ちは、いっそう多くの照明の設置とともに生じた。宇宙に直接向き合えば、「自分が本当に小さい」ことに気づく、とボガードはいう。人工照明はそうした畏怖《いふ》の気持ちを忘れさせてしまう。今私たちの目には宇宙が見えないので、こうした照明の下で傲慢《ごうまん》さが培養されやすい。暗い空は、かつては窓だった。今日では鏡になっている。

光害が奪うもの

私たちの友人であるホタルが、この旅路の始まりだった。ホタルは英語でfirefly（火のハエ）、またlightning bug（発光する虫）とも呼ばれるが、flyでもbugでもない〔訳注：一般に、bugは漠然と小さな虫や微生物などを指すが、チョウなどの昆虫類はbugとしない場合が多い〕。ホタルは甲虫類で、一部の鳥類やクモ類の好物という以外には、ミツバチが手伝う植物の受粉やアリによる土壌の通気のような必須の役割があるわけではない。ホタルの役割は限られているかもしれないが、何千種もの数を持つホタルは、「自然の驚異」に関する「市場」を独占している。自然の「幻灯機」として彼らが魅惑的なのは、エジソン以前に光は奇跡的だったからというだけでなく、今の時代でも彼らの光の力は、私たちを引きつけ、雑念から遠ざけるからだ。

ホタルは閃光のモールス信号で話す――サマーキャンプで門限をすぎたときのやりとりみたいに。ホタルの光は、生物発光（バイオルミネセンス）と呼ばれる化学反応による。光の素であるルシフェリンという化学物質（発光素）、エネルギーの塊のアデノシン三リン酸（ATP）という分子、ルシフェラーゼ（発光酵素）の化学カクテルが、分子発光を作り出す。だが、こうした光はホタルの当たり障りのないメッセージではなく、愛の言葉を発信している。オスのホタルは草の上を人の膝の高さあたりで舞っていて、名乗りを上げて、自分の性別と種を明らかにする。ホタルの言語に堪能な人間はいないが、「私はオス、『フォトニス属グリーニ種』です[30]」というようなことをいっていると、タフツ大学生物学教授で『ホタルの不思議な世界』（高橋功一訳、エクスナレッジ）の著者サラ・ルイスは説明する。

一方、メスのホタルは下のほうで草や低木の葉に止まって、オスのスパークを見上げる。見えたものが気に入ったら、大雑把に解釈すれば「あなたが気に入ったわ」という光の瞬きで遠慮がちに答える、とルイスはいう。メスが興味を持ったという「青信号」が出れば、飛んでいるオスは空中で静止し、（ワーナー・ブラザーズのアニメの）ワイリー・コヨーテみたいにメスの側に落下して、メスのいる草の葉へ一時間もの苦難の旅をする。彼らが出会うと、本格的な花火が始まる。

ホタルの求愛行動はお互いを見る能力にかかっている。人工照明で上から照らされるとあたりが明るくなりすぎて、メスのホタルはオスが発光しているのが見えず、気づかないために瞬き返すことがなく、恋人候補者どうしが巡り合うことはなくなってしまう。さらに、人工照明は競争を厳しくする。メスが好むのは、非常に明るい光を放つオスだ。それはそのオスがたくましくて健康で、優れた遺伝子を持つことを示しているからだ。ところが、光のある環境では、メスにはオスの発光が実際よりも暗く見えて、メスは興味を引かれないために、光で応えることがなくなる、というわけだ。

このように人間世界の明るい電球は、ホタルの交尾行動の重要な信号を隠して交信不能にしている。オスのホタルは、交尾相手を見つけ出して気を引くためにできる限り明るく発光することは可能だが、貴重なエネルギーをそこで使い切ってしまう。ホタルの成虫の寿命は一四日にも満たない。一部の種では幼虫として地中で二年間をすごし、そのあいだにひたすら食べて育ってエネルギーをATPとしてたくわえる。そのATP分子の一個から光子が一つ生み出され、それでようやく光ることができるのだ[31]。ホタルの成虫はほとんど食べもせず、短い持ち時間に、見て、見られて、愛を見つけなければならない。

私たちが明かりを落とすことを願う生き物は、ホタルだけではない。鳥類、昆虫、ウミガメ、そのほか、ものすごくたくさんの動物たちもそう願っている。ほとんどの人が知らないことだが「昆虫類のほぼ三分の二は夜行性だ[32]」と『本当の夜をさがして』の著者ポール・ボガードはいう。昆虫たちのすべての行動が人工照明で変わる。ガ（蛾）など一部の昆虫が炎に飛び込んでしまうのは詩的ではなく、むごいことだ。ガは光源の周りを回り続け、そのおかげで疲れ切って死ぬのだ。また、電波塔で点滅する光は、理由はいまだ不明だが鳥類を惹きつける。鳥類は電波塔の周囲を回って飛び、塔を構成する多数のワイヤーに絡み取られて死亡する。「アメリカとカナダでは約六八〇万羽の鳥類がそういう死に方をしている[33]」と生態学者で南カリフォルニア大学助教のトラビス・ロングコアはいう。昆虫では、その数は数十億だ。この犠牲は生態系の全体に影響がある。昆虫は食物連鎖の上位の他の種の餌になり、鎖全体の強さはその最も弱いつながりによって決まる。すべての動物にとってのその鎖が、電気照明によって壊れつつある。

人工照明はウミガメの子の孵化《ふか》において破滅的な選択の原因になる。子ガメは夜に海岸で孵化すると、限られた時間で海の方向を見つける。海は子ガメを捕食者からかくまい[34]、脱水から保護する。彼らは最も明るいほうへ進むことを本能的に知っている。何世代ものあいだ、その方向は、月光が映って光が揺らめいている海面だった。だが今日では最も明るいのは、海とは反対の都市の照明のある方向の場合が多い。

このように先行きは暗いものの、ホタルとその他の野生生物は、容易に救うことができる。積極的に声を上げる一部の天文学者と国際ダークスカイ協会によれば、必要なのは照明に気を配ることだけだという。つまり、照明器具を囲むように傘をつけることで光が下方だけにあたるようにすること、特定の部分だけ実際に必要なレベルの照明をあてること、なるべく小さい電球を必要に応じて使うことだ。

照明をあてるとき、効果やデザインを犠牲にしなくても、見るのには十分な明るさを得ることができる。ニューヨークの高架上の公園「ハイライン」を散歩するために階段を上る人々は、手すり[35]に二つの追加的機能があることにはほとんど気づいていないだろう。その手すりは階段を照らすライトを隠すと同時に、ライトが下から空を照らすのを防ぐカバーになっている。さらに、駐車場の設計では、ライトを使用時以外は暗くしておき、動きを感知した瞬間に明るくなるというものもある。人通りが少ない通りの照明も同様だ。夜間のわずかな時間と場所だけ照明を残すことができれば、大きな節約にもなるだろう。作家のポール・ボガードは、屋外の照明を減らすことで、「世界じゅうで一〇〇〇億ドルの節約」になりうるという。

ガソリンスタンドは二〇年前よりも一〇倍明るくなっているが、人間がものを見るためにはそれほどの明るさはいらない。目は最も明るい物体に順応し、薄暗いところには絶妙に機能する。その理由は目の科学にある。私たちの目の網膜には、杆体《かんたい》細胞と錐体細胞という視細胞が存在して、光を感知する。杆体細胞は、世界の像を白黒で得る優れた暗視ゴーグルだ。錐体細胞は明るい光の中で活発に働き、鮮やかな全色彩で世界をとらえる。一つの目には六〇〇万個の錐体細胞があるのに対し、杆体細胞は一億二〇〇〇万個存在して、暗闇で形と像の認識を助ける。現在、ほとんどの人は、夜間に杆体細胞を使うことが滅多になく、感度の低い錐体細胞だけが必要な世界に住んでいる。

　種としての私たちは暗闇を深く恐れているので、もっと大きくて、もっと明るくて、もっとしっかりした光源を夢中になって求めてきた。だがその結果、動物界を傷つけ、私たち自身にも害をなしている。

　私たちは年をとるにつれ、光の見え方が変わる。年齢を重ねると目のレンズは青い光を透過しにくくなるということが、科学者によって示されている。二五歳の人の目はほぼすべての青い光を受け入れる。六五歳の人の目[36]では、青い光の半分しか網膜に届かず、その残りの光でまぶしさを感じることになる。天文学者で現代の夜空の明るさの専門家であるファビオ・ファルキは、「街灯で青い色を多用するのは、住民の年齢が上がりつつあることを考慮すれば安全面で好ましくない」と語る。各都市で、青い光が多いＬＥＤ街灯が急増すれば、光スペクトルで高齢者の感度が最も低い部分の光を使うことになり、高齢ドライバーにとっては実質的にハンディキャップになる。

　多くの人々は、照明が多いほど犯罪は少なくなると主張するだろう。それはさも真実であるかのようだが、実際の裏づけには乏しい。二〇〇八年にサンフランシスコのエネルギー企業パシフィック・ガス＆エレクトリック・カンパニー（ＰＧ＆Ｅ）は「照明と犯罪に関連性はない」[37]ことを見いだしたと、ポール・ボガードの『本当の夜を探して』に書かれている。何らかの関連性があるとしても、「極めてわずかで複雑すぎるのでデータでの証拠にならない」ようだったという。ある程度の光は犯罪を防ぐ場合があるが、結局のところ、照明をどんどん増やしていくと、まぶしくて危害を加えてきそうな人物が見えにくくなる、というデメリットが勝る転換点があるということだ。

私たちは照明を賢く使う必要がある。国際ダークスカイ協会が推奨するように、照明を落とすこと、光源に傘をかけて上方向へ光が漏れないようにすること、必要な場所だけで使うことだが、アメリカ医師会によって推奨されるように、照明からの青い光を除去すること[38]も必要だ。

太陽光の中には虹の全色が入っているが、ＬＥＤには青色成分が多い。医学界の立場から見れば、おおむねＬＥＤは悪くないが、ＬＥＤには青い光が多く含まれる。二〇一六年時点で、都市の街灯の一〇パーセント[39]は青色成分の多いＬＥＤに置き換えられており、この動きは加速している。ＬＥＤが都市の経費削減のイメージキャラクターであるのはもっともなことだろう。なにしろ、ＬＥＤは、これまでの電灯よりも、効率がとてもよくて、明るくて、寿命が長い。こうした費用の節約は大切な心構えだが、ＬＥＤ電球の導入は人間の健康に最適とはいえない。ＬＥＤメーカーはもっと青色成分が少ないＬＥＤ電球を開発したが、現在のところ街灯には使われていない。

光害を減らすためには、設計者や起業家、市民、都市が、変化を起こし、新しい国民的習慣に馴染み、大きくて明るい照明を社会から遠ざけ、健康な照明を社会に採り入れていくという努力を要するだろう。ＬＥＤ電球の影響を考慮せずに導入を熱心に進めることは、新しい自動車の開発のようなものだ。「一リットルあたりの走行距離がなるべく長いエンジンを得ること」だけしか見ていないと天文学者ファビオ・ファルキは指摘する。「だからエンジンの効率を上げるが、汚染の悪化はなおざりだ」。

問題なのは、照明の影響（と私たちが照明に夢中になっていること）が、ほとんどの人には見えていないことだ。そのため、天文学者のファビオ・ファルキら科学者が、誰にでもわかるように光害を地図で示した。衛星写真を使ってわかったのは、アラスカとハワイを除くアメリカ合衆国の人々の九九パーセントが光害エリアに居住していることと、[40] 光がエリア外へも広がっていることだ。「シカゴの照明が五大湖にも届いている」とファルキはいう。その地図には、いくつか驚くべきこともあった。「日本と韓国の間の海は地球上でも極めて明るい地点になっている。イカをおびき寄せるために照明が使われているからだ」と彼は述べた。青い光を減らし、照明を落とすには、何らかの法律が必要になるかもしれない。だが、もっと多くの都市や州でやり方を変えて、連邦法として成立させることは不可能ではない。過去にも経験がある。一九七八年に鉛という化学物質は子どもの発達に影響する神経毒なので、絵の具から除去された。それと同様の意識や努力、教育によって、明るさを落とした照明や青色成分が少ない照明を導入することができる。

　そのように、うまく調整したやり方を推進すれば、私たちの未来はいっそう輝かしい――正しい方法で輝かしいものとなるだろう。

第6章

共有する

データの磁石粉は共有することを可能にしたが、共有を止めることを困難にもした。

NASAのゴールデンレコード

一九七七年にスティーヴン・スピルバーグは、監督した映画作品『未知との遭遇』の最後の仕上げをしていた。映画では、人類はいくつかの音を使って宇宙人と意思疎通したが、当時、アメリカ航空宇宙局（NASA）も、地球外生物にメッセージを伝えるための準備をしていた。その年、NASAは二つの宇宙探査機ボイジャー一号と二号の打ち上げを予定しており、それは、元の計画よりも高速かつ遠方まで到達できるまたとないチャンスでもあった。太陽系の外惑星が同じ方向に並ぶという一七六年に一度だけ起こる珍しい位置関係になり、探査機を一つの惑星から次の惑星へ、また次へと（熱々の焼き芋を手渡しするように）次々に弾き飛ばすことができたからだ。二機のボイジャーは、惑星の重力を利用した重力スリングショットによって、少ない燃料で大きな速度を得て太陽系を進んで、最も遠い宇宙へ、もしかしたら宇宙人の世界にまで到達するかもしれない。

これらのボイジャー宇宙探査機にはメッセージが積まれていた。ふつうのものではない。メッセージの内容は歴史的なもので、地球初期の地図や、洞窟壁の彫刻など文化を表している。メッセージは極めて重要だった。なぜなら、ボイジャー探査機は邪魔されることなく何十億年も航行し続けて地球よりも長持ちすると予測されたからだ。地球はボイジャーの寿命よりも早く太陽に飲み込まれる見込みである。よって

図57　NASAのジョン・カサーニ。惑星探査機ボイジャーに取りつけられる前のゴールデンレコードとともに。

双子のボイジャーは、単なる宇宙探査機であるというより、人類の所産として最後に残るもの[1]、地球の最後のデータを包んで運ぶものだと宣伝された。

打ち上げ一年前の一九七六年、宇宙へのメッセージのアイデアが最高潮に達したとき、ボイジャー計画プロジェクト・マネージャーのジョン・カサーニは、感謝祭（一一月の第四木曜日）のころにコーネル大学の天文学教授カール・セーガンに連絡をとり、ボイジャーに乗せる何らかのメッセージの検討をしてくれないかと頼んだ。セーガンは「もちろんだ」と二つ返事で引き受けた[2]。

セーガンはレコード盤を送ることに決めた。一九七〇年代当時に地球で一般的だったいわゆるビニール盤（ポリ塩化ビニル製）ではなく、一二インチ（約三〇センチメートル）の金メッキされた銅板製レコード盤だ。ゴールデンレコードと呼ばれたこのレコードは、双子のボイジャーそれぞれのために用意され、地球からの挨拶、画像、音声、音楽が含まれた。セーガンは友人らを集めて臨時のボイジャーレコード委員会を結成した。メンバーは、当時の妻リンダ・サルズマン・セーガン、セーガンの本のイラストを描いているジョン・ロンバーグ、『ローリング・ストーン』誌のライターのティモシー・フェリス、小説家でフェリスのフィアンセのアン・ドルーヤンだった。それぞれがレコードの内容の違う部分を担当したが、全員が音楽を持ち寄った。

地球すべてを表すものとして演奏時間九〇分間にあわせて音楽を選び出すことには、技術の問題があり、人間の問題もあった。デジタルファイルの時代の前には、音楽は物理的ディスク（レコード盤）やカセットに入っていて、タワーレコードやその他の「レコード店」[3]のラックに収まっており、それを手で持ち運んで、スタジオのプレイヤーでかけるものだった。このような技術上の問題に加えて、何を宇宙へ送り出すべきか選ぶことが問題だった。音楽のセレクトは個性にかかわるもので、宇宙空間での軌道を作る非個性的な数学とは違って、個人の好みが強く作用してくる。ボイジャーレコード委員会のメンバーは、宇宙へ漕ぎ出だす箱舟のノアになったつもりで人類の和音をかき鳴らしたが[4]、本人たちの気づかぬうちに音楽の選び方がバイアスで曇っていた。

どの音楽を地球から送り出すかを決めることは、ベストセラーの本ですでに思考実験として考えられていた。委員会に先立つ一九七四年に、高名な科学者ルイス・トーマスは「私はバッハに一票入れるだろう[5]。バッハのすべてだ。何度も繰り返し宇宙へ送り出すのだ」と著書『細胞から大宇宙へ――メッセージはバッハ』（橋口稔、石川純訳、平凡社）で提案している。そして、「もちろんわれわれの自慢になるだろうが、そうした初めての出会いに、できる限りよい部分を相手に示すことは間違いなく許される」し、「つらい真実はあとで話せる」と彼は書いた。ゴールデンレコードのために最初にセレクトされた音楽も、このベストセラー本の発想とそっくりで、地球全体を表すとはいい難いものだった。曲はほとんどがクラシック音楽というセーガンの大好きなジャンルであり、これはヨーロッパの小さな地域から生じたものであって、「ペイル・ブルー・ドット」（後年のセーガンは地球をそう呼ぶのがお気に入りだった）〔訳注：一九九〇年にボイジャー一号が太陽系の端に近づきカメラが壊れる直前に、六〇億キロメートルの彼方から地球を振り返って撮影した写真には、地球が小さく淡く青い点のように写ったため、のちにセーガンはこれを「ペイル・ブルー・ドット」（淡く青い点）と呼んだ〕の全体を示していない。とはいえ、徐々にほかの文化からの音楽も選ばれるようになる。委員会の若いメンバーの主張や、人類学者からの提案、伝説的な民族音楽収集家アラン・ローマックスによる叱咤激励によって、これまでの思考が揺さぶられ、プレイリストは地球全体を反映し始めた[6]。やがて、ゴールデンレコードは、発信源の惑星における真の抽出見本となった。ベートーヴェンの第五交響曲「運命」は宇宙の静寂を初めて破る象徴的な曲であり、またほかにも、セネガルの打楽器、アゼルバイジャンのバラバン（ダブルリードの縦笛）、ナバホ族（アメリカ先住民族）の詠唱、ソロモン諸島のパンパイプ、アフリカ系アメリカ人のジャズも選ば

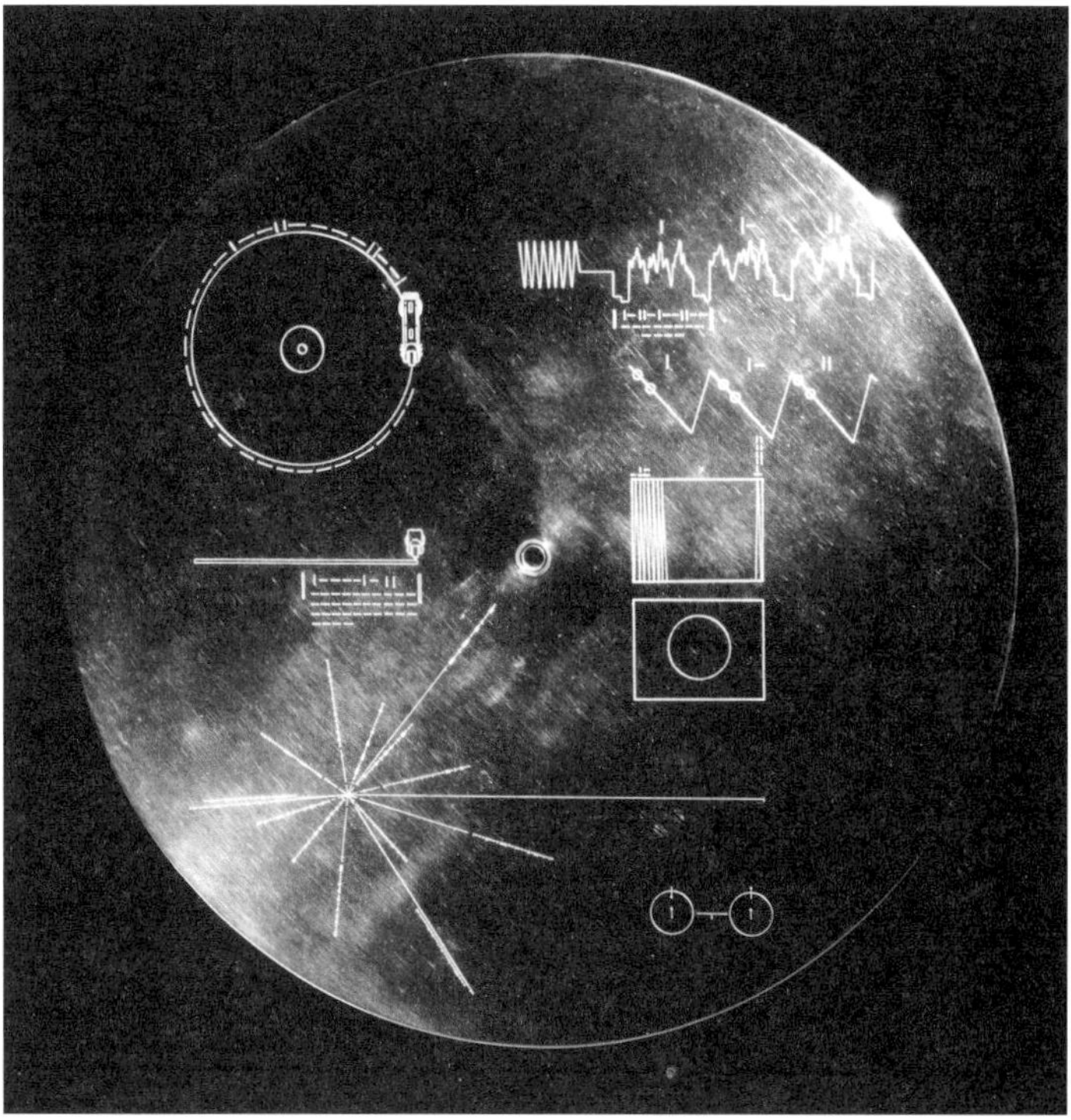

図58　ゴールデンレコードのカバーには、宇宙人にレコードの使い方を示す説明が刻まれた。

れた。

一九七七年八月二〇日にはボイジャー二号が、九月五日には一号が、それぞれゴールデンレコードを搭載して発射され、地球の「自作カセットテープ」〔訳注：原書のmixtapeの訳。一九七〇後半～八〇年代には広く一般の人々が、さまざまな音楽の録音を自分の好みで集めて、ダビングして作った自作のカセットテープで楽しんでいた〕の長い旅が始まった。NASAのミッションは宇宙のデータを収集するのが当初の目的だったが、世界の音楽というデータの発送もしたのだ。

一九七七年にこれが実現できたのは、それよりちょうど一〇〇年前に、蓄音機（フォノグラフ）が発明されたおかげだ。思わぬ幸運により、トーマス・エジソンは新たな仕掛けの装置を作り出した。その装置は、音楽を保存するだけでなく共有することも可能にしたために、社会にとって重要になってゆく。音楽はほとんどの文化で重要なので、エジソンは古くからの愛と伝統を利用することになった。

今日、私たちの現代的感覚では、音楽がすぐに手に入らない世界は想像もつかないが、かつてはそういうものだった。音楽が簡単に入手できるようになるには、エジソンの時代における変質を経験しなければならなかった。音楽はその形を変え、物理的になることが必要だった。音楽はデータになる必要があったのだ。

一八七七年以前には、人間の声を録音して再生する機械は存在しなかった。だから、エジソンの発明以前に亡くなった人の声の高さや抑揚は、知ることができない。これからも、孔子やシェークスピアの声も、エイブラハム・リンカーンやフレデリック・ダグラスの声も、聞き知ることはないだろう。ポーやディキンソンが自分の作品をどんなふうに読んだのかを知ることも決してないだろう。エジプトのヒエログリフなどで表された話し言葉など、古代の言語の発音も、研究者は永遠に明らかにできないだろう。一九世紀以前には、音声をとらえることなど、ほとんどありえない話であって、投げ縄で光をつかまえるとか風をビンに詰めるとか、そうした類の夢物語だった。詩人ラルフ・ウォルドー・エマーソンはエジソンのテクノロジーを予見して、「私たちは反響音をまとめ上げるだろう」と書いた。だが一八七七年に、エジソンは単に反響音をまとめることよりも進んだことをした。触れられて、持ち運べて、再生できるものにしたのだ。

エジソンの音波の夢

一八七七年の夏、三一歳のトーマス・エジソンは、二つの発明に目標を定め、一九世紀のテクノロジーに未来へのスタートを切らせようとしていた。研究所でじっくり考え続けていたのは、サミュエル・モールスの発明から電信メッセージを自動で書き出す方法で、彼はアレクサンダー・グラハム・ベルの電話の欠陥を修正したいと思っていた。エジソンは既存の発明を改良する名人で、いくつものアイデアを同時にさばくことは珍しくなかった。電話と電信の両方に取り組んでいた[7]一八七七年七月一七日という何でもない日に、それらを（ピーナツバターとチョコレートみたいに）混ぜ合わせようというアイデアを思いついた。電信の書く能力と電話の音を受け取る能力を融合して、後にエジソンがお気に入りの発明と呼んだ「音を書く」ことができる機械を考え出した。彼はそれをフォノグラフ（蓄音機）と名づけた〔訳注：「フォノグラフ」は、エジソンがギリシャ語で「音」や「声」を表す「フォネー」と、「書くこと」を表す「グラフェー」を組み合わせて造語した。ペンで紙に書き込むように、レコード針でレコード盤に音を書き込む、という録音技術のとらえ方は、その後のレコード産業初期まで広く見られた〕。

一八七七年夏の数か月、エジソンは前年にベルが発明した人気商品に追いつくために電話を改良したものを作り、同時に自分自身の湧き出すアイデアが滞らないように進行させるので大忙しだった。研究所の長い部屋の一区画には、スプリングやレバー、チップ（とがった針先部品）でいっぱいの作業台がいくつもあり、モールスの電信からメッセージを記録する方法として、特殊なコーティングをした細長い紙にトンツーの穴をあける機械を作った。エジソンは、部屋の別の場所で電話の実験も進行していた。アレクサンダー・グラハム・ベルはエジソンを打ち負かしたが、ベルの設計には問題があった。「t」「p」「v」「c」といった子音が含まれる言葉は、シュッという音になってしまうし、「s」「th」「sh」は聞き取れなかったのだ。[8] エジソンが円錐型のマウスピースの中に向けて叫び、マウスピースの反対側に添えた指で、その狭い開口部にかぶさる薄い物質が震えるのを感じ取っているのを、研究所の人々は毎日見ていた。その薄い部品はダイヤフラム（振動板）と呼ばれた。エジソンはそれの候補をいくつか試してみて、人間の声に忠実に震えるものを探していた。電話と電信のことを行ったり来たり考えて、彼のノートはスケッチでいっぱいになった。蒸し暑い日々、小さい穴をいくつも開けた紙の部品や共鳴する薄片の数々に囲まれてひたすら考えて取り組む過程で、彼のアイデアは生み出された。

　いつもどおりの真夜中の食事の時間がきて、大忙しの研究所が一時休止しているとき、ボサボサで滅茶苦茶な方向を向いた髪をしたメンローパークの魔術師は、まだ振動する部品に取り組んでいた。声を出しながら考えていたエジソンは、伝説となっている過剰な自信をもって一番助手のチャールズ・バチェラーに自分のアイデアを述べた。「ダイヤフラムの中心に針先を置いて、下に敷いている蠟《ろう》紙を引っ張りながら針先に向かって話したとする」と彼はいう。「それを戻してまた同じところを引っ張るときには、そこから話が聞こえてくるんじゃないか」[9]。このアイデアは研究室の誰にとっても青天の霹靂《へきれき》だった。人間の声をとらえて、後でそれを聞くものなど、これまで存在しなかったので、みなをゾクゾクさせたのだ。エジソンの言葉がスターターピストルとなり、直ちに「話す機械」の製作のための部品探しが始まった。

研究室の木製作業台には、エジソンが以前に行ったいくつかのプロジェクトの装置が置かれていた。すぐにそれらが利用されて違う目的に使われた。誰かが、針先のとがった部分を切り取って、円形のダイヤフラム（振動板）にはんだづけする。[10] 別の誰かが、ダイヤフラムとマウスピースを木製のスタンドにくくりつける。さらに、誰かが蠟紙を細長く切って、ダイヤフラムの針の下側に置く。こうして一時間もたたないうちに、魔術師エジソンの前に装置が現れた。部屋は静まり、エジソンは腰をかけて、恰幅のよい体を乗り出して、マウスピースに唇をつける。それから「ハローーー」と叫ぶと、その間に助手のバチェラーが、下に敷かれている細長い蠟紙をゆっくり一定の速度で（池に垂らした釣り糸を引くように）引っ張る。エジソンは叫ぶのをやめると、バチェラーとともに、紙を覗き込み、針先で引いた線が（消化中のミミズみたいに）太く、その後に細くなっているのに気がついた。二人は紙を最初の位置に戻し、またダイヤフラムの下で引っ張った。「私は固唾をのんで耳を傾けた」とエジソンは語った。「私たちにははっきりとした音が聞こえた」ので、「強い想像力があればそれは元の『ハローーー！』に翻訳できただろうね」[11] ということだ。ほとんど耳が聞こえないエジソンには何かが聞こえたが、バチェラーは懐疑的だった。

話す機械、すなわちフォノグラフ（蓄音機）〔訳注：talking machine（話す機械）という蓄音機の呼び名は二〇世紀初期まで一般にもよく使われていた〕の開発の種は蒔《ま》かれたが、続きはしばらく待たなければならなかった。エジソンは電話と電信のプロジェクトに戻っており、また電気による照明の新しい形を検討し始めていた。数か月が経過してエジソンはまだフォノグラフに戻れていなかったときも、ノートに設計図は描き続けていた。一一月末、彼はこの機械について考える時間を見つけて、円盤と細長い紙の両方を考えたあと、声の保存にシリンダー（円筒）を使うことに決めた。彼の設計が天才的だったのはその単純さである。マウスピースが音波を集め、それがダイヤフラムを（トランポリンで跳ねるように）押して、ダイヤフラムに触れている鋭い先端が上下に動き、シリンダーに巻きつけられているスズ箔〔訳注：tinfoilの訳。アルミ箔が市販される前の一九〜二〇世紀前半に家庭でよく使用された。その名残で、今でもアルミ箔がtinfoilと呼ばれることも多い〕をちくちくと刺す。多くの思考を重ね、数回の修正を繰り返して、感謝祭後の木曜日にエジソンは設計の概略を作って、信頼できる機械工のジョン・クルーシに渡し、意図を説明して、話したとおりの機械を作るよう指示した。クルーシは信じられないという様子でエジソンを見たという。

クルーシは、長い時間をかけて機械を作ることになった。一二月の最初の六日間は、フォノグラフを作ってすごした。[12] エジソンのアイデアに命を吹き込む過程で、クルーシは真鍮製のシリンダー表面に螺旋《らせん》状の溝を彫って（つえの形のキャンディの縞模様みたいに）、それに沿って針が進めるようにし、また、とがった針先を動かせる広さもとって、スズ箔の中へ刺し込めるようにした。クルーシはチャールズ・バチェラーとともに、スズ箔をシリンダーに貼りつけて、一二月六日に試験するために彼らの上司のエジソンに手渡した。すると魔術師エジソンは、マウスピースのところに唇を近づけて、自分の発明物に最初の言葉を与えようと準備した。エジソンは自分の幼い子どもたち（愛称は「ドット」と「ダッシュ」）〔訳注：モールス信号の「トン」と「ツー」。一八七七年当時、最初の結婚でエジソンには四歳と二歳の子どもがいた〕に向けてよく口にした言葉、「Mary had a little lamb」と叫んだ。この童謡（「メリーさんのひつじ」）は、一八四四年のモールスの「神のなせる業」のように予言的ではなかったが、前年の一八七六年のアレクサンダー・グラハム・ベルの「ワトソン！　きてくれ！　お前が必要だ」より意図的だったのは確かだろう。マウスピースに変えてスピーカーコーンを取りつけ、レバーを調整すると、エジソンの言葉はかすかに、だが紛れもなく聞こえてきた。エジソンは「人生でこれほど面食らったことはない」[13]と後に回想している。

ただし、この発明品には欠陥があったことは明らかだった。「Mary had a little lamb」（メアリー・ハド・ア・リトル・ラム）は、最初に試したときには「ary ad ell am」（アリー・アド・エル・アム）のように聞こ

図59　エジソンのフォノグラフ（蓄音機）は、シリンダーの周りを包んだスズ箔を刺すことで音を取り込むことができた。

えたはずだ[14]。さらに、フォノグラフは、シリンダーの螺旋状の溝の長さに限りがあったので、一分に満たない音しか保持できなかったし[15]、スズが柔らかかったので、メッセージは二、三回繰り返すと、変形してしまい、音が歪んで聞き取れる限界を超えてしまった。それでも、エジソンの熱意は冷めず、エジソンとその部下たちはフォノグラフからの発音をできる限り明瞭にすべく夜を徹して働き続け、翌日には発明品を世界に向けて見せようとしていた。

一八七七年一二月七日、エジソンとバチェラーはニュージャージー州メンローパークの小さな木造プラットホームから列車に乗り込んで、ニューヨーク市を目指した。エジソンの仕事の協力者エドワード・ジョンソンと合流すると、科学ニュースの主要発信源である『サイエンティフィック・アメリカン』誌のオフィスを訪問した。そこで、編集長の机にフォノグラフを置くと、何人かが見物しに寄ってきた。エジソンがレバーを回すと、見物人が増えてきて床がギシギシときしむ中で「おはようございます。ご機嫌はいかがですか。フォノグラフはどうでしょうか[16]」という声が聞こえた。それからフォノグラフは、大勢の見物人に、ではおやすみなさいと別れを告げて終わった。『サイエンティフィック・アメリカン』誌は、その日の記事をすべて止めるという、めったにしないことをして、全人類に向けて世の中が変わったのだと注意を喚起した。「発言は……不滅になった[17]」というわけだ。

従来からの書かれた言葉に加えて、エジソンが創出したのは情報を表す新たな方法だった。一枚のページの上の言葉には、声に出して読まれた存在と書かれた存在という二つの命があるが、かつて音声は一度しか生きられない存在だった。音声は短い時間内に限られ、存在場所は誰かの唇から別の人の耳までの範囲内にとどめられ、そうした範囲を超えれば、音声は雪のひとひらのように、痕跡を残なかった。このた

図60　粗末な山小屋に住む少年とフォノグラフ。この写真が示すように、音楽を聴けるということが、大衆的になった。

め、エジソンがフォノグラフへ「メリーさんのひつじ」と話したとき、彼の言葉は人類の進歩の画期的出来事となり、月に降り立ったときのニール・アームストロングの「一人の人間にとっては小さな一歩、人類にとっては偉大な飛躍」に等しいものになった。赤ちゃんの初めての言葉などの話された言葉は、フォノグラフのおかげで大事にしまっておいていつでも聞けるようになった。ところがエジソン自身の——あるいは人類の——気づかないうちに、エジソンはデータの形を変えたのだ。情報は、羊皮紙に殴り書きしたものや、グーテンベルグの印刷機で紙に印字されたものから、エジソンのスズにあけた穴へと変質していた。

フォノグラフはメンローパークの魔術師のお気に入りとなり、彼はこの発明品の未来をあれこれと考えて、フォノグラフ完成の数か月後には用途の一覧表を作り出した。表にはオーディオブック、授業、最後の証（キリスト教信仰）、音楽、玩具、返事する機械[18]などが含まれていて、それらの多くは現代に存在している。エジソンはまた、フォノグラフの主たる用途はビジネスでの口述筆記だろうとも考えていたが、こちらの予想は外れて、フォノグラフは音楽において、以降の世界に大きな影響を与えることになった。

フォノグラフより以前には、旅をして回る歌手の一座の生演奏か、各地域で才能ある人々による譜面の演奏[19]で、歌を流布させることができた。フォノグラフは国じゅうの人々の想像力に火をつけて、まもなく、大富豪の家の豪華な応接室から極貧の農家の古ぼけた家に至るまで、文明的な発達からは最も遠い地域にもフォノグラフが見られるようになる――音楽鑑賞が大衆化したということだ。エジソンは自分のフォノグラフで、あらゆる階層の人々に歌が届くことを夢見ていた。その夢はやがて実現し、すべての人々は音楽を手にするようになった。

エジソンは音楽を人々の生活にもたらし、やがて音楽を経験した社会は、彼のフォノグラフとともに変化した。音楽は、コンサートホールや公園、酒場でライブ演奏されるときには、演奏者と聴衆のあいだで、また聴衆どうしで共有されるイベントであった。フォノグラフが現れると、共同での音楽経験は広いホールからリビングルームへ縮小したが、その代わりに、演奏された音楽がいつでも聴けるようになった。フォノグラフはエジソンのお気に入りの発明品の一つだったが、誰もがエジソンのフォノグラフを気に入ったわけではなかった。マーチングバンドの守護聖人ジョン・フィリップ・スーザ〔訳注：一九世紀のバンド音楽の発展に尽くしたアメリカの指揮者、作曲家。『星条旗よ永遠なれ』などを作曲〕は、フォノグラフが「アメリカ音楽と音楽の味わいの著しい劣化[20]」をもたらすだろうと考えた。それでも、フォノグラフの売り上げは伸びていった。エジソンの発明から三〇年後の一九〇六年までに、二六〇〇万枚を超えるレコードが売れた。[21] 五〇年後の一九二七年には、レコード販売は一億枚に達した。[22]

一般大衆は、フォノグラフからの音楽に圧倒的に惹きつけられたが、そうして音楽を楽しんでいるあいだにも、フォノグラフが音楽を異なる形にしつつあることには気づかなかっただろう。アレクサンダー・グラハム・ベルの初期の電話が「s」「sh」のような音を拾えなかったのと同様に、初期のフォノグラフには限界があり、チェロやバイオリン、ギターの柔らかい音色をとらえられなかったので、録音される音楽にはピアノやバンジョー、シロフォン（木琴）、チューバ、トランペット、トロンボーンといった大きい音の楽器が好まれるようになった。[23] さらに、フォノグラフにうながされて、はっきりとした人種差別が存在する国ならではの音楽スタイルが作り出された。黒人と白人に社会的な付き合いはなかったが、フォノグラフのレコードは人種間の境界を乗り越え、白人ミュージシャンと黒人ミュージシャンが互いの音楽を聴き合い、互いの音楽スタイルを借り合った。フォノグラフは文化を運んだ。これらのミュージシャンどうしの音楽の共有が、ジャズやブルース、後のロックンロールの成立をうながし、エジソンには決して予想できなかった社会のまとまりを生み出した。

フォノグラフ誕生から一〇〇年後の一九七七年に、エジソンの発明の「子孫」は進化を続けていた。フォノグラフの系譜の一系統からは、データの保持にアナログの溝を使ったレコードが生まれた。別の一系統からは、磁石の粉を利用してデータを記録するカセットテープが出てきた。それぞれには欠点があった。カレコードはかさばるが、すぐに（目的の）曲をかけることができて、再生される音楽は高品質だった。カセットテープはポケットに入る大きさだが、聞きたい曲を再生するまでに時間がかかり、音質はあまりよ

図61　カセットテープは、リスナーが音楽を他人と共有することや、自分で自由に録音した自作カセットテープを作ることを可能にした。

くなかった。人間の親戚どうしに似て、レコードとカセットは見かけがまったく違うし、共通祖先のフォノグラフとも似ていないが、音楽を共有して広めるという一族代々の特徴は残っていた。

一八七七年のフォノグラフというエジソンの発明品は、ついには音楽を店で買うことを可能にした。一九七七年までにはカセットテープが、音楽を買ったり借りたり何度も聴き返したり集めたりする熱狂的な行動をますますヒートアップさせただけでなく、一族の新たな特徴も持つようになっていた。カセットテープの中の細長いプラスチック全体にたっぷり貼りついている磁石粉は、人が曲を聴くのを可能にしただけでなく、音声を自分で複製する能力も与えた。この録音できるという特徴によって、リスナーは音楽を自分の個人的好みに基づいてキュレートする〔訳注：展覧会を企画して展示物の選定や調整をすること〕自由を与えられ、そして、音楽を集めて複製してキュレートする能力が、自作カセットテープ（プレイリストの先祖）を生み出した。

自作カセットテープは、リスナーが音楽を自分独自のものにできるようにした。化繊生地のズボンが流行した一九七〇年代後半に始まって、自作カセットテープの内容は個人の気分や思考、関心、状況を表すようになる。一九七〇年代以降には、自作カセットテープが愛情の証や、友情の贈り物、愛情の表れになった。音楽は、それをプレゼントした人の最高のもの、あるいはそうありたいという希望の姿を示した。リスナーにとって意味のある音楽を選び出して整理する、というこの新しいスーパーパワーによって、ある意味では自作カセットテープが自分の音響的化身となった。プレゼントする人自身になったのだ。

自作カセットテープとあらかじめ録音されたカセットテープは、さまざまな方法で音楽の普及と共有をうながした。ラジカセ〔訳注：正式にはラジオカセットレコーダーだが、一般にはラジカセと呼ばれる。英語ではboombox〕の中のカセットテープは、聞こえる範囲にいる誰とでも音楽を共有する。カセットテープは、ミュージシャンが既存の流通ルートのほかに自分の音楽をデモテープで共有するという手段を与えた。ソニーのウォークマンは、iPodの一九八〇年代版として、リスナーがそれぞれ独自に保護する音楽的シャボン玉の中で、互いに音楽を共有する能力を与えた。ゴールデンレコードができた一九七七年には一億三〇〇〇万個を超えるカセットテープが販売され[24]、エジソンのフォノグラフがその一〇〇年前にしたことと同様に、鉄の磁石粉の「編成」によるカセットテープは音楽の大衆化をさらに推し進めた。

社会は音楽と自作カセットテープをまったく自由気ままに共有したので、エジソンのフォノグラフから磁気を利用するカセットテープへ飛躍して、気づかないうちにデータの形も変化していった。フォノグラフのシリンダーとその後のレコード盤の表面は、そこから生じる音波の強弱に一致する山や谷のような溝で覆われている。カセットテープなどのアナログの磁気テープでは、音波の強弱の連続的変化に追従して磁気も連続的に変化する。DATなどのデジタル録音では、音波から変換された電気が、テープ上の小さな区画ごとに、磁気を強くするか（1）弱くするか（0）の二進言語を話すようになっている。社会は、スズ箔と蠟紙の溝から、デジタルの磁気粉へ移っていった。人々がラジオやお気に入りのアルバムから曲を複製するのに忙しくしている間に、データの形が変わって世界は二進法の時代に入っていった。

このステップは重要だった。なぜなら、二進法はコンピューターの言語だからだ。二進法で話すデバイスが増えたので、より多くの機械が互いに連絡し合い、自動化の世界の可能性が大きくなり、最終的にコンピューターに考えさせることが実現したのだ。

二進法は現代の概念のように見えるが、エジソンがアナログ写真に取り組んでいた一八七七年より二〇年前に、アイルランドの数学者ジョージ・ブールが近代世界をデジタル化する種を蒔《ま》いていた。言語を愛するブールは、一八五四年に論理の単純な文章が記号で表せること、そして、各文章の互いの関係は真値と偽値を使って構築できることを発見した。その八〇年後に、マサチューセッツ工科大学（MIT）の大学院生だったクロード・シャノンはブールの難解な数学理論を電気回路の（「オン」「オフ」をさせる）スイッチにあてはめて、彼の機械に計算と思考の能力を与えた。シャノンはコンピューター言語を確立し、各機械をいっしょに動作させるために、すべての情報は「1」と「0」という基本単位「ビット」に還元されることが必要になった。音楽の情報もそうだ。そして、ひとたびデバイスがデジタルになると、人間はあまり必要ではなくなった。機械はそれだけで仕事ができたのだ。

書籍や新聞ではほとんど触れられなかったが、データが磁気の形態になったのは、画期的出来事だった。小さなスペースにもっと多くの情報を収めたいという長年の願いがかなったのだ。それに加えて、磁気データに切り替わったことで、データが二進法のコンピューターで処理できるようになったため、人間が不要になった。知らず知らずにデジタル形式は、音楽などのデータを自分のデバイスから流し出す（ストリームする）ために、データの物理的容器を取り除いた。ストリーミング配信サイトやウェブサイトにより私たちが楽しんでいる音楽は、私たちの画面上の美しい見せかけの中が発信元ではなく、ハードディスクがたくさん置かれたパッとしない建物やデータセンターから発信されている。私たちのデータは、単なるクリックの結果ではなく、磁気粉の動きなのだ。とはいえ、情報——と私たちの音楽——のこうした巨大倉庫が実現するには、その前にハードディスクが生まれていなければならない。ハードディスク誕生には、磁気粉の動きをうまく操ることが必要だった。

西海岸の若者たち

一九五二年の夏、ジェイコブ（ジェイク）・ハゴピアンという名の細身でエネルギッシュ、しっかりした身だしなみをしたアルメニア系のエンジニアが、三三人目の従業員として、カリフォルニア州サンノゼにあるIBMの西海岸の研究所に雇われた。彼は地元紙で見た「とびきりのチャンス」という宣伝文句の新しい仕事に応募したが、その仕事で何をすることになるのかははっきりしていなかった。「ビッグ・ブルー」の愛称でも知られるIBMは、カリフォルニアのエンジニアを東海岸の本社で募集したが、気候が寒冷で集まらなかったので、創造的才能を雇うために西海岸の研究所を設立中だった。IBM社員になったハゴピアンは、社内の何でも屋として働くコンサルティング・エンジニアになったことで、最も緊急の問題に取り組むことができた。これは彼にぴったりの仕事だった。というのは、ハゴピアンは非常に経験豊富なエンジニアで、問題を分かりやすい形にまで分解するコツを心得ていたからだ。これは彼の新しい上司がまさに必要とした能力だった。

ハゴピアンの上司レイノルド（レイ）・ジョンソンは、農場育ちの赤毛で背が高いスウェーデン系ミネ

図62　ジェイコブ（ジェイク）・ハゴピアン。エンジニアとして、IBMの初期のハードディスクに磁気層を作ることによって、データの形態の変化に貢献した。

図63　レイノルド（レイ）・ジョンソン。IBMでパンチカードを使わずにデータを保存する方法を見いだす任務を担った。

ソタ人で、両手で人の手を包むように握手をした。ジョンソンはほんの数か月前に、この西海岸の冒険的事業に放り込まれた。一九五二年一月のある日の午後、ＩＢＭの経営陣は、ジョンソンにニューヨーク州エンディコットの本社から、カリフォルニアへ引っ越すように命じて、家族ごと東部の土地から引っこ抜いた。当時の彼は、ＩＢＭ勤続二五年表彰者向けのクォーター・センチュリー・クラブのメンバーになるには一〇年早く、ニューヨーク州北部の家にようやく馴染んでもっと快適にしていくつもりでいたのに、彼の上司が違う計画を立てていたのだ。

ＩＢＭ社は問題を抱えていた。社内では毎年一六〇億枚のパンチカードが発生していたが[25]、このペースで増大し続けると、全部のカードを保存して分類して管理するのが難しくなり、破綻するのが目に見えていた。そもそもパンチカードは国勢調査のために生まれたものだった。当初は調査データが手作業で集計されていたが、国民が何千万人にも増えてデータが膨大になったために集計時間の短縮が求められ、パンチカードが利用されるようになった。カードの特定の部分に穴を開けて情報を表すこの方法は、アメリカの発明家ハーマン・ホレリスが考え出した。このアイデアには源が二つある。一九世紀の終わりに、列車の車掌は切符に穴を開けて乗客の身体的特徴を記していたことが一つ[26]。もう一つは織機（機織り機）である。一八〇〇年代にフランスのジョゼフ・マリー・ジャカールは、穴の開いた厚紙の指示書きから複雑な模様の織物を作り出す織機を発明した。この織機では、糸の通った長い針金のフックが一列に並んでいて、模様の入った布地を次々に織り出すことができた。布が織られるときに、厚紙の穴がないところでは模様になり、穴があるところでは模様にならないようになっていた。ホレリスの発明は、穴を利用して情報をもたらしたことがポイントだ。パンチカードによって、言葉だったデータが穴へと変換されたのだ。

ホレリスの発明前、一八八〇年の国勢調査の集計には七年半近くかかった。一八九〇年には二回、ホレ

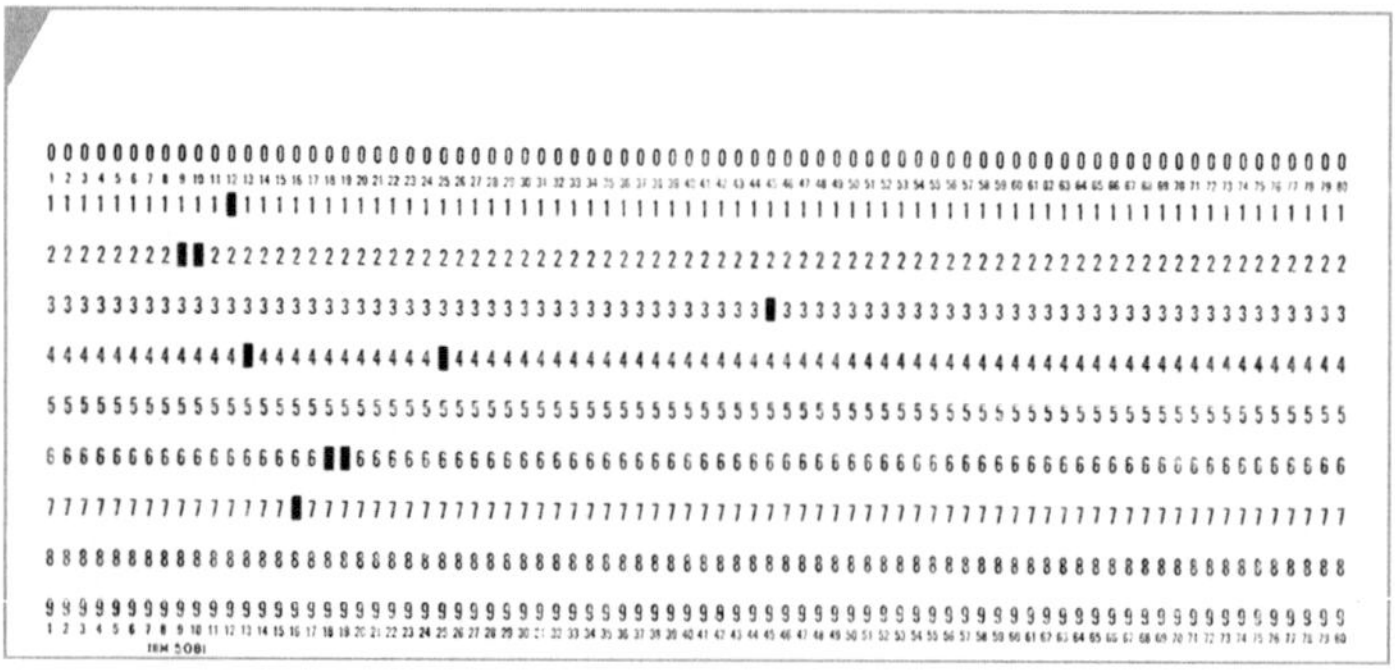

図64　パンチカード。穴を開けた場所によって情報を保持するものだが、扱う枚数が増大するとともに管理が困難になっていった。

図65　ハーマン・ホレリス。国勢調査データを収集して集計する方法として、カードに穴を開けることを考え出した。

図66　ジョゼフ・マリー・ジャカールの織物による肖像画。穴の開いたカードの指示に従って織機により織り出された（カードの穴の部分を針がとおって絵を作り出す）。

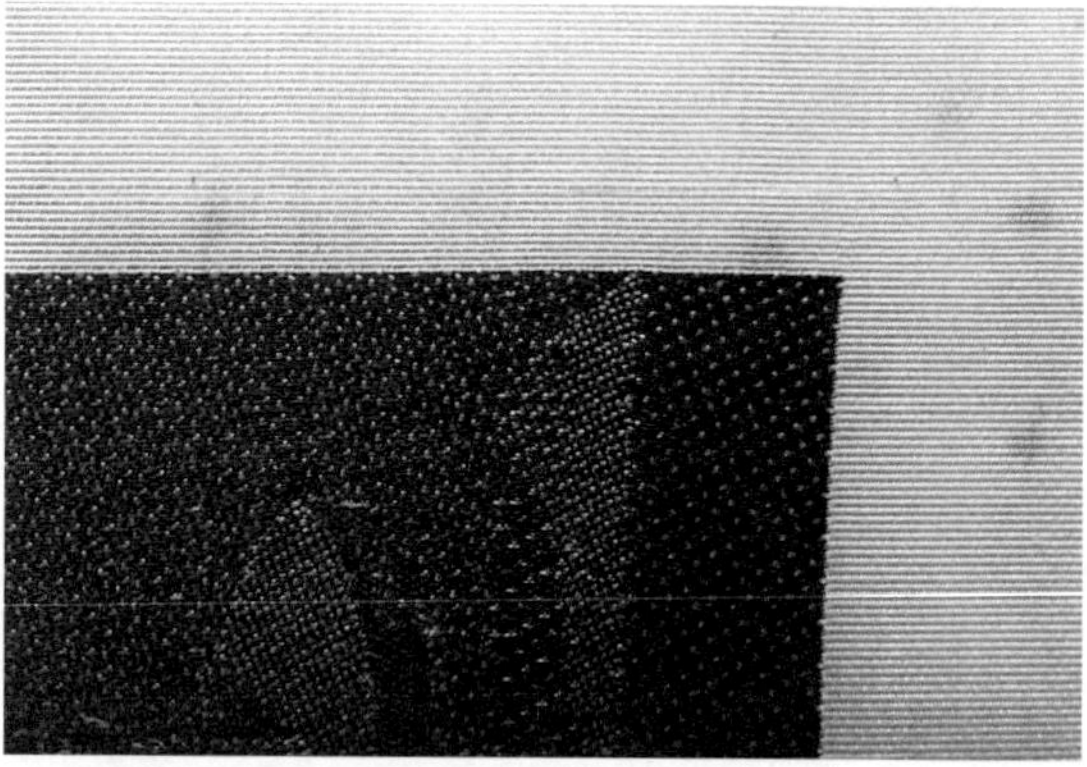

図67　ジャカールの肖像画の拡大図。織物であることがよくわかる。

図68　ホレリスのカードの穴あけ用、集計用、整理用の装置。

リスの会社で開発した（穴を機械で数える）システムによって、人口六五〇〇万人近いアメリカ国民のデータが二か月で集計された。[27] データの新たな形によって楽になったことは間違いない。一度集計がすめばデータは共有可能となり、政府が己を――誰が国民か、何が資源か、何が必要か、何が課題かを――知る助けになる。集計する国は増え、そうすると、集計したくなる国もますます増えていった。ホレリスの会社は買収されて、他の数社と合併されて新会社が設立され、インターナショナル・ビジネス・マシーンズ社（IBM）となり〔訳注：ホレリスは健康を害して、一九一一年の合併の際に自社（タビュレーティングマシン社）を売却したとのこと。新会社は「コンピューティング・タビュレーティング・レコーディング社」だったが、後の一九二四年にIBMに改称された〕、ホレリスのパンチカードは世界じゅうに行き渡った。だが、パンチカードは成功したゆえに、数がどんどん増えて、自分の首を絞めることになっていった。IBMはあまりにも多くのパンチカードを抱えていた。

このパンチカードのエベレストによって、レイノルド・ジョンソンはカリフォルニアへ連れてこられることになった。解決すべき問題はあったが、新しい方法で何かをするチャンスでもあった。IBMにはデータをコンパクトに保存する必要があったので、パンチカードの山ではダメ、データへのアクセスはリアルタイムで、自動かつ即時でなければならないので、パンチカード読み取り機ではダメ、ということだった。

ノートルダム・アヴェニュー九九番地に所在したIBMの新しい西海岸研究所で、ジョンソンは、データの保存方法の方向性をまだはっきりとは決めていなかったが、データ保存に必要なことについては明確な考えを持ちつつあった。顧客からは、一つ処理するのにいちいちすべてのパンチカードを読み込まずに、自由にアクセスする方法がないのか、といわれていた。一九五三年一月一六日にジョンソンは、パンチカード問題の対策作業班のエンジニアに声をかけて少人数で打ち合わせをした。だが、単なる打ち合わせよりも深遠なものになった。眼鏡をかけ白シャツの胸ポケットにクールじゃないポケットプロテクターを入れた典型的なエンジニア男性たちは、エジソンの後継よろしく、データの形を変化させる算段をつけようとしていた。

その打ち合わせでは、情報をどのように保存するかについて、みな口々に自分の意見を主張した。誰かが、大きな磁気シリンダーを使うことを提案した。それは、エジソンのフォノグラフ——スズ箔で巻いたシリンダーに針でつけた溝からエジソンの歌う「メリーさんのひつじ」が流れた機械——から借用した磁気版で、スズ箔の代わりに磁鉄でコーティングして、針の代わりに小さな磁石を浮かせておくものだという。別の誰かは、磁気テープを使うことを提案した。ほかにも、シート状や棒状、針金状の磁石を使う提案があった。何時間もかけてオフィス用の長テーブルでデータの形についてじっくり検討した末、ついに誰かが、レコードプレイヤーでかけるレコードのようなディスク型はどうか、と声を上げた。それがすべてを変えた。

このアイデアは深遠だった。ディスクは幾何学的にシンプルで、工学的な利点があった。ディスクにはA面とB面が作れるので音楽のためのスペースが広くとれて、より多くのデータが保存できたからだ。同じことはハードディスクにもいえただろう。

ジョンソンの西海岸チームは最初のディスクを、約六〇センチメートル幅（Lサイズのピザのような大きさ）にして、毎分一二〇〇回（アメフトのボールの二倍近い回転速度）でガタガタと回転させる必要があると考えた。さらに、ジュークボックスのようなメカニズムにして、本棚の本のようにディスクを垂直に並べる、ということでも意見が一致した。そこで、実際に作ってみなければ、ということになり、彼らはガ

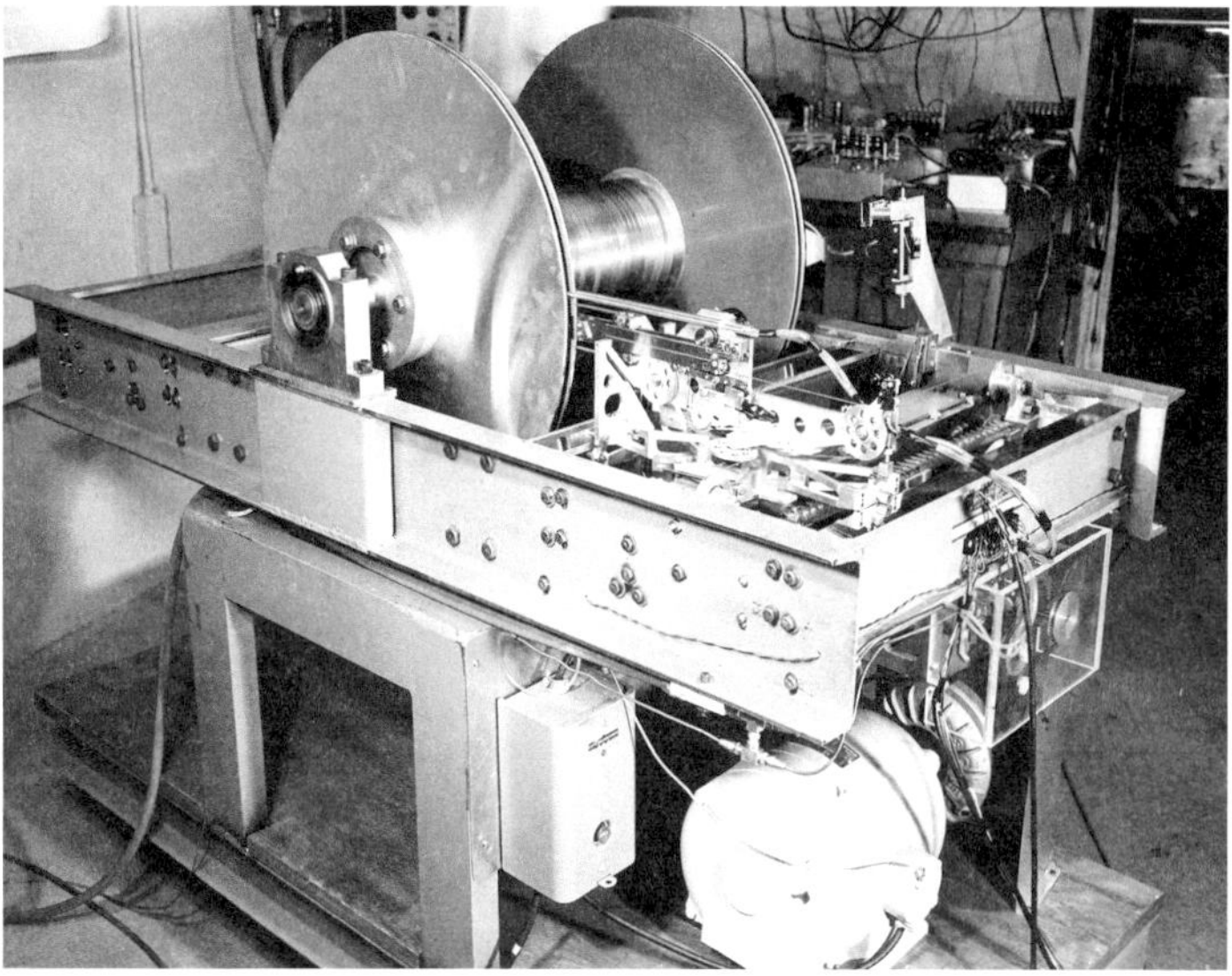

図69　最初のIBMのハードディスクはガラクタから集めた部品で作られた。

ラクタ置き場へ向かった[28]。

エジソンは発明家にはいくつものアイデアとガラクタの山が必要だと常々いっていたが、このときのＩＢＭのエンジニアたちはまさに必要なものを持っていた。スクラップの山から、回転するディスクの支持用に二つの金属桁を見つけた。これは、ハードディスクが部屋の中を（固定が不十分な洗濯機みたいに）動き回らないようにするには、十分な重さだった。ディスクを回転させるためのモーターも見つかった。アルミのシートもあった。そのシートをカットするとポテトチップのように歪んだので、それを伸ばすために、教会近くの廃材置き場から墓石を持ってきて重しにした[29]。

ハードディスクのメカニズムは、ジュークボックスとレコードプレイヤーからさらなるひらめきを得た。レコードプレイヤーでは、針はレコードの溝の模様に従うので、溝がデータとして働いて、データが音声に変換される。ハード

図70　ハゴピアンが、ディスクを回転させることにより、磁気粒子のコーティングをした方法

ディスクでは、磁気粉の層が、音声やその他のデータを保持する媒体として働く。レコード針に相当するのは磁気ヘッドで、それがハードディスク上に浮いていて、磁区を検知する。磁区は1か0（コンピューター言語の基本ユニット）で読み取られる。ジェイク・ハゴピアンの仕事は、ディスク表面に磁性粒子でコーティングする（被膜を作る）方法を見つけることだった。

　ディスクをコーティングするのは簡単ではなかった。広い表面を均一の厚さにすることが必要だったからだ。ハゴピアンは塗料を入れた大きな容器にピザサイズのディスクを浸してみたが、表面はザラザラになった。シルクスクリーンを試したが、でこぼこの表面になった。スプレーを吹き付けたが、表面は均一にならなかった。ある日、印刷所を訪れたとき、インクでコーティングされた自動シリンダーが、余分なインクを素早く除去しているのが見えた。これがハゴピアンの心に種を蒔《ま》いた。

　一九五三年一一月一〇日に、ハゴピアンは研究所に戻って一二インチ（約三〇センチメートル）のディスクと塗料、紙コップ[30]を持って機械工場に歩いていった。ディスクを回転させるためにドリルにとりつけて、紙コップからインクを垂らしてディスクの中央を中心として輪を描いた。ドリルの回転を始めると、塗料はスピンアートのように全方向に流れて、ハゴピアンが周りにセットしておいた新聞紙に飛び散った。塗料が乾くと今まで試したうちでは最もうまくいって、薄くて均一なコーティングはほぼ完ぺきな出来だった。

ハゴピアンは塗料のかたまりをなくすために、妻の古い絹の靴下で塗料を濾《こ》すこともした。[31] まもなく、初期のディスクの多くでは、この回転コーティングが正式の方法となった。

次にハゴピアンは、データを保持するハードディスクのコーティングに、何の磁性粒子を入れるかを見つけださなければならなかった。まず、酸化鉄の磁性粉末をバケツに一杯、ミネソタ・マイニング・アンド・マニュファクチュアリング社（３Ｍ社）〔訳注：現在は正式社名も３Ｍ〕から一ガロン（約三・八キログラム）あたり九〇ドルという高額で購入した。彼はこの磁性粉末を透明ワニスに混ぜ込んで、それをディスクに回転コーティングした。できあがったコーティングは爪で簡単に剝がれてしまい、使い物にならなかった。

ハゴピアンはもっと丈夫なコーティングを求めた。ある日、『ライフ』誌で「メルマック」という名の新しいタイプの割れない食器類の広告を見つけた。アメリカン・サイアナミッド社が製造したメルマックは、原材料がメラミン樹脂という丈夫なプラスチックだった。粉末のメラミン樹脂が入手可能だったので、ハゴピアンはそれを購入して、彼の軟弱な磁気コーティングを堅くて丈夫で滑らかに[32]しようとした。これはうまくいったのだが、まもなく研究は自分の力を超える領域に入っていき、助けが必要になった。

ハゴピアンは磁性粒子が必要だったので、自分とは違う理由でそれを使っている会社に働きかけた。[33] まずは、サンフランシスコのカリフォルニア・インク・カンパニーに電話をかけた。銀行小切手の機械処理を目的に、この会社の磁性インクが小切手の一番下にある番号の印字に使われていたのだ。次に、オークランドのセラミック製造会社のフェロ・エナメリング・カンパニーに連絡した。この会社では、陶磁器に磁性粒子を使って茶色と黒色を加えていた。その次に彼が連絡をとったのは、ニューヨークの映画会社のリーヴス・サウンドクラフト・コーポレーションだった。この会社は映画スタジオに酸化鉄を売っていて、それが映画フィルムの端にサウンドトラックとして塗布された〔訳注：サウンドトラックは、フィルムの長手方向の端に帯状に設けられた音声収録部分。のちに、映画の音楽だけを収録したアルバムもサウンドトラックと呼ばれるようになった〕。最後に彼はサウスサンフランシスコの塗料の会社W・P・フラー&カンパニー（フラー社）に手紙を書いた。その会社はオレンジ色や赤みがかった色を出す顔料として酸化鉄を利用し、その顔料は運動場やサンフランシスコ・ベイエリアのいくつもの橋に使われていた。この会社が大あたりだった。

この塗料会社のフラー社は喜んでハゴピアンを手伝うことにして、社内の研究所でメラミンを加えて強度を改善し、ポリビニルも加えて赤色酸化鉄の塗料が曲がりやすくなるような配合を作った。そして、それを一ガロン（約三・八リットル）あたり一六ドルで売れるように調整したため、３Ｍの九〇ドルに比べると格安になった。最終的に、コーティングはこの塗料で成功することになる。

フラー社は、ゴールデンゲート・ブリッジ〔訳注：建設は一九三三～三七年〕の象徴的なオレンジ色の塗料も作っていたので、好奇心の強いハゴピアンは、あるときその橋の塗料も注文し、回転コーティングでその鮮やかなオレンジ色をディスクに塗布してみると、色は美しかったが、それで作る磁場はデータ保存には弱すぎて使えなかった。[34]ハゴピアンにとって、骨の折れる単調な仕事の中ではささやかな楽しい出来事だったので、彼はこの経験を同僚たちに話したが、それを後悔することになった。まもなく、ハードディスクのデータ層にはゴールデンゲート・ブリッジの塗料が使われているという噂が広まったのだ。ハゴピアンは「（自分の仕事を）つまらない話にされるのは納得がいかない」[35]と漏らした。とはいえ、いいかげんな噂話はさておいて、ハゴピアンは他の人々とともに努力を重ね、それがコンピューターのハードディスクをもたらし、まもなくインターネットを擁する巨大なデータセンターが現れることになる。

図71　IBMによる初の商用ハードディスク、RAMAC。5MBのデータが保存できた。

図72　IBMのRAMACを運び出すのは男性数人がかりの仕事だった。

図73　ハードディスク誕生の地。カリフォルニア州サンノゼのノートルダム・アベニュー99。

長年に及ぶすべてのエンジニアの作業により、全ピースがそろえられ組み込まれて、IBMによる初の商用ハードディスクのRAMAC――会計と管理のランダムアクセス方法（Random Access Method of Accounting and Control）――は作り出された。RAMACは大きさが冷蔵庫二台分、重さは一トンを超え、データを五〇〇万バイト、すなわち五メガバイト（今日の写真のおよそ一枚分）保存できた〔訳注：一バイトは八ビットに等しく、アルファベットやアラビア数字の一文字分〕。

RAMACは巨大で、保存するデータもそれほど多くなかったが、すぐにデータ記憶装置の製造産業がIBMの手助けで立ち上げられて、より少ないスペースでより多くのデータという基本理念に従っていった。シリコンチップはムーアの法則〔訳注：集積回路の実装密度は一八か月で二倍になるというゴードン・ムーアの唱えた経験則〕のとおりに、データ産業は密度を倍増させた。ハードディスク上のすべての「不動産」には、そこに「住む」データが、よりコンパクトであることが望まれた。そうして、より少ないスペースに、より多くの情報が保存されるようになり、ほどなく社会はもっと多くのデータを渇望するようになった。ファイルやアプリ、ゲーム、画像、音楽へのこの渇望が、大規模記憶容量によって満たされると、消費者はさらに多くのものを共有できることに慣れていった。だが、データがコンパクトに収納されたことで、ほかの波紋が生じることになる。

音楽の記憶装置は、スズ箔を巻いたシリンダーから、レコード盤、磁気テープへと進化した。だがまもなく、音楽は物理的な覆いをすっかり脱いで、繭《まゆ》から出て飛んでいくチョウのように、デジタルファイルとしてサイバー空間へ飛び出して、コンピューターのハードディスクや、ＭＰ３プレイヤー、クラウドと呼ばれるデータセンターに存在するようになった。音楽が殻を失ってデジタルファイルになり、リスナーは音楽をいつでも聴くことができるという恩恵を受けた。だが、データの意味は変化した。データは印刷された言葉から、スズ箔の穴、レコード盤の溝、磁気粉、そして物体ではない形になったが、進化はそこで止まらなかった。大規模ハードディスク上のデータの普遍性とコンパクトなサイズによって、人々に関する膨大な量の情報が収集可能になった。かつて音楽は私たちが集めるデータだったが、今では私たちが集められている。

音楽が空気のような新しい形態になって、私たちが音楽を経験する方法は変わった。Napster（ナップスター）〔訳注：音楽配信サービス〕と後にはYouTube（ユーチューブ）から始まって、ストリーミングサービス、ＳＮＳ、iTune（アイチューン）など、各種ウェブサイトは、エジソンの予言のすべてをしのぐダウンロードによって、どこへでも誰にでも音楽をもたらした。さらに、エジソンが予想しなかっただろうことも起きた。デジタルフォーマットは、音楽をどのように経験するかだけでなく、何を共有するかも変化させた。メディアサービスは、データである音楽をリスナーに配信するが、リスナーについてのデータを集めてもいる。これらのサービスは、リスナーがどの曲を選び、どれくらいの時間や頻度で曲がかけられているかを知るだけでなく、リスナーがどこにいて、いつ聴いて、周囲に誰がいるかについてのデータも集めている。これらのウェブサイトと企業は、その後、私たちが自分のプレイリストからただ音楽を楽しんでいるあいだに、私たちについて収集したデータをほかの企業や代理店、広告主と共有する。

エジソンのフォノグラフによって音楽はデータになり、集められるようになったが、今日のテクノロジーによって今は人間がデータである。私たちはデータの進化における最終段階になった——楽曲の音をエジソンがスズ箔の穴として記録したことから始まり、今は私たちのすべての動きを追跡することに至っている。そして、エジソンが音声をとらえるために懸命に取り組んだのと同様に、私たちは今、自分たちのデータを懸命にコントロールして保護しなければならない。

エジソンはフォノグラム（蓄音機）を作り出したとき、音楽が共有される日を楽しみに待っていた。今それが実現している。音を書き込みデータを保存する能力によって、私たちは何を誰と——異星人とでも——共有できるだろうか、と想像力を膨らませてきた。だが今では、私たちは企業などのプラットホームから音楽を得られるだけではない。私たちについての情報が私たちのデバイスから取り出され、流れ出し、そして別の企業に売られている。共有することの定義が変わったのだ。私たちは何かを手に入れるが、私たちはどこかの誰かに配られもする。こうした事態はすべて、データの変質とコンパクトな収納で可能になった。今日私たちのテクノロジーはエジソンの予言どおりに展開しているが、私たちの現代は、必ずしもエジソンが願って夢にまで見たものではないだろう。

第7章

発見する

実験用ガラス器具のおかげで、私たちは新しい薬を発見し、またエレクトロニクス時代への秘密を発見することになった。

実験のごみから

一九二八年の秋、ロンドンのセント・メアリー病院の二階にある小さな実験室で、アレクサンダー・フレミングは顕微鏡を覗《のぞ》きながら、病気と戦う方法について考えていた。彼の脇には、にぎやかなプレード・ストリートが見下ろせるガラス窓があり、彼の机にはピペットやフラスコ、ペトリ皿が置かれている。この赤レンガの建物の中にこもって、フレミングはかつて第一次世界大戦中（一九一四〜一八年）に目の当たりにしたことをしばしば思い出した。一〇年前、軍医として服務中には、前線で傷ついた兵士らが、病院のベッドで感染症という別の敵と戦っているのをよく見たものだった。重度の熱傷や汚染創は死に直結したので、戦場での人間の敵との戦いと同様に体内の細菌との戦いも致命的であることを彼は思い知らされた。平和が宣言されて応急手当の仕事がなくなるとすぐに、彼はライフワークとして体が微生物との戦いに勝つことを目指す研究を始めた。感染症との戦いは古く、古代の巻物には、後に細菌（germ）と呼ばれるものと戦うかつての治療が記されている。フレミングは自分の実験用ガラス器具で「武装」して、人々が長く取り組んできたこの「軍事作戦」に貢献するつもりだった。彼は研究で信頼できる成果を出していったが、注目に値するほどのものではなかった。[1] ところがそれは、「小さな埃《ほこり》」のおかげで、すっかり変

図74　ペニシリンが発見されたロンドンのセント・メアリー病院のストリートビュー。フレミングの実験室は通りに面していて、写真では建物の一番手前の部分で、1階の丸い飾り版の上方にある下から2番目の窓のところだった。

図75　セント・メアリー病院のアレクサンダー・フレミングの実験室の内部。

図76　顕微鏡の前に座っているアレクサンダー・フレミング。ペニシリンを発見したころ。

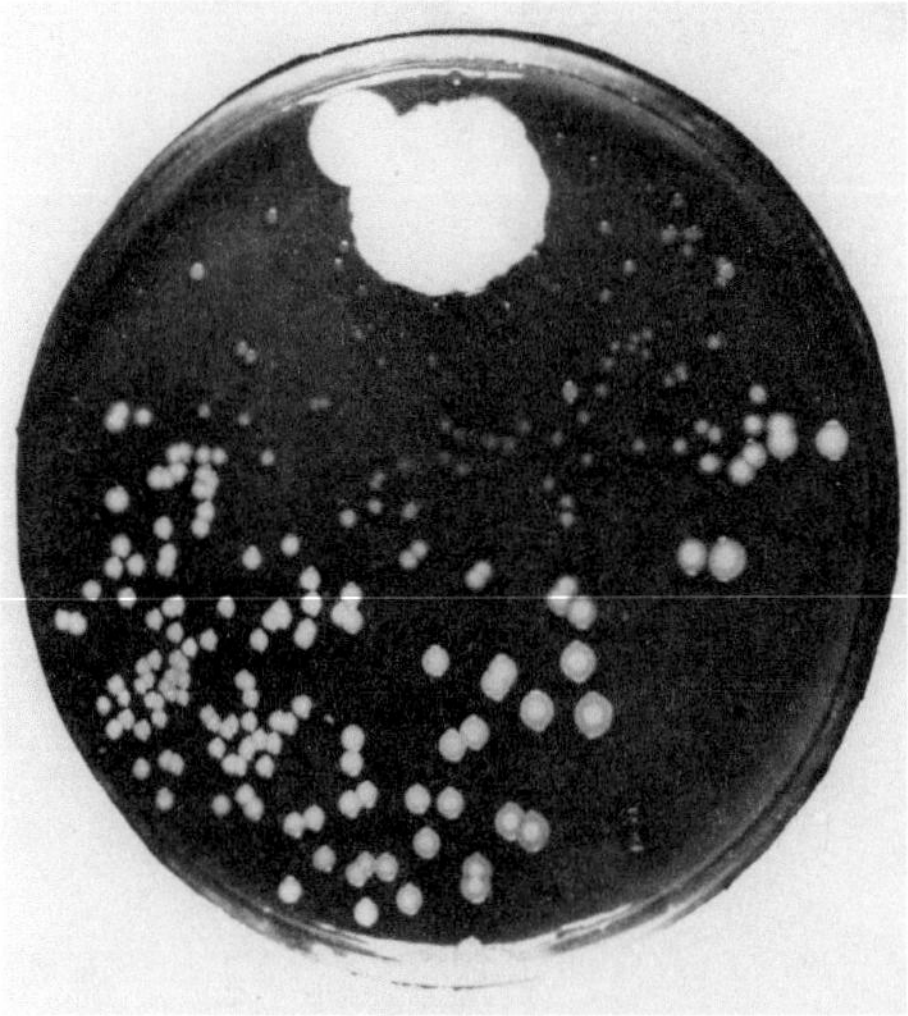

図77　フレミングが、ペニシリンを生成するカビが含まれることを発見したペトリ皿（現物）。

わることになる。

　魅力的な青い目、白髪交じりの髪、大きな鼻を持ち、小柄で痩せていて穏やかに話すこのスコットランド人の細菌学者は、まるで魔術師のように、仕事の合間にこっそりと楽しいものを作り出した。実験室のガラスのピペットチューブをいくつか使って子どものために動物を組み立てることもあれば、[2]ガラスのペトリ皿に細菌でカラフルな絵を描くこともあった。[3]フレミングは周囲の人々に細菌のピカソとして、それから、少々だらしない人[4]としても知られていた。同僚たちは実験が終わるとすぐにペトリ皿を洗って滅菌していたが、フレミングは何週間も自分の作業台に山積みにしてほったらかしていたのだ。

　一九二八年九月、フレミングは田舎ですごした六週間の夏の休暇から戻り、汚れたまま放置してあったペトリ皿のタワーを片づけ始めた。洗って滅菌して収納しなければならない。そのとき、皿の一枚に目がとまった。培養していたブドウ球菌がその皿全体に広がっていたが、そこにカビが混入して育っていて、その周囲だけブドウ球菌がいない。ブドウ球菌はこの「侵入者」を好まないということだ。こんなふうに、「小さな埃」あるいはカビの胞子などが侵入するコンタミネーション（汚染）は、実験室でよくある厄介事だったが、このときのフレミングは厄介だとは思わず、長いこと皿の中のそれを眺めてから「面白いな」とつぶやいた。[5]

彼はそのアオカビ（ペニシリウム属*Penicillium*）を取り出して、さらに培養して増やしてから詳しく調べ、カビが産生する物質を特定してペニシリンと名づけた。この物質と各種「ばい菌」を戦わせて顕微鏡のレンズをとおして観察した。彼はペニシリンが、レンサ球菌やブドウ球菌、淋菌、髄膜炎菌を打ちのめすが、チフス菌や赤痢菌には効かないことに気づいた。[6]ペニシリンは強力そうだったものの、人間のために役立てるにはまだまだ必要なことが多く、フレミングの性格や受けた教育では理解が及ばなかった。フレミングはこの発見を一九二九年に科学論文として書き上げて、ビンに入れた伝言のように自分の研究が好ましい岸辺にたどり着くことを願った。それからほぼ一〇年後の一九三八年、フレミングの論文は、オックスフォード大学の研究者エルンスト・チェーンと、上司のハワード・フローリー、同僚のノーマン・ヒートリーの目にとまり、彼らの実験室をペニシリン工場に変え、この万能薬を国際舞台へ大量にもたらすことになった。ペニシリンは無数の命を救った。だが、こうしたすべてのことは、ガラス製ペトリ皿の奇妙な埃のかけらに気づく人がいなかったら、起こっていなかっただろう。

ガラスは正反対の性質を併せ持つ古代からの材料だ。自動車のフロントガラスのように丈夫で、クリスマスツリーに下げるオーナメントのように脆《もろ》い。ガラスが文明の古くからの友人であることは明らかだ。エジプト人はガラスを使って、高レベルのスキルが必要な美しい花瓶やオーナメントを作った。今日、ガラス製の光ファイバーはインターネットの情報を運んでいる。ガラスは海辺の砂を起源とし、生活のほとんどの場面で人間に関係している。私たちはガラスで教会を飾り、ガラスで覆って電球の形を保ち、超高層ビルのガラス窓を作り、ガラスの鏡で自分の姿を見ることまでする。

ガラスはさまざまな発見にも重要な役割を果たしてきた。望遠鏡のレンズとして私たちの世界よりも大きい別の世界を見るために使われているし、顕微鏡のレンズとして私たちの世界よりも小さいものを見るためにも使われている。「百聞は一見に如かず」は科学の核心であり、ガラスは「見る」という科学的方法の心臓部に存在する。

今日では、いつでも使える試験管やビーカー、メスシリンダー、フラスコをそろえていない実験室はないだろう。科学者や研究者はそれらの器具を使って、炭疽症や結核、マラリア、「モンテスマの復讐」(旅行者下痢症)まで、原因や治療法を見いだしてきた。科学において、そして日常生活でも同じぐらいガラスは重要で、私たちはみなガラスをとおして何かを見ているが、ガラスを見ることはめったにない。ガラス自体を顕微鏡で見ることはほとんどないのだ。しかし、焦点をガラスに合わせれば、ガラスで多くの発見が可能になったのと同様に、新たな事実が明らかになるだろう。

科学実験用ガラスとオーブン調理用ガラス

オットー・ショットは、いつか整理整頓された清潔な化学実験室で新しい何かを発見することを夢見ていた。だが残念ながら、一八五一年にドイツのヴィッテンで、熱と汗と埃にまみれて働くガラス製造職人の一族に生まれて[7]、父方と母方のどちらも代々この沈滞した重労働産業で苦労して生計を立ててきたので、ショットは父親の窓ガラス工場でいっしょに働くことを暗黙のうちに期待され、実際にいわれもしていた。それでも、若いオットー・ショットには別の計画があった。高校のときから化学の授業をできる限りすべてとって、有機化学で化学博士号を取得することを目指していた。カイゼルひげをたくわえたショットは背の低い華奢《きゃしゃ》な男で、ガラスを腕力で作り出すことより、物質を理解するために自分の頭を働かせて自分の名を残したいと考えていた。一八七〇年代のドイツで、化学は、特に医薬品や化学肥料、爆薬の製造において、たくさんの面白くて革新的なものを生み出す手段だった。有機化学者たちは、バニラ風味のように自然に存在する物質をまねして作れる力に魅せられた。自然の秘密を明らかにするのは容易ではなかったが、物質の分子構造の解読に成功した場合には、それが新製品として大量に生産された。そうした化学的成功のうちでも、ショットの興味を確実にそそったのは、一八五六年のモーブと呼ばれる紫色の染料の生成だった。ウィリアム・パーキンがコールタールを化学変化させて作ったこの色は、服飾品に使われて大流行になった。ショットが子どものころ、布地の色はすべて植物や鉱物、動物から得られた黒や赤や青などに限られていた。[8] ところが、モーブは実験室で生成されて、それをほかの色素と組み合わせることで別の鮮やかな色も作り出せるようになり、他の生物を死なせる必要もなかった。ドイツはこの染料を最も大量に独占的に生産するようになり、「パーキンのパープル」(チャールズ・ダーウィンはモーブをこう呼んだ)は豊富に供給されて大衆を満足させた。世界は、オットー・ショットも含めて、有機化学者が実現することに夢中になっていた。

分子をあれこれいじることを思い描いて、ショットは有機化学の博士研究のために、ライプチヒ大学で大学院生として研究の場を求めたが得られなかった。落胆したが諦めずに、有機化学の横道に入ろうとして農芸化学の大学院の授業をとったものの、まもなくこの方面への興味を失い、挫折した。彼は夢破れて

図78　オットー・ショット。ドイツの化学者で、ホウケイ酸ガラスと呼ばれる新しいガラスを発明した。このガラスは現在でも科学実験室で広く使用されている。

図79　エルンスト・アッベ。ドイツの科学者。ショットと協力してガラスの研究を重ねて、ガラスレンズやガラス実験器具の品質を改善することに成功した。

ガラスに戻ったが、一八七五年に今度こそは、有名で活気のあるイェーナ大学（現フリードリヒ・シラー大学イェーナ）で博士研究を成し遂げた。博士論文のタイトルは『ガラス製作の理論と実践への寄与』で、子どものころからよく知っているテーマだった。その後は、あるガラス工場で働いて、ガラスの融解[9]や、ガラスの強化、ガラスの化学成分についての論文をいくつか発表した。一八七八年にヴィッテンの故郷の町へ戻り、工場の生産現場で相変わらずガラスの実験に取り組んだ。こうした研究は大成功には至らなかったが、彼はこの古くからの材料の働きについて火と化学成分を使って解き明かし、新しいものを作りたいと考えていた。

　物足りない日々をすごすオットー・ショットから四〇〇キロメートルほど西では、エルンスト・アッベ教授がイェーナの大学町の研究所で苛々《いらいら》とした日々を送っていた。尊敬されている物理学と数学の教授であり天文台の所長でもあったアッベ教授は、顕微鏡と望遠鏡のガラス製レンズに嫌気がさしていた。手櫛《てぐし》のボサボサ髪、むさ苦しい白髪交じりの顎ひげ、鼻の先までずれ落ちている眼鏡のアッベ教授は、何を見てもはっきり見えないのは科学実験用のレンズが欠陥だらけのせいだと気づいていた。ガラスにはときどき泡や筋、しわなど（線条と呼ばれたもの）が入っていて、船の通り過ぎた後の海面にできる航跡波のようだった。ときにはガラスは曇っていたり、濁っていたり、渦模様があったりして、マーブルケーキのように混ざらずに残っている部分もあった。何よりも、ガラスそのものの質が悪く、像が赤や青などの色に分かれて、現代の3Dメガネをとおしたような感じに見えた。ガラスは実験機器の心臓部なのに品質がひどすぎて、科学における飛躍的進歩の妨げになっていた。良質なガラスがなかったために、科学は「目が見えない」状態に陥っていたのだ。

レンズを利用する研究が満足にできない状態を打破するために、アッベ教授は優れた科学者なら誰でもしただろうことを実行していった。一八七六年の彼の報告書には、ツイードの服を身に着けた科学者たちの洗練された顕微鏡や望遠鏡など光学機器の未来は、頑丈なエプロンを身に着けたガラス製造職人の硬く分厚い手に託されている、と述べられている。最初期のガラスは、原料の炭酸ナトリウム（ソーダ）と石灰石（チョーク）、シリカ（砂）を熱して混ぜ合わせて作られたクラウンガラスで、これは窓ガラスやビンに使われた。材料のチョークの代わりに鉛化合物を使うと、もっと装飾的なものに使われるフリントガラスになり、これは鉛クリスタルガラスとも呼ばれた。何世紀にもわたってガラスにはこれらの二種類しか存在しなかったので、光学特性を改善したガラスを作るために、新たに加える物質を探索する研究が不足しているというのが、アッベの主張だった。

アッベは新たな研究の方向を定めて、「均一で信頼性があって予測可能な特性をそなえた新しい種類の光学ガラスの開発が必要とされる」[10]と報告書に書いている。彼は、ガラスに入った光がどのようにガラスと相互作用するのか知りたいと考えた。パン職人が小麦粉や水、イースト、重曹の量を変えてパンの食感や噛《か》み応えを修正するのと同じように、アッベはガラスの化学成分を変えることで、ガラスの特性を――白色光を虹の各色に展開させる特性や、飲みものの中でストローが折れて見えるように光を曲げる特性などを、どのように変えられるのかが知りたかったのだ。そして、再現できる一定の方法で、ガラスの原材料の化学元素を「調整つまみ」として、ガラスの特性を上げたり下げたりしようとした。続いて彼の報告書は、何十年というものガラスの研究ではたいしたことがなされていないとし、多くの人が知っているが遠慮して言及していないこと、特に、ガラス作りは昔ながらの方法によっていて、技術知識には基づいていないことを、あけすけに述べている。その技術知識がなかったので、科学的には進歩のしようがなかったのだ。

　この報告書を三年後の一八七九年に見つけたオットー・ショットは、アッベ教授に手紙を書いて[11]、地獄のような暑さと泥だらけの工場の床から逃れたいという希望を抱きつつ、さまざまな種類のガラスをとりそろえて差し上げましょうかと申し出た。ショットは、さまざまな化学成分でさまざまな量のガラスを整然と作り出すことに取り組んでいたが、それまで研究所への伝《つて》がなかったので、自分のガラスにできることを調べるための科学的測定ができなかった。もう一方のアッベは、そうした測定装置を利用できたが、新しいガラスを作る能力がなかった。二人はそれぞれの持っている部分と欠けている部分を相補う関係になっていた。アッベ教授は、科学界では無名の人物と協力することを厭《いと》わなかった。失うものは何もなかったからだ。オットーは余分な仕事をすることに夢中になった。得るものばかりだったからだ。オットー・ショットのナイスショットで、チャンスがやってきた。

　ショットはアッベにガラスのサンプルを送ったが、アッベの望んでいた光学特性ではなかった。それでも、一年半以上にわたる二人のやりとりが始まり、ショットは化学物質のさまざまな組み合わせとさまざまな分量でガラスを作り続けた。ショットは過去の科学者よりも化学物質をうまく選択できた。なぜなら、その二〇年前にシベリア人の科学者ドミトリ・メンデレーエフが、化学界を根底から覆す大発見「周期表」をもたらしたからだ。この表からは、世界の既知の成分である「元素」はすべて互いに体系的にかかわり合っていることや、表の中で互いに近い元素は似たような働きをすることが読み取れるものだった。ショットはこの新しい周期表を使って系統的なやり方で、さまざまな調合のガラスがどのように振る舞うのかを調べ始めた。周期表に基づくことで、ショットは目星をつけて配合を考えることができたのだ。

ショットは一八八〇年に、新しいガラス配合を作る計画を立てた。周期表をレストランのメニューのように使って、元素をさまざまな縦列から選択したり、ときには同じ列から選択したりして、何を選択したときに最もよい特性になるかを見極めるというものだ。彼は配合にリンとホウ素を加えることから始めた。[12]一八八一年の秋には、ホウ砂（洗剤添加剤）からとれるホウ素に注目して、非常に有望なものを見つけた。ガラスにホウ酸を加えてできたこのホウケイ酸ガラスは、欠陥がないように見えた。ショットは期待をもってこの新しい種類のガラスをテストのためアッベ教授に送付すると、後日、アッベから成功を祝う手紙が届いた。さらに、一八八一年一〇月七日付のアッベの手紙には、光学ガラスの欠陥についての「問題は解決した」[13]と書かれている。アッベ教授はショットをイェーナに招いて新しいガラスの実証実験をして、「問題は解決した」ことを実際に示した。

翌年も引き続きガラスの改良は重ねられ、ついに、アッベからの誘いによってオットー・ショットの密かな願いはかなうことになった。アッベの手紙は、ショットにとって最善なのはガラス工場で研究を続けることではなく、イェーナの化学実験室で研究することだと主張するものだった。これでショットの出立は決まった。

一八八二年、オットー・ショットは都市イェーナに移り住み、アッベ教授と、長年アッベ教授と協力して仕事をしていた顕微鏡製造技術者カール・ツァイス〔訳注：ドイツのマイスターで、大学の研究に使用される光学機器を製造するカール・ツァイス社を設立、特に顕微鏡は高い評判を得た〕と連携して、小規模な事業を始めた。ショットの実験はシュガーポットより大きいサンプルが作れない小型炉にはもはや限定されなくなり、サンプルは直径がボーリングボールほどもある巨大な「つらら」のようになった。ショットは一八八四年に、特殊ガラスを製造して販売するショット&アソシエイツ硝子技術研究所という会社を設立した。一八八六年に会社が制作した最初のカタログには、四四種類のガラスが掲載されたが、一八九二年までにはそれが七六種類になった。[14]

ショットは、光学レンズの改善のために新しい配合を考案していき、後には温度計のガラスも取り扱うようになった。一八〇〇年代後半の化学は、ものがどのぐらい熱くなったか（温度）、どれぐらい重いのか（質量）、どのぐらい空間を占めるのか（容積）、どのぐらいの力で容器の壁を押すのか（圧力）ということに限られていて、温度計は研究者が化学反応を調べるための数少ないツールの一つだった。しかし、多くの研究者は、自分の温度計の読みが、実際の温度よりも高い値を示すことに気づいた。測定後に温度計の値が、もとに戻らないこともわかった。温度計を熱して冷ますごとにガラスが変化して、水銀の入った球状の部分が変形して水銀が上昇するため、温度の読みが信頼できなくなっていたのだ。ショットはホウ素の量を調整して、加熱されても形状を変えないガラスを開発し、温度計が正確な読みを表示できるようにした。

オットー・ショットはアッベと協力して次々に特性の異なるガラスを作り出した。熱で形が変わらないガラスもその一つであり、これを使った温度計は読みが正確になった。別の種類のガラスは、光学特性が

図80 「JENA（イェーナ）」ラベルつきの顕微鏡。ドイツ製の高品質ガラスレンズとして非常に高い人気を得た。

改善されたもので、実験用の望遠鏡や顕微鏡にぴったりだった。もう一種類は、水や酸、その他の液体に溶けないガラスで、化学実験に向いていた。これらの開発品のポイントはホウ素だった。それぞれのガラスでホウ素の量が異なり、違う効果があった。[15] それはシェフがソースを作るときに、コショウの量で辛さの特性（やや辛い、辛い、とても辛い）を変えるなど、スパイスで味を調整するのに似ていた。少量のホウ素を加えるとガラスが光を曲げる性質が改善されて、優れた光学特性をもつガラスになった。多量のホウ素を加えると、加熱で膨張しないガラスになった。ホウ素ががっちりとほかの原子をつかんで強力なバネのように強く結合したため、高温になったときに他のガラスと違って膨張に逆らったからだ。ホウ素を中量にすると、酸などの危険な化学薬品に触れても持ちこたえられるガラスができた。ホウ素は他の原子と結合しやすいが、その結合は酸に弱いので、ホウ素の一部を別の物質に置き換えることで、ガラスは過酷な環境でも安定していられるようになったのだ。

まもなく、ショットの設計したガラスは、世界じゅうの科学者から引く手あまたになり、ドイツは顕微鏡、望遠鏡、実験器具（ビーカー、フラスコ、試験管など）というすべてのガラスの主要生産地となった。すべての科学者は、イェーナの名が刻まれた光学機器を求めた。このガラス市場へ他のメーカーが進出するのは不可能に思われたが、ニューヨーク州北部のとある会社が、科学を利用すればチャンスはあると考えた。

一九〇〇年代初期に、アメリカのガラスメーカー各社はドイツのイェーナのガラスに代わるものを開発しようとしていたが、イェーナのホウケイ酸ガラスの成分を解析するのは容易ではなかった。ガラスメーカー各社にはホウ酸が重要な決め手だとわかったが、残りの配合は謎だった。オットー・ショットは、ガラスが高温と大きな温度差に耐えられるようにする要素について、極めて専門的な論文で詳しく説明したが、ガラス関係の労働者には、ショットの理論を解釈して工場での実践に落とし込むことはできなかった。それを成功させるには、頑丈なエプロンを身に着けた労働者が、学者から何らかの支援を受けることが必要だということを、アメリカのニューヨーク州コーニングに所在するコーニング・グラス・ワークス社は理解した。

この家族経営の会社は、一八六八年にニューヨーク州ブルックリンからコーニングに移転してきた。コーニングの運河で商品を輸送してペンシルベニア州からの石炭を入手すれば、ガラス溶解炉の火を絶やさずに操業できると期待したからだ。コーニング社はおもに装飾ガラスと食器類を製造し、まもなくエジソン電球のための手吹きガラスを作るようになった。だが、イェーナガラスと競争するには、もっと科学を取り入れて新商品を作らなければならなかった。コーニング社は代々受け継いできたガラスレシピを使うのをやめて、科学的な方法を実践し始めた。経営陣はまず、ガラス溶融物に加えた物質を従業員に書き出させることにして、同じものを必要に応じて作れるようにした。そして、当時のガラス工場としてはふつうでないことを実行した――科学者を研究員として雇用したのだ[16]。

コーニング社は、他社とは差別化した商品を開発してドイツ製商品と競うために、一九〇八年から化学の専門家を研究員として雇い入れ、その投資がよい結果を生み出しつつあった。研究員たちは新商品のガラスではホウ素が重要な決め手だと理解し、試行錯誤して、ついには、ホウケイ酸ガラスの一種を作り出した。このガラスはノネックス（Nonexは「NON-EXpanding glass（非膨張ガラス）」の略）と名づけられて販売されたが、残念ながら実験器具市場では不成功に終わった。初期のノネックスは、一五年近く先行していたイェーナガラスには品質面で太刀打ちできなかったうえに、ドイツのガラス製品は教育用として優遇されて低い関税で輸入されていたからだ。ドイツのガラス製品が法外に高い値段にでもならない限り、顧客としてはアメリカ製を買う理由は何もなかった。コーニング社は経営破綻を回避すべく、自社のホウケイ酸ガラスの国内市場を求めて、国内で最も利益の上がる商売に手を伸ばした。鉄道という巨大産業である。

一九〇〇年代初期、鉄道線路は伸びていきアメリカのいくつかの端のほうまで達した。地図の空白をなくしていっただけでなく、スピードによって時間を圧縮した。だが、スピードには代償を伴い[17]、列車が速度を増すほど衝突や脱線などの事故は増えて、ますます悲惨なものになった。このため、もっと安全に運航できるように信号システムを改善することが求められた。線路の「止まれ」の信号は、熱いアーク灯に赤いカバーをかぶせたもので、雨や雪など悪天候の日には事故が頻発し、さらに、ガラスの割れやすさも事故増加を助長した。

天候が荒れるたびに、鉄道信号の赤いガラスカバーは苦境に陥っていた。ガラスの内側は熱いアーク灯に熱せられて膨張したが、同時に外側では雨や雪で強く冷やされて収縮したので、外側と内側の矛盾した力でガラスにストレスがたまり、これが長引いたときガラスがついに割れたのだ。赤いガラスをとおして見える光が警告を発して列車を止めていたのに、ガラスが割れて信号が赤くなくなれば、「進め」という偽のメッセージに変わって、これがときに命取りになる。安全に進めることを意味する偽のメッセージは、別の列車との衝突を引き起こしかねないからだ。さらに、(悪天候だけでは物足りないとでもいいたげな)いたずらな少年たちにBB弾の的にされ、一発で赤いガラスカバーが粉々になることもあった。鉄道は、天候と不良少年に耐えるもっと良質なガラスを必要とし、コーニング社の強靭なノネックスガラスがそれに

図81　ジェシー＆ベッシー・リトルトンはパイレックスの誕生に尽力した。ベッシーは割れて飛び散らない加熱調理皿が欲しいと考えていた。夫のジェシーはコーニング社のガラスに関する材料物理学の研究者で、ガラスの試作品を持ち帰ってベッシーに料理を試させた。

応えて成功を収めた。

コーニング社のガラスはめったに割れなかったが、まもなくして、それがあだとなった。コーニング社のガラスは鉄道各社に採用されて売れ行きはしばらく好調だったが、各社がひととおり頑丈なガラスを買ったところで、もう交換の必要がなくなったので、売り上げが急激に落ち込んだのだ[18]。そもそも目新しい新製品で買い替えが進むタイプの商品ではなく、必要な売り上げには届かなかったために、会社としては新しいガラス市場を求めて奔走することになった。やがて、会社の救世主は現れる。よりにもよって、手作りのケーキから。

一九一三年夏のある日の午後、物

理学者でコーニング・グラス・ワークスに最近研究員として入社した科学者の一人ジェシー・タルボット・リトルトンは、妻のベッシー（本人はベッシー・J・Tと呼ばれるのを好んだ）が焼いたスポンジケーキを持って出社した。夫妻は米国南部人で、ジェシーはアラバマ州、ベッシーはミシシッピ州の出身だった。ジェシーはミシガン州アナーバーで一年間、物理学教授として働いた後に、二人でニューヨーク州コーニングに越してきて、北部の新居に慣れようとしているところだった。ケーキには南部の温かいもてなしの心がこもっていた。とはいえ、そのケーキは親睦のための提供物というだけではなく、科学実験でもあった。その日まで二週間、ジェシー・リトルトンは、ガラス容器での料理のメリットを同僚に理解してもらおうとしていたが、同僚はその考えを笑った。[19] 世代を超えて誰もが「ガラスを熱に近づけるな」と教えられてきたので、ガラスで焼き菓子を作るなどばかげたことだと思われたのだ。周りは知る由もなかったが、リトルトンはただの南部出身の若者ではなく、ガラスにかけては彼の右に出る者はいなかった。

リトルトンはガラスで頭がいっぱいだった。夕食の席ではガラスについての話をした。デザートにプルプルのゼリーが出てくると、ゆっくりと小さな断片に切り分け、ガラスはこんなふうに壊れるんだといって子どもたちに見せた。[20] 自分の埋葬のときにはガラス製の棺桶《かんおけ》でとさえ願った。[21] ガラスは料理用の容器に使えると彼が確信をもって主張したのは、ウィスコンシン大学時代の一九一一年にガラスの加熱時の特性について論文にしたからだった。同僚はみな化学畑の研究者で、ガラスの加熱に関する知識を誰も持ち合わせていなかった。それゆえ同僚たちは、厚いガラスの壁では食べ物を均一に調理できず、薄い金属製のフライパンのようには熱が全体に伝わらないだろうと思い込んでいた。そうではないことを物理学者のリトルトンは知っていた。誰も彼の言葉に耳を傾けなかったので、南部人の感性を持った彼は、馬鹿にされたままではいられなかった。そこで、行動で示そうと決心して、妻のベッシーの助けを借りたのだった。

訪問者の少ない辺鄙《へんぴ》なプランテーションで育ったベッシー・リトルトンは、来客を楽しみにしていた。ニューヨーク州北部の新居で、夫に職場の人を家へ夕食に招きましょうと頼み込んだ。身長一五二センチメートルそこそこの華奢《きゃしゃ》な体に、ふっくらしたスタイルの黒髪をした彼女は、話し好きで、独善的な女性でもあった。ベッシーには物事はかくあるべしという厳格なルールがあり、ジェシーも従わなければならなかった。嘘はだめ、お酒はだめ、煙草はだめ、食事の席では悪口はだめで有色人種もだめ、というものだ。[22] それに対して、夫のジェシー・リトルトンは、背が高く手足が長くてひょろっとしていて、真剣そうな目に眼鏡をかけ、いつも不機嫌そうだが、出すぎず礼儀正しい男性だった。妻に応えて、同僚の研究員H・フェルプス・ゲイジを連れてきた。ベッシーは夜どおし、独身男性のゲイジに結婚しなさいと口うるさくいっていた。夕食後にジェシーがガラスについて話しているとき、ベッシーは二人の男性に、囚われの聴衆として自分の悩みを聞いてもらうつもりでいた。

その数日前のこと、新品のガーンジー製キャセロール鍋[23]は、ベッシーがおろして二回目に使ったとき、もう割れてしまった。それで彼女は、男性二人が割れないガラスについてずっと話していたその夜、この自信過剰な男性方は割れない調理器具を作るべきだと主張した。翌日、ジェシー・リトルトンは、ノネックスのバッテリージャー（蓄電池の電槽《でんそう》）を二個手に入れた。これは円柱型のガラス容器で、バスケットボール（約二四センチメートル）が入るほどだったので、底の部分だけを切って取り出して円形の器として、ベッシーのところに持ち帰った〔訳注：当時、自動車用や産業用の蓄電池に、ガラス製の電槽（バッテリージャー）が使われた。蓄電池は、この電槽の中に金属製の陽極板と陰極板、酸やアルカリの電解液を満たしてできていた。当時のバッテリージャーがアンティーク品として、花瓶などインテリア用に現在も販売されている[24]〕。

ベッシー自身は料理をせず、料理のための召使いを雇っていた。南部の子ども時代には、プランテーションの支配を逃れられなかった黒人解放奴隷たちが召使いだったが、おとなになって北部に住む彼女の召使いは、勤め口を探しにニューヨーク州にやってきた白人移民家族の少女たちだった。ベッシーは「料理長」ではなかったが、ケーキや菓子を焼くときは自分が中心になった。夫から割れないガラスの器をもらうと、すぐにお気に入りの台所仕事にとりかかり、砂糖と卵、小麦粉、バター、牛乳、バニラ、そしてベーキングパウダーを使って白いケーキ作りを始めた。キッチンのボウルや器具をすべて使って[25]、混ぜ合わせた生地を目新しい器に入れて、オーブンで焼いた。しばらくして現れたのは、均一に茶色く焼き上がったケーキだった。金属の器で焼いたものよりも、よい焼き色だった。

翌日、ジェシー・リトルトンはそのケーキを職場に持っていき、実験で焼いたケーキとは知らせずに配り、全員からそのケーキはおいしかったという感想を得た。そうしてから、リトルトンがこれはガラスで焼いたケーキだと告げると、同僚の研究員たちはバツが悪そうに頭を掻《か》き、経営陣も顎《あご》を撫《な》でて考え直す面持ちになった。

ケーキは実際にガラス容器でよく焼けて、表面の見た目もおいしそうな茶色であることを同僚たちが納得すると、リトルトンはなめらかなガラス容器は金属容器よりも、焼けたケーキが取り出しやすいことも伝えた。同僚たちは、ガラスが割れずにケーキを焼けたとしても、リトルトンが持ってきたケーキのようにおいしそうなものができ上がるとは思っていなかった。彼らはケーキをおいしく食べて、自分たちの誤りをすっかり認めた。

彼らはベッシーに、ほかの食べ物で試してガラス容器がどのように使えるかを教えてほしいと頼んだ。そのためベッシーは、本当はグリッツ〔訳注：トウモロコシを挽いた粉の粥〕や、コーンブレッド、カラードグリーン〔訳注：肉厚の葉物野菜の煮物〕といった南部の料理のほうがおいしいのにと思いながらも、「在宅家庭内研究員」としてフライドポテトやステーキ、ホットココア[26]などをガラス容器で作ってみた。ガラス容器は性能がよく、調理したも

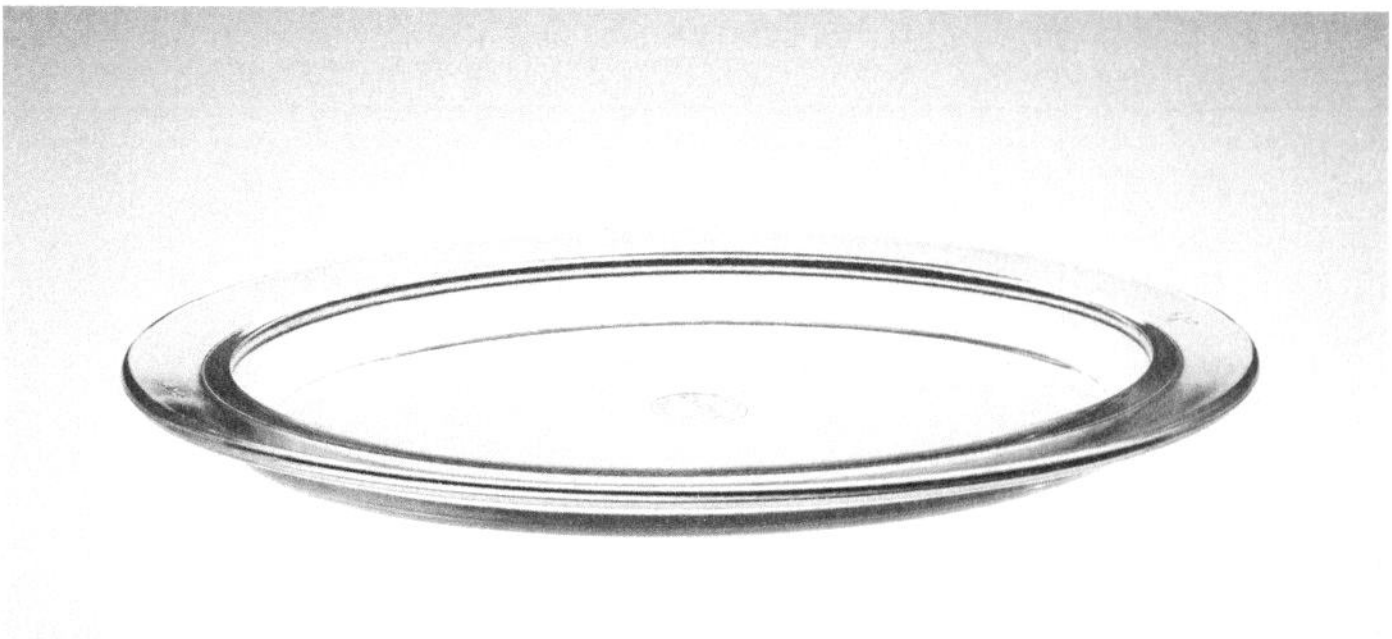

図82　パイレックスの調理皿の強さは材料成分に由来する。ホウ素という元素がカギだった。

のはこびりつかず、金属フライパンのように食品のにおいが残ることもなかった。[27]

　このガラスでおいしい料理ができたことを聞くと、コーニング社経営陣は商品化できそうだと考えた。しかし、いくつかの修正が必要で、さらに調べなければならないこともあった。まず、ノネックスは鉛が含まれていたので、配合を変えなければならなかった。[28] 研究員らは、耐熱容器に鉛を含まないホウケイ酸ガラスを作った。次に、ガラスの強度試験として各種の耐熱容器にスープの缶詰の重りを上から落としてみて、キッチンで発生しがちなそのやっかいな問題にどの程度耐えるかを調べなければならなかった。陶板類は約一五センチメートル上から重りを落とすと割れて、陶器類は約二五センチメートル上から落とすと壊れたが、ホウケイ酸ガラスはその程度の衝撃には余裕で耐えて無傷、腰の高さから落としても大丈夫だった。[29] これらの衝撃テストの後、研究チームは耐熱ガラス容器がどのように食品を調理するかを明らかにしなければならなかった。ベッシーは食品が金属容器よりも速く調理されると報告したが、これは研究員たちの思い込みとは逆だったため、実験を行うことによって真相にたどり着いた。

　研究員の一人は、銀の微粒子がたくさん入っている液体の薬品にノネックス容器を浸して、表面に銀の薄い層を作って、鏡面仕上げとした。それから、ただのノネックスの容器と鏡面仕上げの容器のそれぞれで、ケーキを焼いた。焼き上がりを取り出すと、鏡面仕上げの容器のほうではうまくケーキが焼けていないことがわかった。[30] オーブンの壁からの熱は、太陽光線のように透明なガラスを通過してケーキに熱をとおすが、鏡面は熱を跳《は》ね返すことがわかった。ガラス容器は金属容器とは調理の仕方が違うということだ。金属容器に入ったケーキは、オーブン内の熱い空気とオーブンからの熱によって加熱される。ガラスでは、それらに加えて第三の方法で目に見えない熱線からの熱をとおしてケーキに届かせる。

新しい目的を持つこのガラスを商品化するにあたっては、この新しいガラスでできることが、消費者（ほとんどが女性）にわかるような商品名が必要だった。市場に出した最初の商品はパイ皿で、当初は「パイライト」と呼ばれていた。[31] それを一九一五年に「パイレックス」という名に変えて、[32] 従来品のノネックスに関係づけて、ラテックスやキューテックスのようにもっと未来的で医療的な響きを持たせた。パイレックスは当初はあまり売れなかったが、商品を軽量化するなど、コーニング社が顧客の必要に耳を傾けて応えるようにすると、まもなく家庭の定番器具になった。一九一九年までには、四五〇万個[33]の耐熱商品が売れた。鉄道信号用ガラスの経験で得た教訓を生かして、コーニング社は売り上げを伸ばすために多くの形やサイズ、色の商品を作り出して、やがてパイレックスはクリスマスプレゼントの定番となった。それでもなお、コーニング社は実験機器用ガラスから目を離さずにいた。こちらの市場へ参入する機会は、戦争の贈り物として獲得することになる。

一九一五年に、アメリカが第一次世界大戦に参戦する可能性によって、米政府には軍事用途でガラスを作る能力が必要なことが明らかになってきた。イェーナガラスは世界最高品質と見なされたが、ドイツからの輸入は減少していた。コーニング・グラス・ワークスを含め国内各社は、数年前からドイツ製ガラスの代替品の製作を迫られていた。当時の大統領ウッドロウ・ウィルソン[34]はコーニング社の経営陣にドイツ製品の代替品の開発準備を依頼したと伝えられている。ガラスの用途は、米兵の銃の照準器と双眼鏡、水兵の六分儀と潜望鏡、空軍兵の航空カメラと距離計[35]、軍医の検温器と薬品ビン、また、実験室で化学者が爆発物を合成する際の器具などが見込まれた。

アメリカ参戦の瀬戸際に、コーニング社はホウケイ酸ガラスを作っていたが、依然としてイェーナの理想的な配合はドイツの特許に守られていた。コーニング社を始め多くの企業は、その配合レシピを獲得したいと願っていた。その願いはかなうことになる。

アメリカのそれらの企業は知らなかっただろうが、平時の法律は戦時には守られない。アメリカは参戦すると、ドイツの二万件近くにのぼる大量の特許[36]を戦利品として没収した。モーブなど各種染料やアスピリンといった各種薬剤など、特許に守られてドイツが独占していた商品は、アメリカの秘密兵器の一つによって爆破された。この兵器は火薬ではなく「対敵通商法」という法律である。これによってドイツの科学、つまり敵の科学がアメリカ人やアメリカ企業の格好の餌食となった。それらの特許には、各種の特殊なガラスのレシピが埋もれていたのだ。

戦後、コーニング社は、新しいパイレックス製品のラインナップをとりそろえ、ドイツからの供給が減った分の代役を果たした。実験室にはパイレックスのペトリ皿、試験管、フラスコがそなわった。家庭では、パイレックスの耐熱皿、オーブンの扉のガラス窓、パーコレーターの蓋のつまみ〔訳注：パーコレーターはコーヒー抽出用のポットで、つまみ部分の内側に熱湯があたるようになっている〕に使われた。自動車では、ヘッドライト、電解槽、圧力計の蓋にパイレックスが

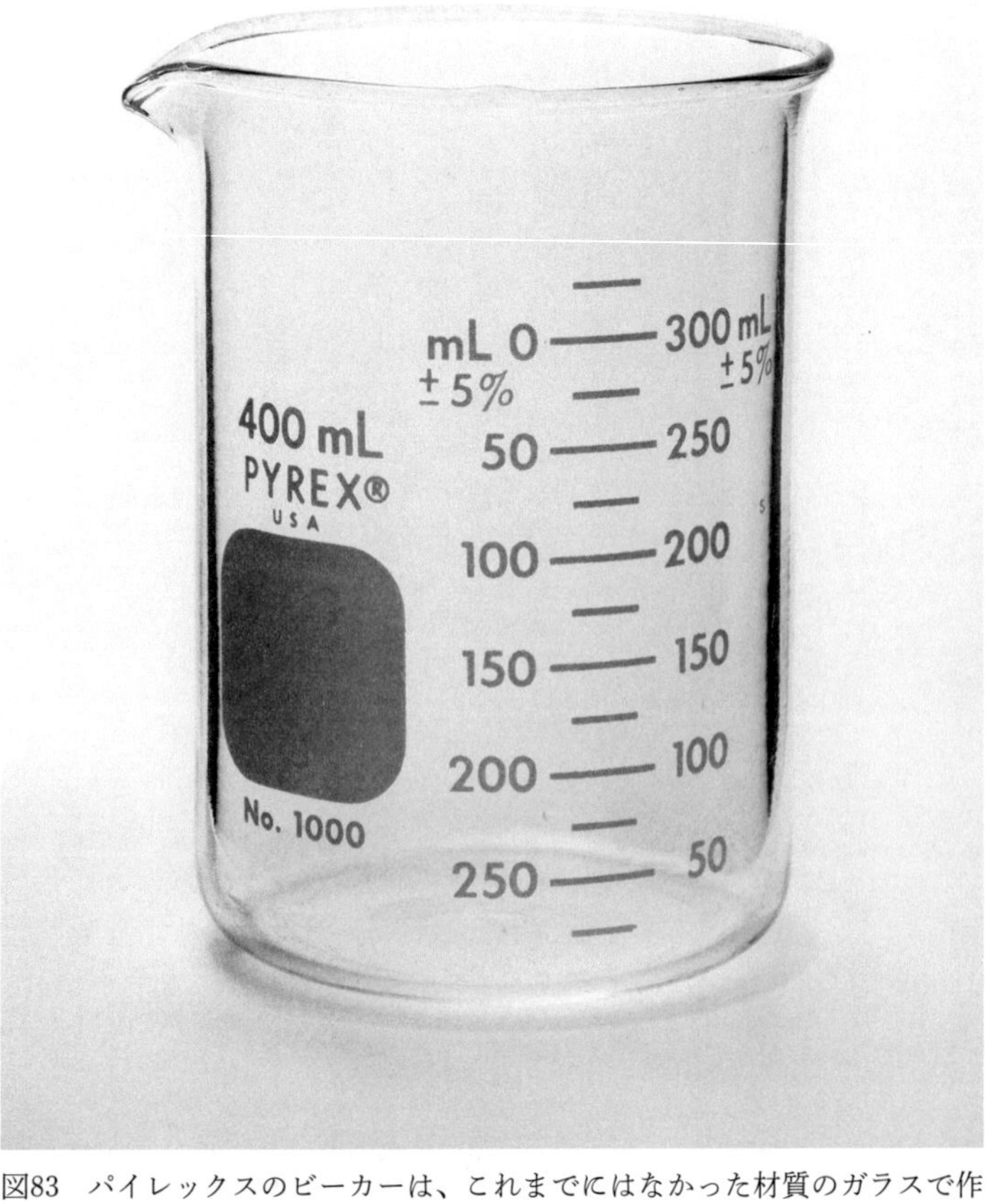

図83　パイレックスのビーカーは、これまでにはなかった材質のガラスで作られたため、熱い液体や酸でも入れることができた。

使用された[37]。アメリカは知らず知らずガラスの時代に入っており、コーニング社は科学的な特殊ガラスというアメリカの新産業を作り出した。自社の販売する日用品に競争がないという快適な状況を維持するために、戦後、コーニング社は法制化を（有効なツールだと次第に理解して）推進して、ドイツ製ガラスが国内に流入するのを防いだ。ドイツ製ガラスには巨額の関税がかけられ[38]、ガラス市場をかつてのようにドイツに独占させなかった。

これらの動きは、ほとんどのアメリカ人の視界にもほとんどの研究者の視界にも入ることはなく、研究者たちはパイレックスを使って、ガラス製ペトリ皿で病原菌を見つけ、ガラス製試験管で病原菌と戦って薬品を開発した。アメリカ国民も研究者も知らなかったことだが、ガラスは、アメリカの技術革新と優れた科学技術力の新たな物語をうまくこしらえる容器ももたらした。アメリカが科学の超大国というのは明らかだったが、アメリカがとりわけガラスにおいて優位に立てたのが、戦争と手作りケーキという興味深い組み合わせのおかげだったということは、当時は知られていなかった。

科学の研究所はどこもガラスにかかわらずにはいられなかった。ガラスをとおして、私たちはどのように自分の体が働き、どのように天空が動き、どのように水一滴に別世界が存在するのかを理解する。ガラスは私たちの見方を変えるようにうながした。

皮肉なことに、ガラスは私たちの生活を整えるのに役立ったが、ガラスの透明性はガラス内部の混沌状態によって生じる。ガラスの原子は兵隊のように整列する時間を十分に与えられなかったために、休み時間の幼稚園児を撮った写真のように、無秩序状態のままその場で凍ったように固まっている。ガラスは無秩序に満ちているが、ガラスの透明さに助けられ、ガラスから生まれたレンズ、ビーカーやフラスコによって、私たちは世界を理解する。古代より、ガラスはそれ自体が美しいために大切にされたが、ガラスは新しい薬物や医薬品、調合方法を作り出すことも可能にした。一九世紀末、ガラスを優しく扱えない科学者は、ガラスに助けられて未来を見いだした。

J・J・トムソンの光線銃

第一次世界大戦よりだいぶ前の一八九五年、ヴィルヘルム・レントゲンは骨が見える謎の光線を使って、妻の手の幽霊写真を撮った。のちにX線と名づけられるこの目に見えない光線は、金属とガラスでできた奇妙な（フランケンシュタイン博士の実験室にありそうな）機械装置から発射された。当時は科学とマジックが区別し難かったので、人間の内側が外に表れた写真や記事が新聞を埋め尽くし、それを人々がひったくるように手に入れてむさぼり読んだ。科学者たちもX線に魅了された。X線でほかに何かできないかと考える科学者もいれば、どこから発生するのか疑問に思う科学者もいた。そして、引き伸ばしたガラス球に接続された電池から陰極線という光の流れが生じて、この陰極線がガラス球の中で金属片に衝突したときにそこからX線が発生するということを、科学者たちはみな理解すると、陰極線には単なる光線以上の何かがあると考えた。そういうわけで、世界じゅうの人々がX線に熱狂している中、数人の科学者が、陰極線の中に存在する次のすごいものを見つけたいと考えた。彼らは知る由もなかったが、この輝く光の流れは、世界がどのように動いているかを説明することになるのだ。

陰極線はそれより何十年も前から知られていたが、その実体は何かということについては見解が一致しないまま、やがて放置された。X線騒ぎで興味を持ち直した科学者たちは、陰極線のあらゆる動きを注視して、その振る舞いを報告する論文を書いたが、陰極線が科学的な知識のカギを握るものだとはまだ理解していなかった。この陰極線に閉じ込められていたのは、トースターの働きや惑星の誕生など科学の疑問に対する答えだった。そこに閉じ込められていた小さな雫《しずく》は、テレビから携帯電話まで現代のテクノロジーの流れに力を与えた。初期の科学者に気づかれずに陰極線の中に存在したものは、原子の一部であり、当時は未知のもの──電子だった。だが、陰極線の謎を解くには手がかりを見つける必要があり、シャーロック・ホームズが知性と拡大鏡を使って謎解きするように科学者もガラス越しに陰極線をよく見なければならなかった。この謎に魅せられて調べずにいられなかった科学者の一人が、ジョゼフ・ジョン・トムソンだった。一九世紀のこの小柄な男性こそが、二〇、二一世紀のテクノロジーを大きく飛躍させた。

一八七〇年に一四歳だったトムソンが、当時の最大級の疑問に答えを出す人物になりそうだったかといえば、疑わしく思われる。彼はとにかく植物学者になりたかった。[39] イングランドの都市マンチェスターの近郊で育った少年は、お小遣いをすべてガーデニングの週刊誌に使っていた。質素な本屋を営んでいた父親は、息子がエンジニアとして安定した職に就くことを望んだ。マンチェスターの紡織工場はアメリカ産の原綿を商品に変えていたので、エンジニアはよい仕事だったのだ。ジョゼフ・ジョン・トムソン（ニックネームは「J・J」）は一八七〇年にオーウェン・カレッジ（現マンチェスター大学）に在籍した。だが、父親が亡くなったときに、大学に通い続けるために急ぎ奨学金を得て、ケンブリッジ大学トリニティ・カレッジに入学し、数学を学んだ。工学のような実用性よりも、数の美しさを選択したのだ。アイザック・ニュートン卿も散策したであろう神聖なグラウンドを歩くことは、本屋の息子なら誰にとっても偉業だった。だが、トムソンにはなじまなかった。

J・J・トムソンはこの古い大学でくつろげなかったのかもしれないが、彼の才能だけはそこになじんだのは確かだ。三九歳だった一八九五年までには、ケンブリッジ大学キャヴェンディッシュ研究所の所長を務める立派な（学問以外は上の空の）数学教授になった。彼の眼鏡の位置は二か所と決まっていて、眼鏡が鼻の上にあるときは彼が考えている最中で、頭の上にあるときはもっと深く考えている最中、ということだった。自分の見かけを気にすることで頭脳を煩わせることはなかったので、髪は長く、口ひげは伸びすぎ、頬ひげもまともに剃られていなかった。彼の頭脳は抽象的概念で忙しいので、新たに陰極線に関して研究するということは、ますます、ふつうのことには頓着する余地がなくなるということだった。

陰極線の実体が何かを明らかにするというのは、観察可能な出来事に抽象的なアイデアを結びつけてトムソンの能力を試す難問だったので、トムソンにはうってつけだった。陰極線は、空気の入っていないガラス管の中で、電気接続の一方から他方へ向けて発射される。その中での陰極線の動き方には、科学者によって二つの対立的な考え方があった。一方のグループは、陰極線を空間の中のさざ波だと考えた。他方は、鳥が群れで渡るように、小さな粒子が一緒に集まって動いてビームができているという結論だった。「どちらの考えも、完全に正しいわけではなく、完全に間違ってもいなかった」[40]とトムソンはいった。存在する証拠は、陰極線が波であり粒子でもあることを裏づけたが、陰極線は両方ではありえなかった。

陰極線が波か粒子かを確かめる決定的な方法は、磁石でどんな動きをするのかを観察することだった。ある古い理論によると、陰極線が磁石の影響を受けずに流れ続ければ波、磁石で陰極線が偏向すれば粒子だという。J・J・トムソンはその理論を試したいと考えて、一〇年以上前の一八八三年に別の科学者がそれとまったく同じ実験をしたことを知った。その実験では陰極線は磁石がすぐ近くにあっても動かず、

図84　ケンブリッジ大学の研究所でガラス管に目を凝らすＪ・Ｊ・トムソン卿。

図85　エヴェネーザ・エヴェレット。腕のよい技術者で、Ｊ・Ｊ・トムソンのアイデアに命を吹き込んだ。

波だという主張を裏づける内容だったが、トムソンはその実験に疑問を感じた。陰極線を粒子の集まりだと考えていたトムソンは、自分でも同じ実験を、もっとたっぷりと陰極線を流してやってみたくなった。かつての実験当時よりも、実験器具は進歩して、ガラス管からもっとしっかり空気を抜いてうまく真空が作れるはずだから、ガラス管内の真空度を高くすることで陰極線をもっとよく流せばよいだろう、そのようにトムソンは思案を巡らした。そして、真空度を上げるには、それに耐えるガラス管が必要だった。

　残念なことに、J・J・トムソンは数学的才能とは裏腹に手先が不器用だった。小柄だったが、「陶器店に迷い込んで暴れる牛」のように物をよく壊す人だった。[41] 実験室の学生のところへやってきて何か手伝おうとすると、学生たちは怯えて、急いで壊れやすいものを片づけ始めたし、トムソンが実験室のスツールに腰をかけると、みな深いため息をついた。家でも同様で、妻はトムソンが家の中で金づちを使うことを許さなかった。[42]

　トムソンは誰かに実験を手伝ってもらう必要があった。支援の手を差し伸べたのは、元助手のエヴェネーザ・エヴェレットだった。エヴェネーザという名前からはしみったれたイメージが浮かぶ〔訳注：チャールズ・ディケンズ著『クリスマス・キャロル』の守銭奴で有名な主人公の名がエヴェネーザ・スクルージ〕が、エヴェレットは口ひげを生やしカウボーイのように颯爽とした容姿端麗な男性で、姿勢がかがみ気味だったので背は実際より低く見えた。エヴェレットのことはほとんど知られていないが、忍耐強くて、ふつうの実験用ガラス製品をムラノガラスの名工も喜びそうな芸術作品に変える腕を持っていた。実験台に設置された木製の張り出し棚には、エヴェレットが作った大量のガラス器具が、ワイヤーで全体に覆われて上向きに置かれていた。J・J・トムソンの頭脳に対して、エヴェレットは科学的な「筋力」だった。

図86　エヴェネーザ・エヴェレットが作った実験用のガラス管。これによってＪ・Ｊ・トムソンは陰極線の振る舞いを観察して、電子を発見した。

一八九六年の後半にトムソンは陰極線の「障害物コース」を作り始めて、陰極線は波か粒子かの議論に決着をつけたいと考えた。エヴェレットは最新のガラス球に部品をいくつか封入したものを作った（ボトルシップのようなイメージだ）。ガラス球の一端から二本の金属ピンが突き出ているので、それにバッテリーをつなげると、陰極線が発生する仕組みだった。ガラス球の内部では、ホースで水を撒《ま》くときのように、陰極線が多くの方向に放出され、それらが、ノズルのように働く二本のスリットにより一本の流れに狭められた。それからそのビームが球の丸い内側表面にぶつかって、緑の輝きが生じる。

陰極線は、ガラス管の内部をほとんど空気が無い状態にすることを必要とした。「口でいうほどたやすいことではなかった」[43]とトムソンは述べている。空気を抜くために、エヴェレットは、ガラスの橋を介してガラス球につなげたタワーに液体の水銀を満たしてからタワーを立てた。その重い液体が落ちると、ガラス球から橋をとおして空気が引かれて、ガラス球内が真空になった。ときには空気の除去で一日のほとんどがすぎたので、エヴェレットは、午後になってＪ・Ｊ・トムソンというハリケーンが現れるのを避けて、作業を朝から始めた。

この実験に利用できたのはガラスだけだった。銅を含めてあらゆる金属は陰極線を吸収してしまうために、また木や土は真空を保てないために使えなかった。透明プラスチックもまだ発明されていなかった。ガラスは真空には最高の入れ物で、透明で電気も通さず、発明家の思いどおりの形になる優れものだった。だが、ガラスが科学で不可欠になったおもな理由は、ガラスによって、科学者たちが最も得意なことができるようになったこと、つまり観察力を使えるようになったことだ。この観察力こそが、J・J・トムソンの卓越した能力だった。

ときどきトムソンはガラス器具について同僚に愚痴をこぼした。そして「ここにあるガラスはすべて魔法がかかっていると思っていた[44]」と述べている。ガラスには標準的な配合はまだ存在しなかった。ガラス管では、部分的に主成分が他の部分よりも多く含まれた。ガラスで器具を作るには、ガラス全体が同一の温度で融けるように、全体が均一な組成になることが必要だった。そして、ガラス器具の各部分で接合の具合がどの程度うまくいったかは、長いあいだ使用した後にようやく判明した。ガラスに問題があって空気が漏れる音がかすかに聞こえることもあれば、大きな音をたてて爆発することもあった。エヴェレットは気まぐれなガラスを新生児のようにどうにかこうにか扱っていた。

一八九七年の夏[45]、エヴェレットは陰極線をテストするためのJ・J・トムソンの「障害物コース」を完成させた。二枚の金属プレートを挿入して別のバッテリーにそれらをつなげて電場を作り、この方法で陰極線をそっと動かすことにした。エヴェレットがスイッチを入れると、J・J・トムソンの目前で、陰極線がバッテリーの正極に接続した下側の金属プレートに向かって動いて、陰極線が負の電荷を持つことを明らかに示した。次に、エヴェレットが巨大なU字型の電磁石をガラス管の中央あたりに置いてスイッチを入れると、トムソンの目には、渡り鳥の群れが強風で上方へ煽《あお》られたみたいに陰極線が上へ持ち上げられるのが、はっきりと見えた。トムソンの数学的な計算（裏紙に書き散らしていた）からは、陰極線が負の電荷を帯びた粒子でできていること、そしてその粒子は原子よりも小さく、それまでに発見されたものでは最も小さいということが推定された。それから、二人がガラス管内の金属プレートと気体を変えてこの実験を繰り返したとき、トムソンは同じ小さな負電荷がすべての物質に存在することを発見した。この小さな粒子をトムソンは「コーパスル（微粒子）」と呼んだが、後にこの粒子は「電子」として知られるようになった。

J・J・トムソンの発見は世界を変えたが、そうなるとは彼も予測できなかった。この小柄な変わり者の男性は、小さい奇妙な電子を発見し、科学の扉を開いて物質の理解を広げた。電子の発見は銀河や恒星、原子がどのように生じたかのヒントをもたらし、化学結合において原子間での電子の交換は、どのようにビッグバンの高温ガスが最終的に私たちに至るのかを説明した。この発見はテクノロジーの基本構成要素も明らかにする。科学者たちは電子によって、電気回路、静電気、バッテリー、ピエゾ電気、磁石、発電機、トランジスターの働きを理解するようになる。電子の知識によって、テクノロジーは、そして社会も、発展を遂げた。

J・J・トムソンの子どものころは、今は当たり前になっている物の多くはまだ発明されていなかった。当時は「自動車も、飛行機も、電灯も、電話も、ラジオもなかった」[46]。だが、彼のガラスの中の電子が電気を作り、そうした機械すべてに動力を供給し、後にはコンピューターや携帯電話、そしてインターネットなどにもつながっていく。J・J・トムソンほど聡明でも、この理論的な科学が、現実的な意味を持つようになることは決して予想できなかっただろう。だが、それは現実に影響を与え、しかも多くの影響を与えることになった。彼の発見により、人類は新たな時代を——エレクトロニクスの時代を迎えた。だが、動く電子を見ることができなかったなら、これらのテクノロジーは何一つ登場しなかっただろう。私たちの現代世界は、ガラスという大昔からの材料によって可能になったのだ。

第8章

考える

原始的な電話交換機の発明は、コンピューター用シリコンチップの先駆けになったが、私たちの脳の接続方法も変えた。

ググる

フィニアス・ゲージは死んでいたはずだった。一八四八年九月一三日というありふれた水曜日に、バーモント州のグリーン山脈からさほど遠くない建設現場で、おぞましい事故が起きた。ゲージはハンサムな二五歳、鉄道建設工事の現場監督だった。穴に火薬を詰めて、爆発点に集中させるため、それまでに何百回とやってきたように、「突き棒」の平らになっている先端を使って火薬を押し込んだ。彼の手に握られた突き棒は巨大な縫い針のような形で、岩にこすりつけられたときに火花が散った。火薬に火がついて、一・九メートルの突き棒は、それを握っていた彼の顔に向けて吹き飛んで、棒は彼の左頬の下から入って、左目の後ろ、脳、額の上方の髪の生え際を突き抜け、[1] 一八メートルほど離れた場所に耳障りな音を立てて落ちた。重さ五・九キログラムで、鉛筆ほどの先端、一ドル硬貨ほどの底面〔訳注：一ドル硬貨の直径は約二・七センチメートルで、日本の五〇〇円硬貨ほど〕を持つ鉄製の棒が飛び去ると同時に、ゲージはその場に音を立てて倒れ込んだ。少しすると、ゲージの動かなくなった体がラザロのように息を吹き返して〔訳注：新約聖書の「ヨハネによる福音書」第一一章によれば、エルサレム近郊ベタニアに住んでいたラザロは病死して墓に葬られ、その四日後にイエスが現れて墓の中のラザロに呼びかけると、ラザロは蘇ったという〕、起こったことをすぐに自分で説明し始めて、治療を受けるために台車の上に自分で乗ることさえした。そのあいだ、頭と顔の穴からは血が流れ出ていた。

図87　フィニアス・ゲージ。鉄道建設工事の現場監督だったが、突き棒で頭を貫かれるという不運な事故に遭った。ゲージのおかげで神経科学者は脳の働きについて多くのことを知ることになった（このダゲレオタイプの写真はゲージの鏡像）。

ゲージはそれから一二年、生き延びた。彼を診た医者によれば、彼は「鉄のように頑丈な体だけでなく鉄のように硬い意志も」持っていた[2]という。彼の体はほぼ元に戻ったが、心はそうではなかった。事故前には、黒髪で背の高いゲージは、親しみやすく頼りになる賢い若者で、[3]労働者の中では人気者だった。事故後は、短気で子どもっぽくなり、常軌を逸した行動をとり、人を過剰に罵《ののし》るようになった。事故後、友人の多くは、ゲージは「もうゲージではない」といったそうだ。[4]彼のジキルからハイドへの変容は、脳がどのように変わりうるのかを当時の医師たちに見せつけた。今日では、神経科学者は脳についてさらに多くのことを発見し、大きく変えることも少し変えることもできると知っている。脳は環境によって実際に変化する。ゲージの場合は、鉄の棒によって性格がすぐに著しく変容した。私たちの場合は、コンピューターとインターネットによって脳がゆっくりと密かに変質しつつある。

　脳はいまだに謎に包まれているが、田舎の医師たちがゲージを診察したとき以来、私たちは脳の働きについての理解を深めている。科学者は、脳の特定の部位には特定の機能があることを知っている。ゲージの脳は頭の正面部分を損傷した。そこに、彼の行動が変わった理由の手がかりがある。

　脳の形状をたとえるなら、ブドウの大きな粒を半分に割って断面を下側にして、それが棒の上に載っていて、下の後ろ側に付け合わせのパセリがついている。ブドウ粒が大脳、棒が脳幹、パセリが小脳だ。脳幹は自律神経機能（呼吸や心拍など）を管理し、小脳は体のバランスと協調を制御するが、大脳は私たちを私たちらしくさせるものだ。大脳は、私たちが考える、感じる、忘れずに覚えておく、話す、創造する、知覚する場所だ。脳の前部は前頭葉と呼ばれ、注意、意識の中心、まとまりのある考え、衝動の抑制など、実行機能を制御する。ゲージの脳のまさにこの部分が鉄棒に貫かれたのだ。このことにより、事故後の彼がひどく注意散漫で、頼りにならず、気まぐれで、無宗教者のように話したことが説明できる。当時はゲージの脳の前部が問題だったが、今日の私たちにとって問題なのは、情報の処理や保存を行う脳の部分である。それらの部分の機能が、私たちの各種デバイスによって変えられているからだ。

　脳の配線は、人生の特定の段階をすぎると死ぬまで固定されたままだと長いあいだ信じられていた。当時の科学者は、新しく接続したり、新しい何かを学びとったり、新たなスキルを身につけたりすることは不可能だと思い込んでいた。つまり、脳は新しい芸を覚えられない老犬のようなもので、歳をとってからスペイン語の会話やギターの演奏、南部料理の作り方を習得することは無理だと思われていたのだ。しかし、科学者は今、そうではないことを知っている。脳は新しいことを学べるし、変成できて、配線を変えられる。科学者はそれを脳の可塑《そ》性というだろう。

私たちの脳が形作られたのは進化の一環である。アフリカを起源とするホモ・サピエンスから、約二〇万年前に私たち現生人類が生じたときの脳が、今の私たちの脳である。つまり私たちは石器時代の脳を持つのだが、[6]テクノロジーによってその脳が拡張されてきた。まず、火という単純なツールが、[7]古代のホモ・エレクトスの脳の増大化を可能にした。生《なま》の食物をかみ砕いて消化するのに必要となるエネルギーが、火を使った調理によって低減して、大きな脳の形成をうながしたのだ。時代が下ると印刷機が登場し、組み換え可能な活字（凸型の字型）をページに押しつけた痕跡によって、私たちが考えを共有することを可能にした。そして印刷された書籍が情報を広く拡散させたので、私たちの考え方が広がるチャンスが増して、私たちはそれ以前よりも幅広く考えるようになった。テクノロジーによる脳の改造はそこで終わらず、二〇世紀になっても続いた。ラジオを聞いて育った世代は、テレビで強化された視覚的スキルを持って育った世代とは異なる聴覚や想像のスキルを持っている。インターネットは、そしてインターネットを可能にしたコンピューターは、私たちの可塑性のある脳を引き伸ばす次のテクノロジーだ。[8]

脳の変化は、多くの時間をかけなくても起こる。人の一生涯の中で起こることだ。科学者は特別なカメラを使ってそうした脳の可塑性を調べて証明した。核磁気共鳴画像法（ＭＲＩ）と呼ばれるテクノロジーを利用すると、生きている脳を調べてそれが働くのを見ることができるのだ。研究によると、熟練の音楽家は、音楽家でない人よりも脳（の大脳皮質）の一部が大きいことがわかっている。[9]ロンドンのタクシー運転手は市内の道路をすべて記憶しており、脳の記憶中枢が増大しているそうだ。[10]ある科学研究では、数週間ジャグリングを練習して身につけた人々も、脳の頭頂葉の一部が大きくなっていた。[11]以上やその他の非常に多くの研究で、私たちは自分の脳を変えられることが明らかになっている。これは、すばらしいことでもあり心配なことでもある。脳のやわらかさは神の与えたもうた資質であり、頭骸骨内の一・四キログラムの驚異的物質の柔軟性はスーパーパワーである。だがこの能力は、私たちの行いの有無にかかわらず私たちの脳が変化しうることも意味する。現時点において、インターネットは、持続的に、広く遍《あまね》く、常に利用されている。これは、ウェブが私たちのできるものを拡張しているだけでなく、私たちの脳が考える方法も変えているのだ。

私たちの脳とコンピューターには多くの類似点がある。脳は、ほかの部位に情報を送る手段や、情報を処理する手段、そして情報を保存する手段もそなえた複雑な経路で構成されている。コンピューターも、小さな金属ワイヤーをとおして情報を送る電気回路を持っているが、情報を処理したりそのコンピューターの別の部分に話しかけたりするには、私たちは頭（つまり脳）を使って他の部品を開発しなければならなかったので、コンピューターが情報を送るただの電気回路から、現在の形へと成熟するには数世紀が必要だった。そのポイントは、電気の流れを始めたり止めたりできる蛇口のような部品「シリコントランジスター」の開発だった。この部品の能力は流れのスタートとストップをするだけの単純なものだが、オンとオフの二進法に基づくコンピューター言語を作るには十分で、この言語でトランジスター同士の「会話」が可能になった。トランジスターと二進法を組み合わせると、ただ足し合わせただけよりも優れたものになった。コンピューターの内部で、トランジスターがほかのトランジスターに、処理せよ、計算せよ、あるいは論理演算を実行せよというメッセージを送ることで、コンピューター全体に考えさせることができた。とはいえ、これらのすべての部品が一体となったのは、ようやく二〇世紀に入ってからだった。ただの電気回路から今のコンピューターに至る進化の道のりは、一九世紀にシリコントランジスターの祖先である簡単なスイッチから始まった。

私たちの精巧なコンピューターの中にあるシリコントランジスターは、電気スイッチが欲しいという要望から生まれた。今日では毎年、天文学的な数量が製造されるこれらのトランジスターは、コンピューターを進化させ、ついには私たちの脳の進化を引き起こした。人間の脳とシリコンの脳がペアで踊る「ダンス」は、創造者が自分の創造物によって作り直されるさまを目に見えるようにした。だが始まりは、コンピューターというものが想像上にも存在しないころ、葬儀屋から発明家になった人物が、電話線を通じて人と話をしたいというつつましい希望によって、次の二世紀に人類がたどる道筋を変えるアイデアを思いついたことだった。トランジスターへと続くこの旅は、一八七七年にコネチカット州ニューヘイブンで、ある金曜日の夕方に始まった。

ティーポットの取っ手と下着のワイヤー

一八七七年四月二七日、コネチカット州ニューヘイブンのスキップフ・オペラハウスで、列に並んで七五セントの入場料を払う人々は、アレクサンダー・グラハム・ベルによる金曜夜の「電話コンサート」の観客だった。ベルは一八七五年に電話を発明し、一八七六年に開催のフィラデルフィア万国博覧会で話題を呼んだ。そこではケルヴィン卿が、ベルの発明したその「すばらしいもの」[12]にすっかり夢中になりすぎて、無理に引き剥がさなければならないほどだった。ニューイングランド地方の飾り気のない舞台で、ベルは自分の電話が載った小ぶりの台の脇に立った。電話は四角い木の箱からなり、靴がゆったり収まるような

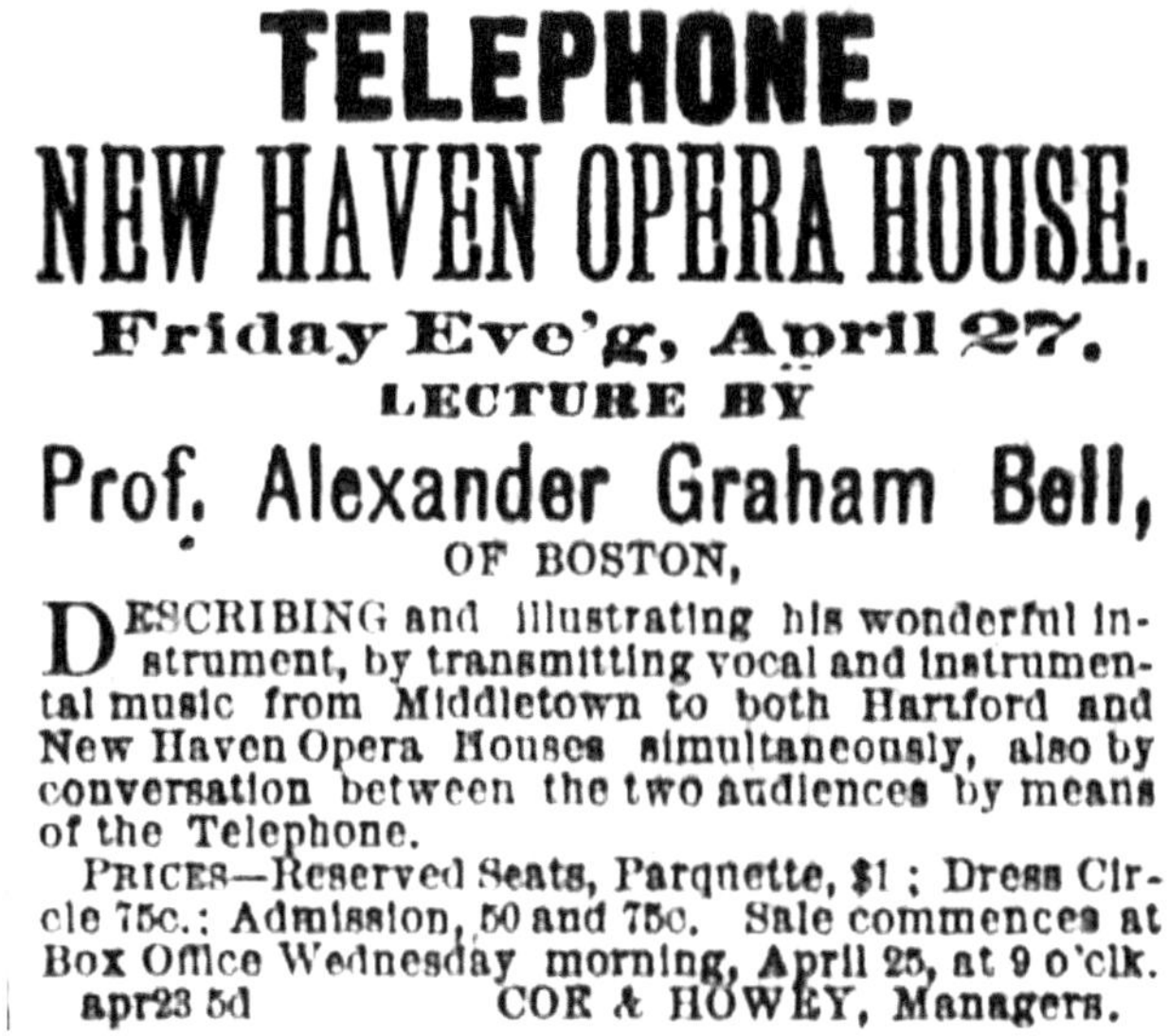

TELEPHONE.
NEW HAVEN OPERA HOUSE.
Friday Eve'g, April 27.
LECTURE BY
Prof. Alexander Graham Bell,
OF BOSTON,
DESCRIBING and illustrating his wonderful instrument, by transmitting vocal and instrumental music from Middletown to both Hartford and New Haven Opera Houses simultaneously, also by conversation between the two audiences by means of the Telephone.
PRICES—Reserved Seats, Parquette, $1 ; Dress Circle 75c.; Admission, 50 and 75c. Sale commences at Box Office Wednesday morning, April 25, at 9 o'clk.
apr23 5d COE & HOWEY, Managers.

図88 『ニューヘイブン・イブニング・レジスター』紙による1877年の「電話コンサート」の広告。

図89 電話の発明者、アレクサンダー・グラハム・ベル。ニューヘイブンの観客に発明を実演してみせた。

図90　ニューヘイブンのオペラハウスの舞台で、ベルはこれに似た初期の電話に話しかけた。

長さで、一方の端から送話口が突き出ていた。同様の二つ目の箱が天井からつるされていて、三つ目の箱がホールの裏手にあった。ベルが送話口の中に向かって話しかけると、姿のない人の声が聞こえてきて、三〇〇人の観客は大喝采で応えた。
　声の主は、ベルの助手トーマス・A・ワトソンで、当時は二三歳だった。ワトソンはボストンの屋根裏部屋に住んでいたときに隣室のベルに声をかけられて一年前から助手として雇われていた。その電話公開実験では、五〇キロメートル近く離れたコネチカット州ミドルタウンにいるワトソンとの間で、二人の声が電信線に運ばれて電話から電話へ行ったり来たりした。ニューヘイブンの観客は、二人の電話越しの会話に、夢中になって聞き耳を立てた。「この都市でこれほど面白い上演は初めてだ[13]」と『ニューヘイブン・イブニング・レジスター』紙は書いている。公開実験後の講演で、ベルは電話が振動を利用していることを説明した。また、彼の装置を各家庭に置いて電話局に

図91　ジョージ・コイ。ベルから得た電話フランチャイズ権を利用して、コネチカット州ニューヘイブンで電話交換局の会社を始めた。

よって接続する方法についても、もったいぶって話した。そのアイデアは、観客の一人だったジョージ・W・コイの心をがっちりととらえた。

公演が終わるとすぐに、コイはコネチカット州に電話をもたらしたいという希望を抱いて、ベル教授に話しかけた。童顔にセイウチひげを生やしたコイは歳よりも上に見えた。南北戦争で従軍し、左手を負傷して使えなくなったが、勤勉さは変わらなかった。大西洋&太平洋電信会社で現地管理者として八年間働き、そのままずっと勤めていくつもりだったが、電話について知ってからは、電話交換システムを作ることに「すぐにとりかかった」[14]という。一八七七年一一月三日、ベルはコイに電話のフランチャイズ権を与え、その数か月後にコイはニューヘイブン地域電話会社を設立して、そこで、「近年で最もすばらしい発明」[15]と見なされた電話が、コイの考案したスイッチボード（交換機）を使って接続できるようになる。

コイは、肉屋や薬屋、個人の家、馬車メーカーなど契約者を二一人獲得し、一八七八年一月二八日、どんよりとした雪の日に正式な事業開始にこぎつけた。本社は、ニューヘイブンのボードマン・ビルディングという六階建ての一階に置いた。このレンガ造りのビルは、人通りの多い商業地区の一角、チャペル・ストリート二一九番地に建っていた。通り沿いの狭くて小さいオフィスは殺風景で、鉄道の貨物車のような形の部屋には、机として使う木箱と、椅子として使う石鹸を詰める木箱が脇に置かれていた。顧客には、唯一の本物の家具である使い古しのアームチェアが勧められた。六〇×九〇センチメートルほどのドアマットサイズの板が、テーブルの上で壁に立てかけられていた。それはコイの未来への切符であり事業の心臓部――スイッチボードだった。

　コイは街や自宅ですぐ手に入る材料を集めて、黒いウォールナット材のボードに、顧客の電話の終点となる根角ボルトを打ち込んだ。ボルトに接続されたレバーには、ティーポットの取っ手がついている。裏側では、コイ夫人の下着から外したワイヤー〔訳注：当時、コルセットやペチコートの張り骨など女性用の下着にワイヤーが使われていた〕を使ってボルトが互いに接続された。ボードから出ている太い電信線が、裏手の窓から外へ出て、屋根から、別の屋根や木の一番上の梢《こずえ》を次々に伝って、最後には顧客それぞれの家にまで達した。

　コイの新しい装置で顧客と別の顧客を結ぶには、契約者の電話を受けて、スイッチが並んだスイッチボード上で電気信号を移動させて（チェスボードで駒を移動させるように）、電話の最終目的地に向かわせる必要があった。これをするには多数のステップを次々に踏む必要があった。まず、家から電話をかけたい顧客は、ボタンを押して本社のベルを鳴らして、オペレーターに取り次ぎを依頼する。次、オペレーターはスイッチを動かして、線をつなぐ。次、別のスイッチを動かして、ヘッドセット越しに顧客の声を聞く。次、顧客が誰と話したいのかを聞き取ったら、顧客をそのまま待たせて、ヘッドセットをオフにする。次、別のスイッチを使って、顧客その二に新たな接続をする。次、スイッチでその線にブザーを接続して、顧

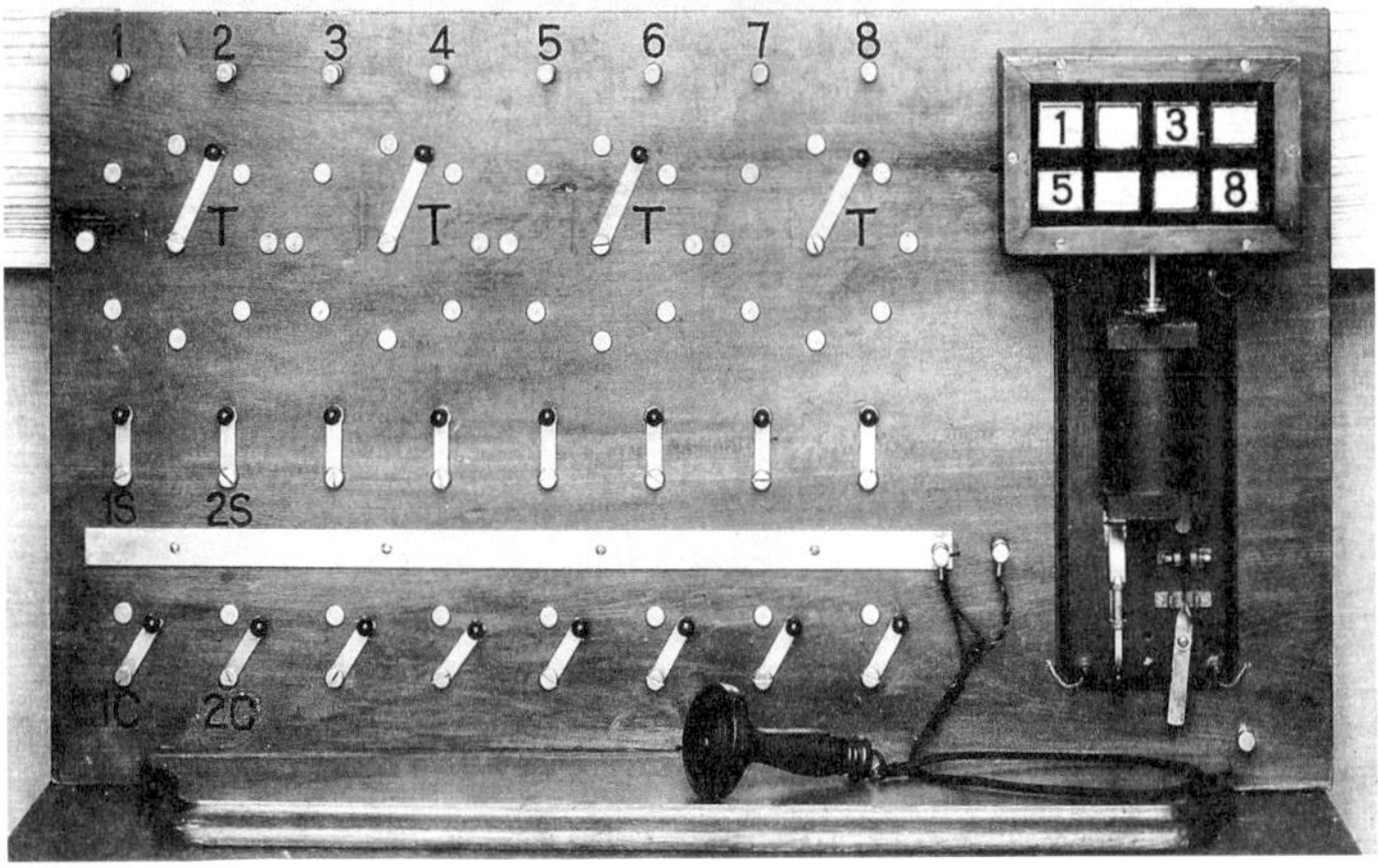

図92　コイのスイッチボード（電話交換機）。電話線の先端部分として根角ボルトを使い、それをレバーにつなげ、ティーポットの取っ手でレバーを動かす仕組みだった。

図93　ニューヘイブンの通りに面した角に所在したボードマン・ビルディング。最初の電話交換機はこの1階に設置された。

LIST OF SUBSCRIBERS.

New Haven District Telephone Company.

OFFICE 219 CHAPEL STREET.

February 21, 1878.

Residences.

Rev. JOHN E. TODD.
J. B. CARRINGTON.
H. B. BIGELOW.
C. W. SCRANTON.
GEORGE W. COY.
G. L. FERRIS.
H. P. FROST.
M. F. TYLER.
I. H. BROMLEY.
GEO. E. THOMPSON.
WALTER LEWIS.

Physicians.

Dr. E. L. R. THOMPSON.
Dr. A. E. WINCHELL.
Dr. C. S. THOMSON, Fair Haven.

Dentists.

Dr. E. S. GAYLORD.
Dr. R. F. BURWELL.

Miscellaneous.

REGISTER PUBLISHING CO.
POLICE OFFICE.
POST OFFICE.
MERCANTILE CLUB.
QUINNIPIAC CLUB.
F. V. McDONALD, Yale News.
SMEDLEY BROS. & CO.
M. F. TYLER, Law Chambers.

Stores, Factories, &c.

O. A. DORMAN.
STONE & CHIDSEY.
NEW HAVEN FLOUR CO. State St.
" " " " Cong. ave.
" " " " Grand St.
" " " Fair Haven.
ENGLISH & MERSICK.
New Haven FOLDING CHAIR CO.
H. HOOKER & CO.
W. A. ENSIGN & SON.
H. B. BIGELOW & CO.
C. COWLES & CO.
C. S. MERSICK & CO.
SPENCER & MATTHEWS.
PAUL ROESSLER.
E. S. WHEELER & CO.
ROLLING MILL CO.
APOTHECARIES HALL.
E. A. GESSNER.
AMERICAN TEA CO.

Meat & Fish Markets.

W. H. HITCHINGS, City Market.
GEO. E. LUM, " "
A. FOOTE & CO.
STRONG, HART & CO.

Hack and Boarding Stables.

CRUTTENDEN & CARTER.
BARKER & RANSOM.

Office open from 6 A. M. to 2 A. M.
After March 1st, this Office will be open all night.

図94　コイは電話交換機会社を設立して最初の週に21人の顧客と契約を結び、この初期の電話帳を作った。

客その二の電話を鳴らす。次、オペレーターはヘッドセットを再びオンにして、待つ。次、顧客その二がようやく電話をとれば、オペレーターはまたヘッドセットをオフにする。以上のとおり、次から次へとステップを踏んだ後にようやく、顧客どうしは会話を始めることができた。

このスイッチボードは原始的で、一度に二組の会話しか扱えなかったとはいえ、電話線は「まさにガスや水が供給されるように[16]」家庭に引かれるようになり、国民は電話を「贅沢品ではなく必需品」と見なすだろう、というアレクサンダー・グラハム・ベルの予言の達成をうながすことになった。だが、電話線をガスや水の供給のようにするには、電気信号を送信したり切断したりする方法が必要だった。水には蛇口があり、ガスにはバルブがあり、そして、かかってくる電話の電気信号にはスイッチができた。これがコイの発明の心臓部である。

まもなく、電話は一般大衆の心をつかんで、需要に応えるために本社とスイッチボードは拡大された。当初は、スイッチボードの切り替えは若い男性の仕事だった。仕事が増して限界になると、スイッチボードと大量の若い女性が配置された。男性よりも女性のほうが丁寧に礼儀正しく応対したからだ。電話の数が増えると、切り替えるスイッチが増えて、女性が増える。またスイッチが増えて、また女性が増えて、さらにスイッチが増えるという繰り返しだった。さまざまな問題の解決や顧客指向の判断によって、スイッチボードは簡単に、オペレーターの仕事は複雑になっていった。本質的に、彼女たち――「ハロー・ガールズ」と呼ばれた女性オペレーターたちはスイッチになったのだ。電話は最終的に、電話の装置と若い女性たちを結びつけた。装置と女性のたちのこの共生関係は、カンザスシティから気難しい葬儀屋がやってくるまで続いた。

葬儀屋の秘密

電話の修理工が出ていった後、アルモン・ストロウジャーは音を立ててドアを閉めた。これは、ミズーリ州カンザスシティ出身のこの怒りっぽい葬儀屋の週に一度の儀式だった。ストロウジャーは一八八八年から、ミズーリ州&カンザス州テレフォン・カンパニーの本社に電話をかけ、苦情を訴えて、罵《ののし》ることを習慣にしていた[17]。彼は自分のところの電話が故障していると思い込んでいたのだ。罪のない修理工が、ストロウジャーの問題の原因を探すために、徒歩一〇分のところから西九番街の葬儀屋の事務所にやってくる。修理工は、メイン・スイッチボードのベルを鳴らす電話のクランクをオンにすることにより、配線テストの儀式を実行する。オペレーターが電話をとり、ストロウジャーの回線からの電話を問題なく受け、それから、逆にストロウジャーの回線に電話が問題なくかかることも確認する。すべてうまく機能すると、修理工は、問題が見つけられなかったという報告書を書く。それでも、ストロウジャーは満足しなかった。電話がつながらないために商売を逃しているのだと思い込んでおり、電話オペレーターのハロー・ガールズに問題があるのではないかと疑って、自分でなんとかしてやると心に誓った。

アルモン・ブラウン・ストロウジャー（一八三九〜一九〇二年）は、短身で短気な男性だった。電信の発明の数年後に誕生し、ニューヨーク州ロチェスターの郊外ペンフィールドで育った。ロチェスターのある町に二世代前、彼の祖父母が落ち着いて以来、この都市には親族が深く根を下ろしているが、ストロウジャーには放浪癖があり、二二歳の誕生日に南北戦争のために軍隊に入り、ニューヨーク第八騎兵連隊A隊に所属した。体重わずか五〇キログラムのストロウジャーは、たっぷりと顎ひげを生やし眼光が鋭く、向こう意気の強い恐れ知らずの性質により他の欠点をすべて補って、ラッパ手として最前線に立ち号令を

図95　アルモン・ストロウジャー。葬儀屋を営んでいたが、電話交換手の女性たちをひどく嫌って、自動電話交換機を開発した。

図96　初期の電話では、「ハロー・ガールズ」と呼ばれた女性電話交換手が回線をつないでいた。

かけて軍を導いていた。ウィンチェスター（バージニア州）で負傷して[18]、少尉となり、一八六四年一二月八日に名誉除隊した。だが、彼の戦闘的な性質が変わることはなかった。彼は変わり者で怒りっぽく、とにかく気難しかった。

南北戦争後、ストロウジャーはオハイオ州、イリノイ州、カンザス州などさまざまな州を渡り歩き、場所により教員になったことも農業経営をしたこともあった。一八八二年に、二番目の妻と小さい娘二人を伴ってカンザス州トピカに到着したときには、自分にふさわしいよい職を得て人の支配を受けずに生きてゆこうと決めていた。医師や歯科医師になるには時間とお金をかけて学ぶことが必要だったので、ストロウジャーは葬儀職に就くための講習を受けた。

一八八二年にストロウジャーはノーストピカでウィリアム・マックブラットニーの葬儀場を買い取り、安定した営業が可能になった。その後、事業を拡大したくなって、もっと人口の多い町へ越すことが必要になった。一八八七年までに、ミズーリ州カンザスシティに拠点を移して、別の葬儀会社を買収して希望をかなえた。それからまもなく、例の電話会社とのトラブルが発生した。

ある日、ストロウジャーは出社して黒っぽい作業用オーバーコートを脱ぎ、自席について新聞を読んでいた。死亡記事欄をじっくり読んでいくと、友人が亡くなって、亡骸《なきがら》を競合他社が扱っていることを知った。友人が亡くなったことか、顧客を失ったことか、ストロウジャーにとってどちらの問題のほうが大きかったのかは定かではないが、彼は癇癪を大爆発させた。仕事が自分にこないように電話オペレーターが仕向けているのではないかと彼が考えたのは確かだった。

ストロウジャーの想像力が発作的に湧き出した。彼は椅子から飛び上がって、机の引き出しに入ってい

図97　ストロウジャーの発明した自動電話交換機。ピンが円形に広がっていて、中央で機械の指がピンの反対の端に触って接続できるようになっている〔訳注：ピンの外側の端の先の方に、顧客がかけたい相手の電話があるイメージ。写真は本文の説明とは形が異なるもの〕。

た丸い箱を取り出し、中にぎっしり詰まっていた紙製のシャツの襟《えり》をごっそり捨てて、箱を空にした。[19] 次に、長いまっすぐなピンをたくさん持ってきて、それを箱の側面に一本ずつ横一列に等間隔で、一周に一〇本になるように突き刺した。それを全部で上下方向に一〇段作って、合計一〇〇本のピンを刺した。それぞれが一〇〇台の電話機のワイヤーに接続されているものとして、箱の中心で鉛筆を時計の針のように回転させて、ピンの頭に触らせる。鉛筆は棒につけておき、棒をエレベーターのように上下させれば、回転との組み合わせで全部のピンに接触できる。その動力はバッテリーで供給する。彼の想像によれば、誰かが六七番の電話にかけたければ、六ステップ回転させて、七ステップ上へ移動すれば接続できるというわけだ。彼はステップ・バイ・ステップ・スイッチを思い描いて、磁石とモーター、棒、ギアを正しく組み合わせれば、鉛筆がピンと接続できるので、人間のオペレーターはいなくても電話がかけられるだろうと確信した。ハロー・ガールズはそう長くは存続できないぞ、と彼は考えて気分が高揚した。

ある日、ストロウジャーが例によって電話会社に苦情を訴えていると、マネージャーのハーマン・W・リッターホフに話がつながった。リッターホフは気立てのよい男性で、心の底からから気持ちよく笑うことで有名だったが、ストロウジャーを訪問すると、彼の憤激を浴びることになった。そして、ストロウジャーの電話を外側から調べてみたところ、電話線の接触で回線がショートしたために電話が通じなくなったことがわかって、[20]ストロウジャーをなだめることに成功した。喜んだストロウジャーは、この新しい友人にどうしても大事なことを分かち合いたい気持ちになり、ハロー・ガールズの代わりになる機械のラフな概略図を見せた。リッターホフはそれを見て、深く考えずに笑って、帰っていった。

ストロウジャーは、リッターホフには気づかれないうちに重要なことに気がついて、電話を接続する機械である「自動電話交換機」を作り出した。この自動スイッチの発明は、巨大規模での電話サービスの完全な実現に向かう次のステップだった。

ストロウジャーは一八九一年にカンザスシティを去って、彼の空き箱とピン、鉛筆のデザインをもとにして、シカゴにストロウジャー自動電話交換社を創設した。一八九二年一一月三日には、インディアナ州の都市ラポートに最初のシステムを開設した。その電話交換局の内部は天井から床までの壁全面が、ストロウジャーの何十ものスイッチの設置された棚になっていて、システムが稼働すると電話の接続部分を叩くコツコツ音と、キツツキのように鳴るカチカチ音が響いた。

顧客の家の壁掛け式の電話には五つのレバーがついていて、それらは飛び込み台のボードに似ていた。ボードの端のラベルにはそれぞれ、「0」「10」「100」「1000」「R」と書かれている。顧客はこれらのレバーを押して電話をかける。例えば、七三番にかけたければ、「10」のボードを七回押して、「0」のボードを三回押す。電話が終わったら、「R」を押すと切れる。

そのとき本社では、ストロウジャーの装置の一団が、顧客によって生じた電気インパルスで「手品」をする。棒に付いたワイパー（前記の鉛筆）が、顧客の命令に従って七回縦（垂直）方向に動いて、次に横（水平）方向に三回動く。ストロウジャーの発明では電気的に動力を与えられたワイパーが、上下に動き、カチカチいって、回転して、電話回線に接続する。顧客数が増すと電話番号は長くなり、電話交換機は拡大された。ストロウジャーのスイッチは、電話を受けて「カチッ」、その電話を町の一区画に送り出して「カチッ」、それが一つの通りまでたどり着いて「カチッ」、それがついに家に到着して「カチッ」、と連動していく。自動スイッチは、人間をこれらの電話回線網の外へ出すために作られたが、この発明は、意図的な設計ではない別の方法で、人間を外へ出すことになる。

一世代で、コイは電話ボードにスイッチを設置して、ストロウジャーがそれを自動化した。まもなく、各電話会社の経営陣の目に明らかになったのは、増大していく顧客数に対処するには若い女性たちや信頼できるスイッチが足りなくなるだろうということだった。必要なのは非常に小さいスイッチだった。その解決策は、ストロウジャーの発明から数十年後の一九四七年に、まるで科学展向けに作った失敗作品のような奇妙な装置とともに現れた。その装置は、銀色の石の薄片と、プラスチックの三角形、金色のリボンがペーパークリップでまとめられ、所定の位置で支えられていた。なんとも不格好な代物だったが、物理学者にとっては美しい発明品――トランジスターだった。それは小型スイッチだったが、ただのスイッチ

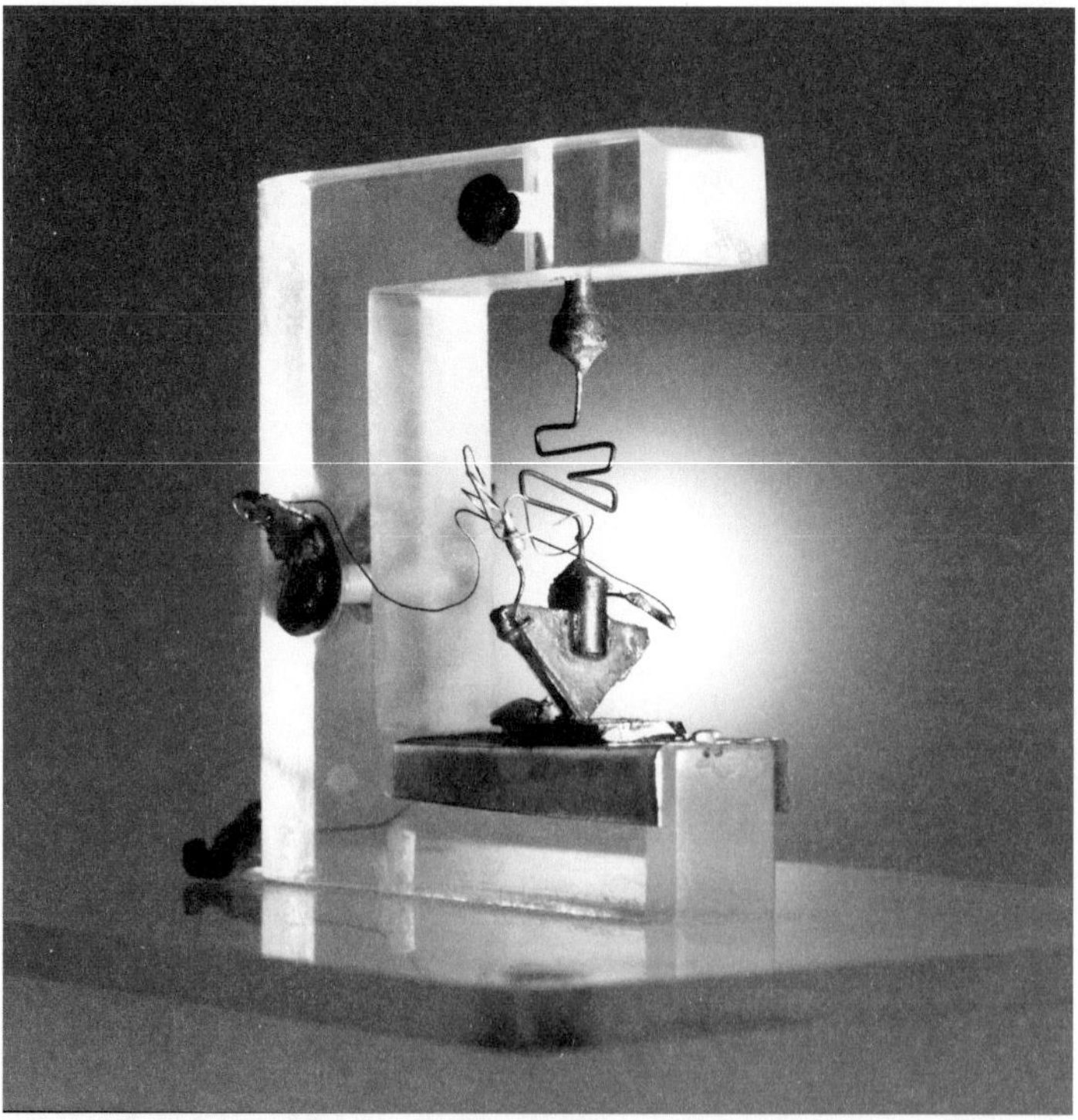

図98　1947年にベル研究所の研究者が発明したトランジスター。電話信号のスイッチと増幅を可能にしたので、アメリカ国内の長距離離間で通話が可能になった。

ではなかった。後にそれが、二進言語を使う現代のコンピューターの心臓部となり、機械が考えることを可能にしたのだ。

トランジスターは電気の動きを制御した。それなしでは、電気は野生化した馬のように抑えが利かないが、それがあれば電気を思いどおりに進ませられるだけでなく、ラバのように働かせることもできる。ストロウジャーのスイッチと真空管（電球をもっと複雑にしたように見えるもの）が、電話会社でスイッチとしての役割を果たした。だが、ストロウジャーのスイッチは摩耗し、真空管は壊れやすくて、燃え尽きるし、また大きな電力も消費した。それに比べてトランジスターは、壊れにくく、稼働に必要な電気も少なかった。トランジスターの発見は新たな時代の到来を高らかに告げるものだった。エレクトロニクス時代である。トランジスターで、大きな機械装置が小型化できた。トランジスターで、より狭い空間に、より多くの電気回路が設置された。科学者なら誰もがトランジスター作りの一翼を担いたいと考えた。そうした科学者の一人は、テキサスを出発地として、長い道のりをたどることになった。

ゴードン・ティール

一九三〇年に、化学博士号の取得間近のゴードン・ティールが、ベル研究所に到着したときには、ここでスター研究者の一人として活躍する気満々だった。残念ながら、ベル研では誰もが同じことを考えていた。ティールはベル研には序列があることを知った。物理学者は成層圏で軌道を回っていて、理論式を黒板に書いていた。冶金《やきん》学者は木のてっぺんより上を飛んでいて、実用的な知識を作業台で活用していた。化学者は地球表面より低いところに潜んでいて、ほかの人々が頭に思い描くことをガラス器具の中で作っていた。つまり、化学者であるということは脇役であって、スターにはなりえなかった。彼の周囲の化学者たちはこの役回りにすっかり満足しているようだったが、もっとやりたいというティールの野心は、実験室で沸騰中の液体のように沸き立っていた。

ゴードン・ティールは当時テキサス州の中央の平原部で最も優秀な少年だった。彼自身もそれを自覚していた。この細いが強い体を持つ少年は一九〇七年にダラスで生まれて、小さいころからずっと科学のことなら何でも大好きで、科学の謎についての本をいつも離さなかった。ティールは、「静かに流れる川は深い」という古いことわざを体現していた。南部的な慎み深い部分と、口数は少ないが激しい性格の部分は、すべて無表情の後ろに隠れていた。恥ずかしがり屋で、穏やかな話し方をするテキサス人で、母親のアジーリアは彼が優秀なよきバプテスト信者となることを強く願っていた〔訳注：バプテストはキリスト教プロテスタントの一派であり、アメリカのプロテスタントの中では信者が最も多い〕。

ティールは、家から近いベイラー大学に進学し、その後、バプテストの大学であるブラウン大学大学院へ母親の希望どおりに進学した。ブラウン大学でゲルマニウム元素にすっかり夢中になった。ゲルマニウムにはほとんど実用性はなく、ティールはただ科学的好奇心によって研究し、ゲルマニウムをさまざまな化学実験や溶液にさらした。この男性と物質は両方とも控えめで周囲に正しく理解されなかった。ティールは感情を隠し、ゲルマニウムは科学的特性を隠していた。ティールはゲルマニウムに打ち込んで、それについての自分の関心と専門知識をベル研にもたらした。だがそこでは、この元素を使って弾みをつけることができなかった。

一九四七年に変化は訪れた。ベル研ではその年の一二月に研究者のジョン・バーディーンとウォルター・ブラッテンは、現代のコンピューターの基本要素であるトランジスターが、彼らを指揮する上司ウィリアム・ショックレーも作り出そうとしているものだと気がついた。トランジスターは、小さな電気シグナルの増幅ができるものだった。それはひと塊のゲルマニウムに二本のワイヤーを刺して銅の基盤の上に載せたものでできていて、別の電気回路から電圧を加えてそれを動作させた状態で、一方のワイヤーから弱い信号を入力すると、他方のワイヤーからはるかに強い信号が出力した（つまり、ささやきのような信号を入れたのに、悲鳴のような信号が出てきたのだ）。それが彼らの発見だった。さらに、ゲルマニウムをとおる電

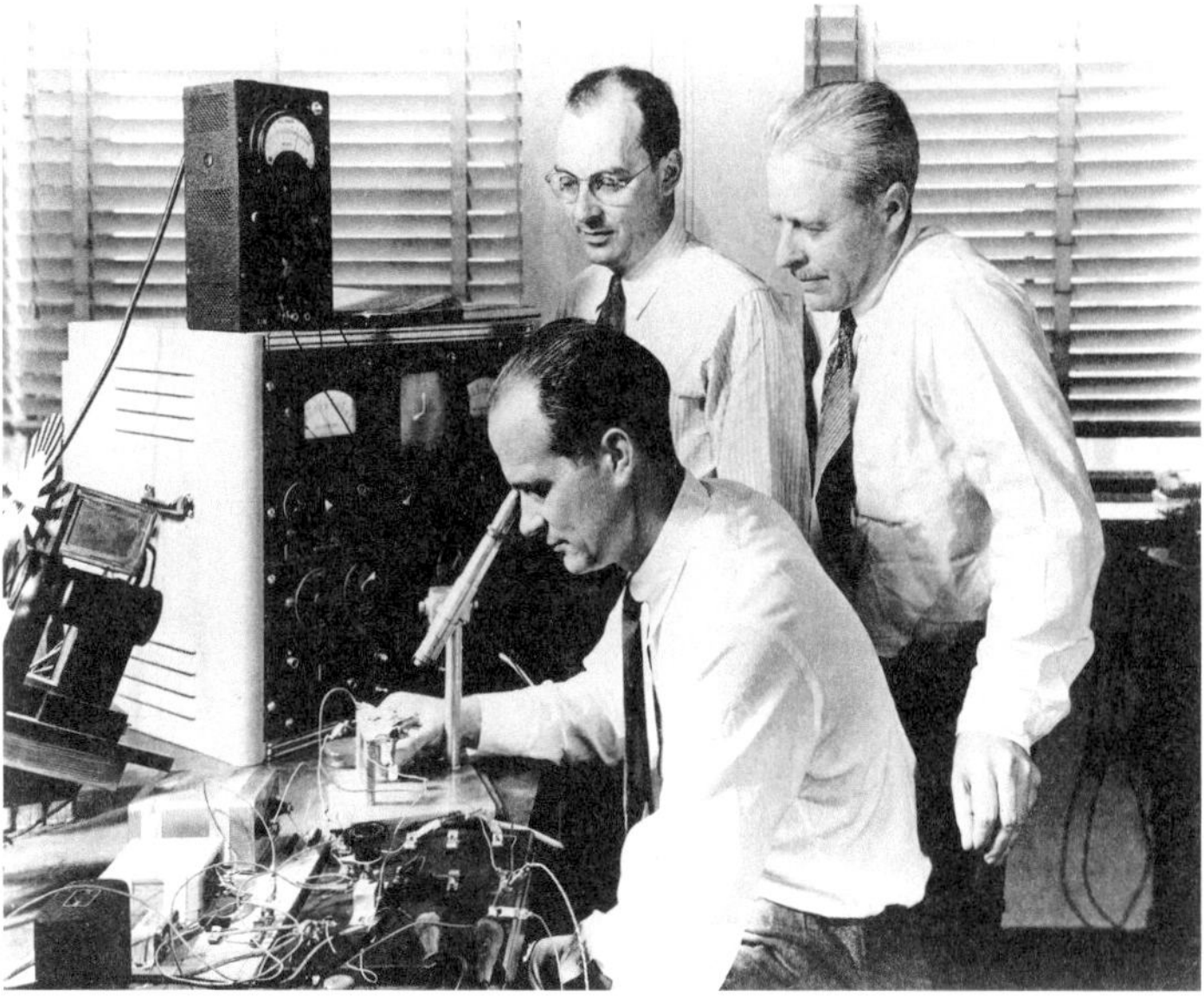

図99　トランジスターの発明者のウォルター・ブラッテン（右）とジョン・バーディーン（左）の手前で上司のウィリアム・ショックレーが座って顕微鏡を覗いている。

気を遮断したり接続したりできることもわかった。ゲルマニウムが、蛇口のように、あるいはスイッチのように働くのだ。

ベル研は電話をつないだりつなぎ変えたりするための新しい方法を探して、スイッチボードのオペレーターとして働くたくさんの女性たちの代わりにしようとしていた。アメリカで電話をかける数が増大していく速さに、ベル研の上層部は、国の「若い女性《ガールズ》」の半分を雇ってスイッチボード（電話交換台）で働いてもらうことが必要になるとジョークをいった。さらに、ベル研は、ストロウジャーの奇妙な装置のように摩耗しないデバイスがほしかった。トランジスターは、そのスイッチボードのスイッチとして使える可能性があった。

新しいスイッチに加えて、ベル研は電話の呼び出し信号を増幅する必要があった。ティールが子どものころ、テキサスからニューヨークに電話をかけることはできなかった。電話信号が銅線を伝わっていくうちに減衰したからだ。真空管（電球の中に部品を加えたような見かけのもの）の導入で、弱い信号が強められて長距離の電話が可能になり、そうした電話でティールも故郷テキサスの母親と話すことができた。だが真空管は非効率なもので、かさばり、高温になり、大きな電力を食い、壊れやすかった。それに比べてトランジスターは信号を増幅し、豆粒のような大きさで、熱くならず、電力はあまり食わず、それほど壊れなかった。ベル研が発見したトランジスターは、エレクトロニクス時代の聖杯だった。そのトランジスターの心臓部が、ティールのお気に入りの元素ゲルマニウムだった。

科学の世界では、電子機器の中の電気のオンオフを切り替えられることが必要不可欠だった。それをティールたちのような科学者は知っていて、ベル研の誰もが、またこのベージュのレンガ壁の研究所の外側の人々も、このプロジェクトに一枚嚙《か》みたいと考えていた。新しい科学、新しい発明、新しい事業が可能なこのときに、科学者の誰もがこの研究に加わらせてくれと訴えたが、この領域は物理学者と冶金《やきん》学者のものだった。ベル研のマーリー・ヒルの構内でトランジスターを研究するグループは、廊下が迷路のように張り巡らされたさまざまなフロアに所在したが、どれもティールの部門とは別の建物に入っていて、研究所の仕組みのうえでもティールとは別世界にあった。

ティールはこのグループとつながろうとして、ゲルマニウムのメリットだけでなく、完璧な構造――単結晶であることを示した。これに対する多結晶は、単結晶の集まりでできているので、多結晶の内側には粒子境界と呼ばれる結晶表面（結晶と結晶の境界）が存在し、ひびの入ったフロントガラスのような見かけをしている。多結晶ゲルマニウムを用いたトランジスターでは、この粒子境界が減速バンプ〔訳注：自動車のスピードが出せないように路面に作られた隆起〕のように働いて電流を減速させるため、電気の流れが遅いだけでなくトランジスターごとに電気の流れ方が違って、特性のバラツキになる。一方、単結晶ゲルマニウムのトランジスタでは、中で電気が速く流れるので、トランジスターの動きも速い。ところが物理学者は、特にトランジスター製作グループを指揮するウィリアム・ショックレーは、ティールの単結晶が必要だとは思わなかった。ショックレーは、バーディーンとブラッテンが所属する固体物理学グループのリーダーでもあり、プロジェクトの全側面をコントロールしようとして、ローマ帝国のポンテオ・ピラト総督のようにあらゆる新提案の運命を決定し、ティールのアイデアを十字架にはりつけた〔訳注：ローマ帝国のユダヤ属州総督だったピラトは残虐な人物で、イエスを十字架刑に処す判決を下したとされている〕。

一九四八年の秋、九月後半のある日に、ティールは珍しく夕食に間に合う時間に仕事を終え、ベル研の自分の実験室を出て、正面玄関までの無限と思われるほど長い廊下を歩き、バス乗り場に向かった。ニュージャージー州サミットに所在する鉄道駅にいく最終バスは、午後五時五〇分発、鉄道駅着六時七分である。そこから自宅まで徒歩でわずか一五分だ。マイケル・デ・コルソー経営のサミット&ニュープロビデンス・バス路線は、ベル研の従業員のための頼れるサービスだった。研究所の知的な世界において、会社が資金提供する交通機関のように信頼のおけるインフラは、帰宅手段の心配をなくして研究員の才能開花をうながした。この路線は乗客が一日わずか数百人だったので、収益の上がるものではなかったが、くすんだ青緑色の布張りの座席を提供して世界トップクラスの賢い人々の帰宅を助けていた。一塊のパンのような形のこの大型バスは、ホワイトモーター社製の一九四〇年型モーター・コーチで、ガソリン一リットルで一・三キロメートル走り、ベル研の創造的世界といわゆる現実世界を行ったり来たりして研究者を運んでいた。ティールのような多くの研究者にとって、体は物理的に移動したが、頭脳はいつもベージュのレンガでできたファサードの向こう側にあった。

四〇歳前後になり、胴回りは立派に髪は薄くなっていたティールが、その夕刻にバスを待っているあいだ、同僚の機械エンジニアのジョン・リトルが隣に立っていた。ベル研ではティールも含めて化学者の序列は低く、エンジニアはさらに低かったが、ジョン・リトルはトランジスタープロジェクトに加わっていた。ニュージャージー州のマーリー・ヒルでパートタイム勤務、ニューヨーク市でもパートタイム勤務をしていたリトルは、ティールとともにアクアマリン色のバスに三段のステップを上がって乗り込みながら、自分のトランジスタープロジェクトでゲルマニウムの小片をいかに必要としているかを嘆いてみせた。二人とも自分のかばんを手荷物棚に入れて、ひじかけのある座席に腰を下ろすと、今度はティールの話す番だった。ティールは穏やかで落ち着いた控えめな口調で「私はゲルマニウムの棒を作って差し上げられます[21]」といい、「しかも単結晶で」と付け加えた。そのゲルマニウムなら完璧なものになるだろう、と伝えたのだ。

バスがわずか六キロメートル余りを走るあいだ、この二人の男性のために時は止まった。マウンテン・アヴェニューから話を始めて、畑の違う二人はポケットから取り出した何枚もの紙きれにアイデアをどんどん走り書きしていった。周囲のことは眼中になかった。そして、トランジスタープロジェクト用にこのゲルマニウム単結晶をどのように作ればいいのか、急ごしらえでひねりだした。

二人は結晶を液状の金属から引き上げて作ることにした。砂糖水の中で、糸の先に氷砂糖がついているようなイメージだ。二日後の一九四八年一〇月一日に、ティールは任された仕事をほったらかしてニューヨークにいた。ウェスト・ストリート四六三番地の一階にあるリトルの実験室で、機器や部品などを集めて接続して必死で作り上げた装置は、塔のようにそびえ立った。ゲルマニウム単結晶の生成を成功させるには、材料のゲルマニウムを極限まで熱する必要があるので、リトルの実験室の加熱コイルを使った。ゲルマニウムが酸素と反応するのを防ぐために、真空システムで空気をすべて排出し、そこへ水素タンクを接続して、ゲルマニウムとは反応しない水素を流し続けるようにした。結晶を析出させるためには、液状の金属から糸をそうっと、ゆっくりと引いていくことも必要だったため、時計を分解してモーターを取り出した。[22]

彼らの方法は、手のひらほどの容器に入った溶融ゲルマニウムに、小さなゲルマニウムの粒を少し浸して引き上げるというものだ。冷えた粒の底部分が熱い液体の表面に触れるとき、凍るほど冷え切った金属ポールに舌で触れたみたいに、粒と液面がぴたっとひっつく。ティールがゆっくりと粒を引き上げるとき、粒の下側で液体の薄い膜は凍り、次々に層をなして長い結晶を成長させる。この液体からできた長い銀色の棒は糸のように細く、木のようなこぶがところどころにできていた。こうして、ティールは液体と固体の「綱引き」をマスターして、ゲルマニウムの単結晶を液体金属から引き出し、彼の長年の連れであるゲルマニウムは彼の要求を満たした。

結晶を引き上げるというアイデアは、これよりかなり以前の第一次世界大戦中に偶然見いだされた。一九一六年にポーランドの科学者ジャン・チョクラルスキーがその日の終わりに、万年筆で実験ノートを書いていた。ペンをインクビンに浸すつもりが、うっかりして近くの溶融スズのるつぼに入れてしまう。[23]見ると、ペン先から金属が細い糸状に垂れ下がっているのに気がついた。こうしてチョクラルスキーは、完璧な金属片を素早く手軽で安価に作る方法を発見し、やがて、マリ・キュリーとニコラウス・コペルニクスに並ぶ極めて偉大な科学者になる。彼の名声は大西洋を渡らなかったが、彼の研究は伝わった。

ティールとリトルは、チョクラルスキーの方法を借用して、経営陣の許可を得ずに研究を進めて、手の

図100　ゴードン・ティール。ベル研究所の化学研究者。小さな溶融液の容器からゲルマニウム単結晶を引き上げている。

長さほどの長い銀色の金属を作り出した。このゲルマニウム結晶は、内側は欠陥がなかったが、見かけは樹木の節だらけの枝のようで、醜《みにく》かった。ティールの結晶は完璧だったが、経営陣の反応は悪かった。この貴重な結晶を物理学者のところにも持っていったが、拒絶された。ゲルマニウム単結晶は不必要だというショックレーの言葉が、ベル研じゅうに響き渡っていた。ショックレーが「ひどい石頭」らしいとわかり、ティールは「馬鹿馬鹿しい話だと思った」とのちに語っている。単結晶がなければ「完全に制御不能」だったからだ。[24]

ショックレー対策として、ティールはトランジスタープロジェクトの中へ入る方法を探した。まずは、ジョン・リトルとともに研究した。次に、自分の管理者より向こうに注意を向け、トランジスターの開発トップで製造責任者でもあるジャック・モートンに働きかけた。ティールはこのモートンに対して、実際にスイッチ兼信号増幅器としてトランジスターを商品化するつもりなら、自然の結晶不完全性は除去する必要があって、特に結晶に高い純度と完全性があることでデバイスの制御がよくなり、さらにゲルマニウム（と他の半導体元素も）の科学的性質がグラフで表せるようになるということを強く訴えた。ベル研の物理学者たちは、原理を一回だけ証明しようとかノーベル賞をとろうとか、短期的思考で研究していたが、ティールは、再現性と信頼性のあるスイッチと増幅器を量産するという長期的なことを考えていた。モートンはティールの取り組みに納得して資金を出したが、ティールは自分の部門での仕事も続けなければならなかった。

一九四九年をとおして、ゴードン・ティールのたいていの一日には始まりが二回あった。[25] 日中、ティールは一号館三階の自分の実験室で、ベル研の新しいヘッドホン用の炭化ケイ素に取り組んで、午後四時半になると一階の冶金学実験室に降りていってゲルマニウムの研究を始めた。冶金学部門の技術者たちが帰宅すると、ティールは収納庫に保管している自分の実験用の装置類を取り出して、いかつい電源プラグをいくつも接続して結晶引き上げ機に電源を入れ、システムに窒素ガスと水、真空ラインを接続した。装置の「塔」は幅六〇×高さ二一〇センチメートルほどもあり、身長一八〇センチメートルのティールよりも高かったので、準備を整えて稼働させることは楽な作業ではなかった。

彼は夜通し、より長い結晶、完璧な結晶、大きな結晶を作る条件を見いだすために試行錯誤した。日が上る前にノートに書き込み、装置の接続をすべて外して、それをカートに乗せて運び、収納庫へ戻した。その数時間後に技術者たちは実験室に戻ったが、自分たちが眠っているあいだにそこで実験が行われていたことには気づかなかった。

ティールの妻リダは彼の長時間労働をおおむね支えていたが、幸せではなかった。真夜中すぎまで働いていることも、二〇代の頃はロマンチックだった。その頃、ニューヨークで働いていたティールは、ティーマン・プレイスの小さなアパートから徒歩で研究所に通い、夕食を研究所内で二人いっしょにとって、それからリダが作業台で眠ってしまうと、彼は夜遅くまで働いていた。二人はそうした生活が好きだった。だが今や、ティールには三人の小さな息子がいるが、子どもたちは父親に会えなかった。「家族は私を失ったように感じていた」[26]と後年ティールは話している。息子に会ったときにも、野球の話をするのではなく[27]、ゲルマニウム結晶のことと融けた金属からそれが取り出せることについて話していた。

ゴードン・ティールは、かつてベイラー大学時代にマラソンを走ったときのようにひたすらよりよい結晶を作り続けて、たいていの科学者がしがちなことはせずにそれらの結晶をトランジスターグループのさまざまな研究グループにどんどん提供していった。そしてついに、ティールは助手のアーニー・ビューラーとともに、物理学者たちと同じ建屋に自分の実験室を獲得し、そこに何台もの結晶引き上げ機をずらりとそびえ立たせた。ショックレーさえ、これが有用だという主張に納得するようになり、ついにティールはトランジスターグループの一つに入ることができて、王様ショックレーも含めて他の研究者たちとともに働くことになった。一九四九年末までには、研究所の誰もがゴードン・ティールの作った単結晶ゲルマニウムを使うようになった。

こうしてティールは、物理学者たちがかつてペーパークリップと金箔、プラスチック、不完全な結晶で作った「作品」を実用化して、化学者のモーガン・スパークスとともに、液体ゲルマニウムに新たな成分を混ぜて新しい発明品を作り出した。ゲルマニウム結晶の成長中にガリウム元素を他の元素とともに加えることによって、ゲルマニウムは長さ方向にケーキのように二つの異なる層ができて、各層が電気的に異なる挙動を示し、いわゆるpn接合を作ったことで、かつての「作品」よりも実用的なトランジスターが生まれたのだ。ティールは成功に近づいていたが、大物ぞろいの中でスター研究者になるのはまだ難しかった。一九五二年一二月末、ティールはその現状を打破するために思い切って、ベル研究所の同僚と東海岸に別れを告げて、故郷テキサス州の広大な開けた土地へ向かった。彼は、後にテキサス・インスツルメンツと改名された小さな会社で新しい仕事を始めた。この日のために、彼の母親はどんなにか祈っていたことだろう。

それから数年後、一九五四年五月一〇日に、オハイオ州デイトンで無線技術学会主催のエレクトロニクスのカンファレンスで、ゴードン・ティールは無名の会社の研究者としてスピーチをする予定だった。午前中の講演では、シリコンでトランジスターを作るのは不可能だという話が何度も繰り返されるのを、

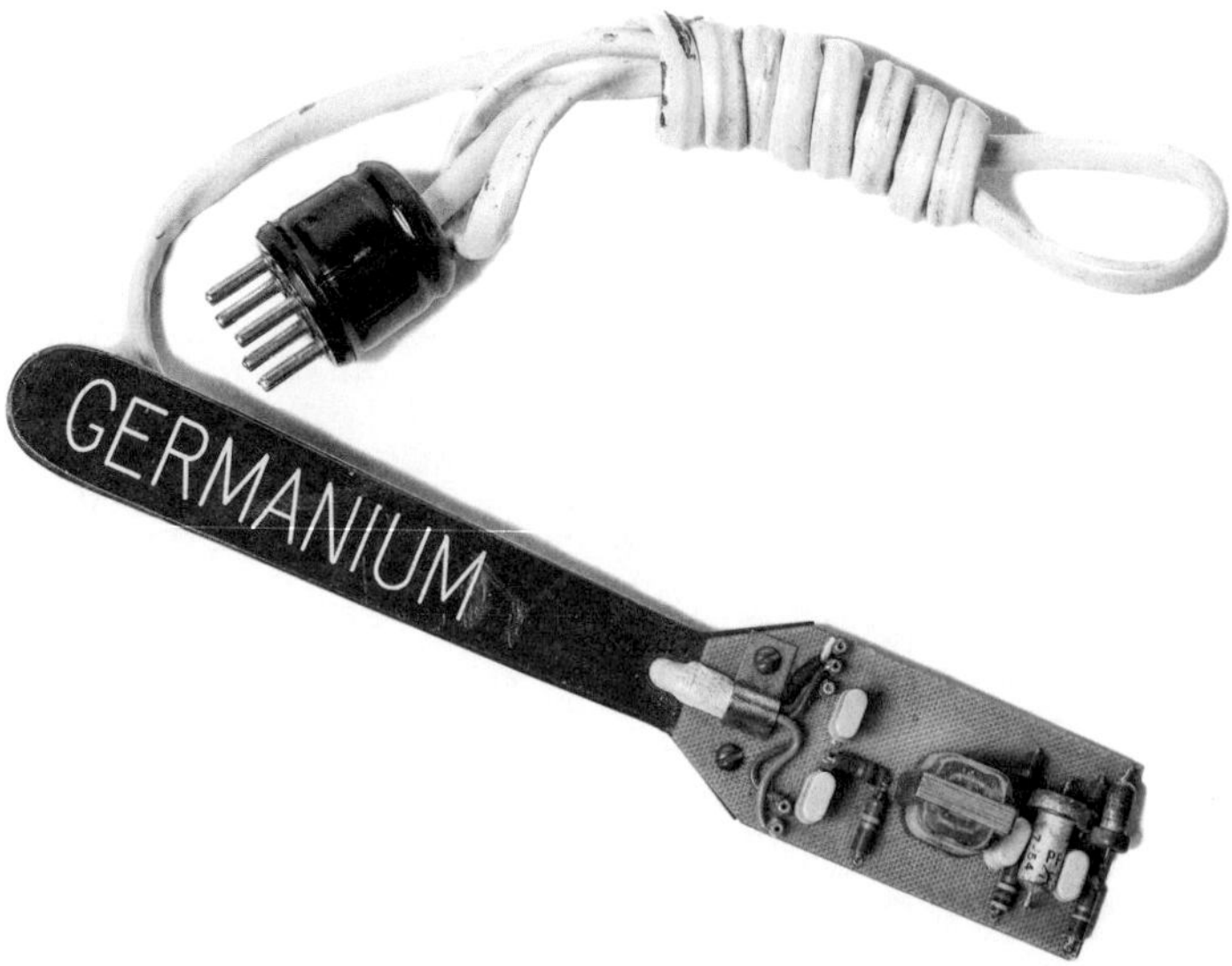

図101　ゴードン・ティールがこの電気回路の「へら」を熱い油に浸すと、へらにつながっていたフォノグラフ（蓄音機）の音楽が鳴り止んで、ゲルマニウムトランジスターの欠点が示された。

RCA（アメリカ・ラジオ会社）、ウェスタン・エレクトリック、ゼネラル・エレクトリック、レイセオンといった大企業からの出席者が聞いていた。シリコンはゲルマニウムに似た性質でより強固な元素だったが、結晶化することが難しかった。エンジニアたちのスピーチのあいだ、そうした意見に感情が高ぶりつつ、ティールは両手をポケットに入れて自分の出番を待っていた。

ようやくティールがスピーチを始めて、その半ばに、同僚のウィリス・アドックスがレコードプレイヤーを運び出してきた。聴衆が一斉にそちらに注意を傾けると、クラリネットにハープシコードの伴奏という珍しい組み合わせの音楽が流れ出した。四五回転のレコード盤からアーティ・ショウのクラリネットが奏でる『サミット・リッジ・ロード[28]』が鳴り響く。プレイヤーの側面に差し込まれたプラグからケーブルが延びて、「へら」のようなものにつながっている。その「へら」の平らな部分には、回路が組み込まれている。見た目は「バイオニック・フライ返し」といった感じだ。ティールは、この回路にはゲルマニウム結晶が入っていると聴衆に説明して、その回路つきの「へら」を熱い油に浸した。レコードのクラリネットとハープシコードは雑音でかき消されたが、科学者たちは驚かなかった。彼らはゲルマニウムの隠された秘密——熱くなると不安定になること——を知っていたからだ。

そこで、ティールは実証実験を再開した。今度は、別の回路が取りつけられた「へら」を取り出した。そしてまた音楽を流し、その「へら」を熱い油に浸した。雑音は生じず、クラリネットとハープシコードの音楽が響く中で、ティールは聴衆に、シリコントランジスターはこの瞬間にも音楽の演奏を続けていると告げた。

観客席の真ん中あたりに座っていた一人の人物が、席から飛び上がって、ティールに「製造されてるシリコントランジスターがあるんですか」[29]とティールに訊くと、「いまでしたらいくつかポケットにありますよ」[30]と彼は応え、上着のポケットに手を入れて、SF映画から出てきた三本足のロボットのような小さな装置を取り出した。未来はすでに到来していた。

観客の一人が公衆電話へ走り、電話をかけるや「テキサスにシリコントランジスターがあるぞ!」[31]と叫んだ。冶金学の奇跡をすでに実現していたティールは、遅れてやってきた大騒ぎに包まれた。さらに重要なのは、コンピューターが(『オズの魔法使い』のブリキの木こりのように)脳を獲得したことだ。コンピューターは基本要素であるシリコントランジスターという部品をそなえたことで計算と思考が可能になり、この基本要素をいくつも集めることで、できる仕事の量が増した(コイのスイッチボードのスイッチがそうだったように)だけでなく、途方もなく大規模な仕事をするようになった。基本要素のトランジスター(シ

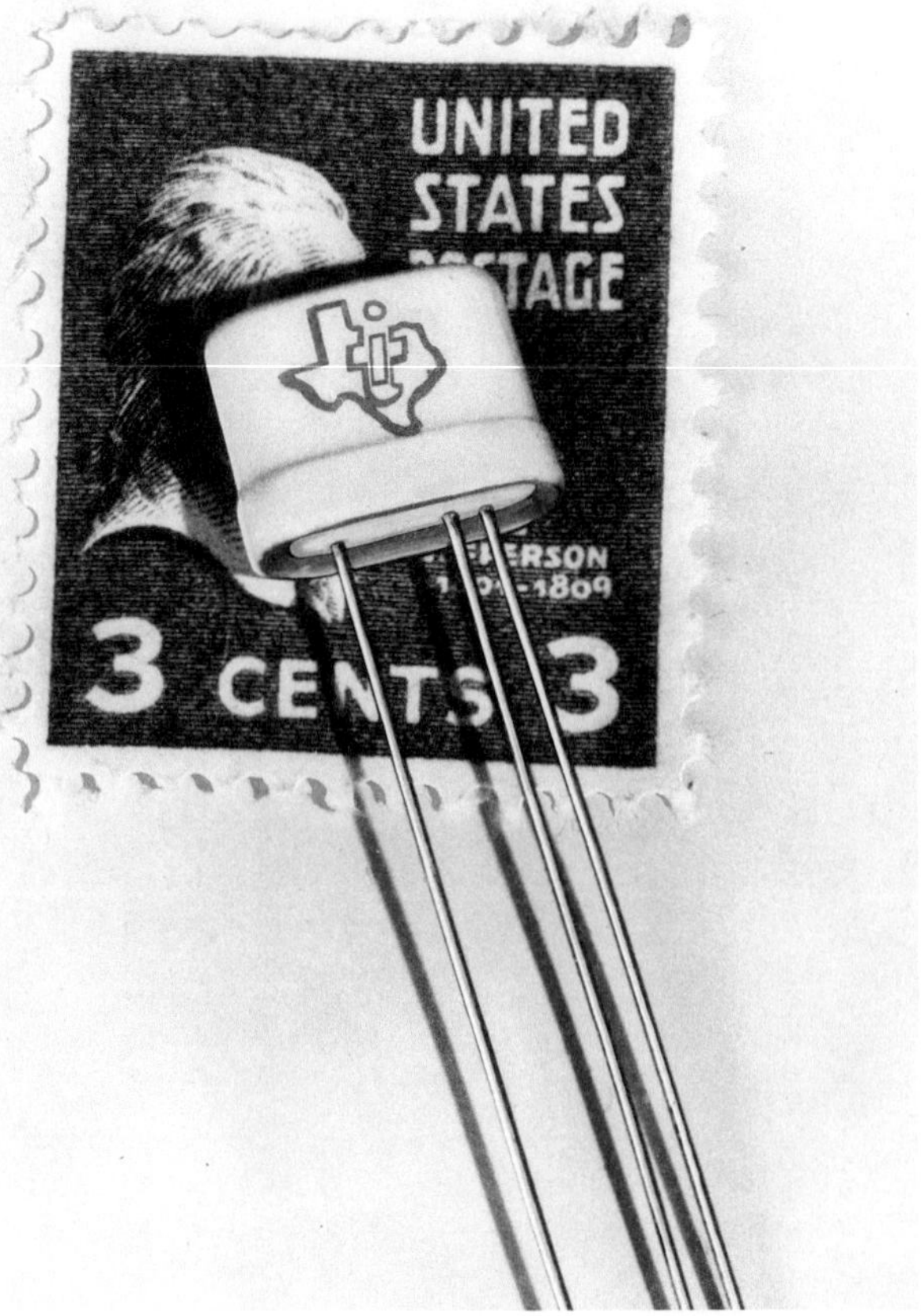

図102　小さなシリコントランジスター。ゴードン・ディールが、スピーチでエレクトロニクスのシリコン時代の到来を告げたときに、ポケットに持っていたのと同様のもの。

リコン製スイッチ）を他のものと組み合わせることによって、コンピューターはいっそう賢くなり、人間を凌《しの》ぐほどになっただけでなく、人間の考え方も変化させることになった。

脳を形作る

コイ、ストロウジャー、ティール、その他の大勢の科学者は、以前のテクノロジーを使って、以前よりも優れたスイッチを作り、それらのスイッチが電話システムになり、後にはコンピューターの心臓部となった。ところが、これらのスイッチを作り出したことが、私たちの脳を作り直すことにもなった。コンピューターは人間の考え方に影響を与えているのだ。初期のコンピューターは、人間の認知力を拡大させようとして単純な作業を引き受け、そして偉大な科学的および工学的な進歩によりコンピューターが成熟して、ついにインターネットのワールドワイドウェブの創出が可能になった。だが、トランジスターの開発こそが大きな要因となって、コンピューターが広く遍《あまね》く存在するようになり、インターネットでどこにでもいけて何にでも触れられるようになった。コンピューター以前と以後で、世界は異なっている。そして、学者たちは、トランジスターとコンピューター、インターネットがある生活をじっくりと調べ、疑問を提示している。こうした学者たちによれば、確実に、これらのテクノロジーがいままさに私たちの脳を形作っている。

すべての学者は、インターネットの勢力範囲が私たちの脳まで拡張されていることを認めている。一方、インターネットは私たちを賢くしているのか、あるいは愚かにしているのかには議論がある。この問いに対しては、「それを知るのは難しい」と「誰が尋ねているのかによる」というのが答えだ。科学者は実験をしたいときには必ず、一つのグループは変化させ、比較のために他のグループは同じ状態のままにする。後者のグループは対照群といい、実験が実際に何をしているのかを見るためのペースカー（レースの先導車）のようなものとして働く。だが、インターネットの影響の実験を行うために、インターネットを使ったことがない人を見つけることがものすごく難しく、対照群の設定が困難になっている。対照群になりうる人々が、対照群としては不適切な要素を持つこともあり、たとえば、話す言語が異なる、貧困にあえいでいる、アーミッシュのように違う文化の中で暮らしている、という場合がそれにあてはまるだろう。だが、こうした困難があるとはいえ、学者や研究者、市民は、インターネットの影響について、考えを主張したり直感から話したりすることをやめないだろう。

インターネットの影響について楽観的な考えの人々は、インターネットが私たちを賢くしていると主張する。マウスをわずか数クリックするだけで、欲しいデータが光線に乗って放たれて、光ファイバーをとおってパソコン画面に現れる。「ティンブクトゥはどこか」「ユタ州の州都はどこか」「一マイルは何フィートか」といった質問に、ハチドリが羽をばたつかせる一瞬ほどの時間で答えられる。わずか数十年前は、これらの質問に答えるには、ピザを注文して届くまでよりも長い時間がかかっただろう。以前なら、地図を取り出したり、図書館の百科事典を開いたり、換算表と電卓を引っ張り出してきたりしただろう。「インターネットは、全地球上の知識の財産にいきなり触れるためのすばらしい方法だ」と神経科学者のデイヴィッド・イーグルマンは語る。「私たちを愚かにするはずがないと思う」し、「私たちをもっともっと賢くしていくと思う」[32]ともいう。

だが、インターネットの影響についてそれほど楽観的に見ていない人々もいる。二〇〇八年以来、『アトランティック』誌に掲載されたニコラス・カーの「グーグルで私たちは馬鹿になるのか？」のように、インターネットの危険性に警鐘を鳴らす論が見られる。そうした論調は、グーグルの創業から一〇年、インターネット誕生から一八年たち目立つようになった。カーは、その続きを論じた著書『ネット・バカ――インターネットがわたしたちの脳にしていること』（篠儀直子訳、青土社）で、インターネットが私たちの脳をいかに変えているかを論じている。ウェブは、ばらばらの事実の寄せ集めと、各種媒体（文章、画像、映像、音声）のビュッフェ、リンク少々によって、生のまま未加工の形で情報を食卓に出しているので、私たちの脳はそれを消化して摂取しなければならない、という。これが私たちの脳を歪ませるのだ。[33]何世紀にもわたって知識を書籍から得てきて、私たちの灰白質は、一つの思考から、次の思考へ、それからさらに次の思考へと順に流れていく直線的な思考に慣れている。だがウェブでは、思考は流れない。いきなりグイっとつかまれて、引っ張られ、揺さぶられる。[34]さらに、情報の氾濫《はんらん》に対して、私たちは新しい読み方の習慣を発達させることで対応してきた。ウェブページを読んでいるとき、私たちは文章を流し読む、キーワードを探す、表面的に目をとおす、といったことで必要なものを得る。[35]神経科学は、これらの新しい習慣によって脳がそうしたスキルに堪能になることを示している。私たちがインターネットの使用から育てた学習習慣は、私たちの深く考える能力を弱めると[36]考える研究者もいる。

研究によれば、私たちの記憶には短期メモリと長期メモリがあり、前者は情報を数秒間、後者は数年間保持するものだ。[37]さらに、両者をつなげるワーキングメモリ（作業記憶）もあって、メモ用紙のように働いて、長期メモリから取り出した思考がそこで検討される。食事のアイデアが浮かんだり、レシピの次のステップを思い出したり、頭の中で物体を回転させたりするとき、すべてはワーキングメモリの中で起こっている。[38]

ワーキングメモリには保持できる限度がある。電話会社は二〇世紀初期、スイッチの改善を目指しているときに、この限度について学んだ。一九二〇年代に電話の普及が進み、大都市で各家庭にそれぞれの電話番号を数字で作り出すために、番号は七桁の数字になった。七桁を選んだのは運がよかっただろう。[39]最初の電話番号は全部が数字というわけではなく、文字と数字でできていた。たとえば、あるニューヨークの番号は「PEN5000」（ペンシルベニア州交換局の五〇〇〇番）といったものだ。だが一九六〇年代から七〇年代までにすべての電話番号が七桁の数字となると、問題が起きた。人々が電話番号を間違えて覚えやすくなり、間違い電話が発生したのだ。ベル研究所は、15553141593のような長い数字の並びに関するワーキングメモリ能力の研究にお金をかけ、その結果、二つの重要なことを発見した。数字の並びを1-555-314-1593のように切り分けると正しく覚えられるということ（アメリカの電話番号が現在そのようになっている理由だ）と、ワーキングメモリは（急ぎの客専用レジのように）、扱える数（商品の個数）に限りがあって、それが七個前後であるということだ。[40]

情報の消費はワーキングメモリによって制限を受ける。カーは『ネット・バカ』で、ワーキングメモリは、情報をカップ一杯分ごとに長期メモリのプールからすくい出したり、プールへ入れたりすると説明する。[41]だが、インターネットはナイアガラの滝である。さらに、でたらめにしぶきが飛び散り――あちこちに動画、事実の断片、フェイスブックの投稿、ツイッターのつぶやきがあって、それらが私たちのワーキングメモリに飛び込んでくる。それが、私たちの長期メモリへ移されるので、私たちは結局、注意散漫になる。[42]

私たちは注意を引きつける派手な見出しやバナー広告などに過剰にさらされる時代に入っている。そして私たちは深く考える間もなく、一つの話から次の話へとひらひらと移動していく。私たちの知識は表面にとどまっている。私たちは本を読むなら、細部や陰影を味わい別世界にとっぷり浸かって、深いところまで泳いでいく。だがインターネットは、世界的に広がっている子ども用プールのようなもので、私たちは浅い広がりをバシャバシャとうろつき回っている。これは、脳が保持可能なものに対して私たちが臨界点に至ったからだからで、社会は情報との新たな関係性を築かざるを得ないのだ。ハリウッドは、インターネットが私たちにとってどのようなものになったのかを示すことで、この袋小路を見事に描いている。

二〇〇一年公開の映画『メメント』[43]は、レナード・シェルビーという名の男が、妻を殺した犯人を追う物語だが、そこで追跡を阻む問題がポイントになっている。レナードは犯人に突き飛ばされた外傷で、前向性健忘症という新たな記憶を保持できない状態なので、大事なことを覚えておくために、さまざまなものを巧みに利用して、記憶を補う原始的な方法を作り上げる。ポケットにはポラロイド写真（彼が「知っている」人々やホテルを撮ったもの）を持っているし、胸と両腕には事件についての事実を思い出させるタトゥーを入れていて（「殺人犯はジョンまたはジム・G」）、壁に貼った紙には、メモを書き添えた写真を貼りつけて保管している。彼の生物学的記憶（脳）が正常に機能しなくなって以来、彼の体の外にあるそれらのすべてがともに彼の記憶として働いている。レナードの記憶補助の仕組みは、哲学者が「拡張した心」[44]と定義するものだろう。その仕組みによって、「脳が果たしていた役割が、世界のツールに乗っ取られる可能性がある」[45]とニューヨーク大学の哲学教授デイビッド・チャーマーズは述べた。彼は一九九八年に「拡張された心」と題した共著論文も書いている。レナードの心は頭蓋骨の中にあるのではなく、その外にあるのだ。拡張された心というこの概念は、数十年前の哲学論文の単なる頭でっかちな学問的概念ではなく、予言になった。インターネットは実際に、私たちすべてにとっての拡張された心になっている。

拡張された心には、必ずしもタトゥーを入れたり用紙や筆記具をそろえたりする必要はない。振り返って考えると、私たちは拡張された心を（その定義によれば）、何世代にもわたって小規模で持っていたことを今では知っている。古代の壁や粘土板、巻物、書籍はすべて、拡張された心の要素だが、買い物メモや付箋紙に書いたメモ、カレンダー、チェックリストもまたそうである。拡張された心と見なすためには、いくつかの基準を満たさなければならない。「私たちはそれを獲得する、私たちはそれを信頼する、私たちはそれを使う」とチャーマーズは語った。それは入手可能で、信頼できて、利用できなければならないものと定義されるということだ。そして、いつも持ち歩いてインターネットにアクセスできるスマートフォンによって、今ではウェブがその定義にあてはまる。

デジタル以前の時代に記憶は――母親の電話番号を覚えることなどは――私たちにとって大切なものだったが、インターネットが私たちの振る舞いを変えたために、記憶はもはや大切なものではないことが、研究により示されている。もはや私たちは物事そのものを覚えていないこと、そして今では物事がどこにあるのかを覚えているのだということを科学者が証明している。[46] 電話番号を覚えておく代わりに、スマートフォンを取り出して、電話番号を読み出せと命じることを知っているというわけだ。情報に関していえば、私たちの脳は「何」よりも「どこ」を優先させている。[47] アプリが覚えておいてくれるので、私たちは覚えておく必要がない。このように、私たちの脳はインターネットによって配線し直されている。私たちはグーグル脳に変化した。

古代には、記憶した内容の言い伝えにより文化が歴史を次世代へと伝えていった。昔の学校では生徒たちは詩やゲティスバーグ演説〔訳注：「人民の人民による人民のための政治」というフレーズを含むリンカーン元大統領の有名な演説〕、各州の州都の一覧を覚えて暗唱した。つい最近まで、私たちは電話番号を覚えているものであり、またそれは偶然にも私たちのワーキングメモりに適する桁数だった。今では、こうした慣習はなくなった。電話番号を覚えていないことは時代が前進しているしるしだという人々もいる。「重大な喪失ではない」[48]と神経科学者のイーグルマンはいう。

人間とコンピューターのこの共生関係にはいくつかのメリットがある。計算は、そろばん、チャールズ・バベッジの機械式計算機、エイダ・ラブレスのソフトウェア、ENIAC、そして集積回路により簡単になっていった。脳はあまりよい計算機ではないので、何かに計算をさせる能力は価値あるものだった。だがウェブは、人類がかつて経験したどんなものよりも大きな規模で心の拡張になり、私たちはウェブがあれば知る必要はないと考えるようになる。何かを調べるのが容易なことは、理解する能力や経験する能力を傷つける。経験によって知ることと、ユーチューブによって知ることには違いがある。知恵はグーグル検索では見つけることができない。見識はアルゴリズムでは見つからない。理解はダウンロードできない。

人間がインターネットによって影響を受ける側面は、知恵と見識、理解にとどまらない。創造性もまたそうである。脳そのものと脳が創造するものは、神経科学のもう一つの謎だが、さまざまな創造活動とともに成長する脳の部分は、科学的に明らかになっている。音楽家は脳のある部分が増大しているし、画家など視覚芸術家も別の部分が、作家もまた別の部分が大きくなっているのだ[49]。脳がどのように創造しているのかはあまり確かなことはわからないが、インターネットによって影響を受けるのは確かだ。だが、インターネットが創造性に与える影響には二つの対立する側面がある。創造性がアイデアの混合、アイデアの破壊、アイデアの変形と定義されるなら、それを前提としてインターネットは人がより創造的になることをうながす可能性がある。まさにそのことを、神経学者のデイヴィッド・イーグルマンは信じている。「世界を多く取り込むほど、人はより創造的になりうる。破壊と混合の原材料をより多く手にするからだ[50]」という。創造性には、準備、革新、製造という段階もある。[51] ウェブはこの最初の段階にとっては偉大なツールだ。「インターネットは、研究や調査をする人々には情報をより迅速に提供できる」[52] とフロリダ大学医学部神経科学科名誉教授のケニス・ヒールマンは述べている。

しかし、負の面もある。創造性とは、アイデアを保管する単なる倉庫でなく、それらのアイデアをコトコト煮込むような時間を脳に与えるプロセスでもある。「人は一人でくつろいでいるときに、とても創造的なアイデアを思いつきやすい」とヒールマンは書いている。古典的な例として、アイザック・ニュートン卿はリンゴの木の下で座っていた。「ニュートンが今の電子メールを読んでいたら、彼の創造的なアイデアは生まれていなかっただろう」とヒールマンは書く。ニュートンの注目がすべてスマートフォンに吸い込まれていたら、リンゴが落ちるのを見ることはなかったかもしれない。

イーグルマンによると、創造的であることには二つの部分がある。第一に「全世界を吸収すること」、第二に「消化して複数の物事を新しい方法で統合する時間をとること」だ。私たちのテクノロジー時代において、第二の部分を手に入れるのは簡単ではない。テクノロジーを伴う時代は、創造性とは反対向きの時代だ。イーグルマンのようなサイバー楽観主義者でさえ、それには同意する。彼は「明らかに、インターネットで時間を無駄にする方法はごまんとある」という。ウェブですごす時間とマルチタスクを好む傾向により私たちの脳は大量の情報であふれかえる。さらに、私たちのワーキングメモリは最大能力でフル稼働しており、いっそう気が散りやすくなっている。[53] 私たちの気を散らすものが、ますますひどく気を散らすものになり、これらの気を散らすものとウェブの中毒性が相まって、私たちがウェブのポテンシャルを最大限に引き出せなくなっている。さらに、私たちは古い脳を持ちながら現代世界に住んでいる。実際に狩猟や採集をすることは一切ない時代に、私たちの狩猟採集精神[54] は存在しているので、私たちの脳はソーシャルメディア上で「フォロー」や「いいね」を狩ったり集めたりするサイクルの中に捕らわれてしまう。インターネットは、じっくりと考えることを助けるツールになりうるが、私たちのインターネットの使い方では、気を散らすものがあまりにも多いために、私たちは物事を深く考えるようにはならない。

私たちには岐路に立っている自覚があるし、このテクノロジーの作り手さえ、何かを獲得しながら何かを喪失しつつあることをわかっている。お金に糸目はつけないシリコンバレーの多くの私立学校で、訪問者は、そこにあるはずのものがないのに気づいて不安になるだろう。コンピューターがないのだ！[55] シリコンバレーの一部の親たちは、自分たちが社会へもたらす助けをしたテクノロジーを、自分たちの子どもに使わせないようにしている。アップルの創業者スティーブ・ジョブズさえ、「ローテク・パパ」[56]だった。一部のサイバー楽観主義者は、インターネットへの抵抗がある理由はわかっているとし、イーグルマンも「新しいものが怖いだけだと思う」と述べている。新しいものに対する反発は大昔から常に存在し、古代ギリシャでは、書くことで学生が口頭伝承を覚えられなくなると学者が愚痴をこぼしている。コンピューターに対する懸念は、そのハイテク版かもしれない。「非常に重要なのは妥協点を見つけることだ」とニューヨーク大学の哲学教授のチャーマーズはいう。

テクノロジーで私たちが何かを得るのは確かだ。二〇世紀の間はＩＱテストのスコアが毎年上がったことが調査で示されている。[57] 私たちは祖父母や父母よりも賢くなり、私たちのほうが多くのことを知っていて、私たちのほうが多くのことをするが、それは今に始まったことではなく、一九世紀にトーマス・エジソンは「私たちの祖父母が数日でもできなかっただろうことを、私たちは数分でやっている」と述べている。[58] だが、今日ではそれどころか、どんな分野の最新情報でもTEDトークで専門家からわずか一八分以内に得ることができる。インターネットにより、私たちはサミュエル・モールスが予言した「近隣住民」になった。

しかし、私たちが失うものもある。「私が心配しているのは、場合によっては人々が理解力を失い始めるかもしれないことだ」と哲学者のチャーマーズはいう。さらに、「子どもの経験がすべてコンピューターをとおしたものになり、何事もコンピューターから始めるといった状況に陥ることは絶対に避けたい」と語った。

フィニアス・ゲージのように、私たちは自分の脳が経験するものである。表面的な理解ばかり要求する脳の部分をひっきりなしに使うとき、私たちもまた浅はかになってゆく。深い思考によって自分の脳を鍛えなければ、私たちはついには物事を理解できなくなり、創造できなくなり、考えられなくなる。

インターネット、私たちの各種デバイス、そして私たちのコンピューターは、人間であることの価値の問題を提示している。アルゴリズムにとって重要なことがいきつく先は、私たちにとって重要なことではないからだ。ウェブが知っているのは、どれぐらい速く検索できるか、検索から何個のものが出てくるか、検索の最上位のものは何かといったことだが、それらは、人間になくてはならないものとは無関係だ。私たちの睡眠の質、休暇、言語、共感、偏見、科学の飛躍的進歩、ホタル、夜空、プライバシー、あるいは人間の考え方さえ、アルゴリズムにはかかわりないことだ。したがって、これらの無形なものの価値がわからないテクノロジーには、これらの物事の解決を頼むことはできない。人生を価値あるものにする構成要素には、音楽、映画、おいしい食事、友情、笑い、正義、平和、物語、祭、偶然の出会い、花、旅行、手書きの手紙、愛、真実、運動、ファッション、ハグ、日の出、日没、バカンス、小説、カフェイン、本などがあるが、これらはコンピューターにとっては何も意味しない。これらはすべて人間が担うものなので、これらを持ち続けるために、そしてこれらを守るためには、人間の行動が必要だ。

コンピューターのプロセッサーはそもそも人間の脳に基づいているが、今や私たちがそのコンピューターにますます似てきている。だが、人間のさまざまな側面がすべて機械上に描き出されることはないだろう。洗練されたソフトウェアを使って「イエス」と「ノー」の決断を速やかにする一連のスイッチよりも、私たちの灰白質のほうが複雑だ。私たちの脳は、私たちの才能、創造性、想像力の謎を保持している。私たちは欠陥を持ち、非効率的だが、柔軟性もあり恐れ知らずでもある。不合理に見えることもするが、革新的なこともする。カオスを生み出すこともあれば、美も生み出すこともある。

人を人たらしめるものは何か。このことを私たちはコンピューターの進歩によって真剣に深く考えざるをえなくなった。私たち人類は分かれ道にさしかかっていて、どちらに進むか方針を決めなければならない――もっとよい機械を作ることを目指すのか、それとも、もっとよい種になることを目指すのか。今はまさに、進むべき道を考えるときなのだ。そして、私たちには勇気も必要だ。歩き出した道が私たちには合わない方向ならば、勇敢にも向きを変えて別の道をいかなければならない。

私たちは勇気をもってスイッチのように切り換えるべきなのだ。

あとがき

『発明は改造する、人類を。』の執筆を、ノーベル賞受賞者トニ・モリスンが遺した二つの言葉がブックエンドのように支えてくれた。そのうちの一つ目は本書の触媒として働いたので、私は本書にとりかかったときからその言葉をよく知っていた。それは「あなたが読みたい本があっても、まだそれが書かれていなければ、あなたがそれを書かなくてはなりません」というものだ。私は黒人の女性科学者として自分の経験から、自分がよく考えていることが教科書では隠されている、見当たらない、影になって見えにくい、ほとんど光があたっていないと気づくことがしばしばあった。科学とテクノロジーについて書く機会がやってきたとき、私はモリスンの言葉を心にとどめた。

本書の執筆を始めたとき、最初は科学とテクノロジーについて現在定着している考え方を受け入れて、白人男性たちと彼らの発明についての古くからの物語を再び語るということに熱中していたのは確かだ。けれども、本書を書くことは私自身に錬金術のように働いた。ずっと沈黙していた驚くべき炎が、私自身の考えが含まれない物語を私が書くことを押しとどめたのだ。そういうわけで、私は本書の中で鏡を作り出そうと試みた。本書で紹介した発明家たちは、才能はあったが欠点もあり、そのどちらも私たち誰もが持ち合わせているものだ。よって、読者のみなさんが（科学者も科学者でない人も、発明家たちと同じような集団に含まれる人もそうでない人も）、そうした性格とある程度結びつけて考えられたり、どことなく親しみを覚えたりすることができるように、私は本書の各ページで彼らの複雑なところと人間らしさを明らかにして提示しようと試みた。私がはるか昔、工学の授業をとっていたときに、こんな本があったらどんなにかよかったのにと思う。リュックに入ったひとそろいの本が私の頭の中を満たしたとするなら、本書は私の魂を満たしたことだろう。

テクノロジーについての本は、発明家を人間らしく描かないことが多い。多くの著者は発明家の才能を賛美したいと思っているが、それによって図らずも、新しいものを人々が作り出していくことをできなさそうに見せている。一方、学者たちはできる限り伝えたいと考えているので、そうした学問的なやり方で本を書くことは、評価の高い一部の研究（ルイス・マンフォードやジャック・エリュール、トーマス・サミュエル・クーンの研究など）には最適だろう。だが私は、わずかな人にしかわからない技術や学問のことにページを費やすのはやめようと意識的に決断して、その代わりに、多くの人々に深く理解してもらえる人間的な話を書くことにした。初めのころは、自分のやり方でよいのかわからなかったが、モリスン教授の二つ目の言葉によって、私の選んだ方法は間違っていないということを確信した。

私の気持ちから疑念が消えて確信に変わったのは、最初の草稿を完成させて寝かせているあいだに、一九九一年の第二回シカゴ・ヒューマニティーズ・フェスティバルでモリスンが行った基調講演を偶然見つけたときのことだ。その講演の数年後にはピューリッツァー賞を受賞することになるモリスンは、学究的環境におけるさまざまな強み、経験、文化などの重要性について講演で話していた。その中で「専門分野の従来の文書を新たな観点で読み直すこと」[1]を大学教員たちに求めて、その努力によって「いっそう大きな力、いっそう美しい美、いっそう大きな知的活力——そして機微」が明らかになると説明し、それをしなければ「まさに暗黒時代」を招くことになると警告した。この言葉が私に教えてくれた。私が本書に取り上げた有名な話に関しては、私の強みと私のやり方は、どうでもいいつまらないものではなく、必要不可欠なものなのだ、と。

モリスンの言葉がいろいろな面で私の心に響いたのは、文化を要約したものを作っていた人々が、最高のことをしているつもりで、恐ろしく間違った方向に進んでいた、という次のような警告的な物語を執筆中に知ったからだ。モリスンの講演より十数年前の一九七七年に、カール・セーガンとその友人らは、NASAのボイジャー計画で宇宙にレコード盤を送り出すという、めったにない機会を得た。この急ごしらえの委員会は、わずか九〇分の録音時間に、どんな地球の音楽を入れようかと熱心に取り組んだ。セーガンは白人で当時四三歳、クラシック音楽の愛好家で、当初のセレクションはほとんどがヨーロッパ由来のものに占められた。若いメンバーが苦労の末にそれ以外の文化の音楽を持ち込んで、セレクションに「スパイス」を振りかけることはできた。だが、ようやく地球全体を示すプレイリストができたのは、長年世界の歌を集めているアラン・ローマックスに相談したおかげだった。私はローマックスに共感を覚えた。彼がそこにかかわらなかったら、ゴールデンレコード――地球の星間タイムカプセル――は、地球の断片だけを表現するものになっていただろうから。

世の中で科学とテクノロジーの本には事欠かないが、人々に愛されたセーガンのように、多くの書き手は自分のレンズをとおした見方で本を書いている。だが、私が本書で試みたのは、ローマックスのやり方で、つまりモリスン教授の言葉に裏づけられた適切なやり方で、このテクノロジーというテーマについて考えることだ。テクノロジーについての議論は包摂的でなければならない。なぜなら、テクノロジーは博学な少数の人々のためだけにあるわけでも、ヨーロッパ人の子孫の人々のためだけにあるわけでもないからだ。サンドイッチ作りから太陽電池の工作まで、あらゆる人が何かを作るのだから、科学とテクノロジーについて調べるときには、そのことをよく考えなくてはならない。DJは二つのターンテーブルと一本のマイクを使って曲を途切れさせずにフロアの客に届けているし、科学者は二本の試験管を使ってクリスパー技術で遺伝子をつなげている。そんなふうに、誰でも新しい何かを作る可能性がある。だから、科学とテクノロジーについての物語には、誰もがその発明を使うということをよくよく考えなければならないのだ。

テクノロジーについての本が読者のことも含めて考えられたものであれば、読者は物語を楽しむだけでなく、自分にも何かを作り出せるという感覚も得られるだろう。本が発明家たちの欠点と失敗を示すとき、読者は自分も課題に立ち向かえると感じられるだろう。その励ましは、読者が決断するときの勇気づけになるだろう。そうしたことが本書で最も大切なことだと私は思っている。それぞれのページで説明したように、誰もが発明するための入場券を持っているというだけでなく、誰もが自分の発明物を批判的に批評することが必要なのだ。そのように発明品の影響を思慮深く分析することは、社会のためになる。それは面白い脳トレになるからというだけでなく、行動と社会的変化を合わせた分析が助けになって、社会の状態の限界を超えて、私たちのこの錬金術を好ましい方向に進ませる可能性があるからだ。

謝辞

本書の執筆のプロセスを振り返ると、本書を生み出す機会を得たことをたいへんありがたく感じ、また寄り添い励ましてくださった人々に対する感謝の気持ちで満たされます。母のアンジェラ・ピタロには最大の感謝をささげます。私のことも この執筆の計画も私自身が信じられなくなったときにさえ、母は信じてくれました。私のきょうだいのデイヴィッドとマーク、私の姪のレナと甥のアレックス、私の義理のきょうだいのカッサンドラにも感謝をいたします。いつも変わらない支援と愛を与えてくれました。私の家族や親戚だけでなく、友人たちも、とびきり大きな支えになってくれました。特に、親愛なる友人ロビン・シャンバーグにはとても感謝しています。本書のいわば助産師でありチアリーダーとしても働いてくれました。サラ・マルクサーの友情が私の魂を満たしてくれたことをたいへんありがたく思っています。キャシー・イェップは信頼できる仲間としてともに走ってくれました。さらに、ジーナ・バーネット、ウェンディ・シーリー、イネス・ゴンザレス、キャサリン・ヴォーヴォラコス、レスリー・ケナ、エミリー・ローディッチ、ジーナ・ラ・サーヴァ、エリン・ラヴィックは、この長い旅の負担を和らげてくれました。ミルドレッド・ミューボーン、ラモント・ホワイト、ロン・ノックス、フィリップ・フィオンデラ、ナンシー・サントア、ヴィクトリオ・スウェットも毎日を楽しくしてくれました。私の元学生のみなさん、特に、ケイティ・マッキンストリー、ガイ・マーカス、ジェレミー・ポインデクスター、シュウ・ファンは、私が新境地を開くための刺激を与えてくれました。

　私が科学を大好きになったのは、はるか昔の公共のテレビ番組と、さらに、科学のすばらしい先生方のおかげです。その中には、キャスリーン・ドナヒュー、ジャン＝マリー・ハワード、エーデルガード・モールス博士がいらっしゃいます。モールス博士がブラウン大学で化学21Tの講座をなさらなかったら、科学者になるという私の夢は先送りとなっていたことでしょう。モールス先生、本当にありがとうございました。科学に加えて、アスパイア・ヴァーピュイット先生は、私が歴史を好きになる大きなきっかけをくださいました。

シャーリー・マルコム、アン・フォウストー＝スターリング、サミュエル・アレン、クレイトン・ベイツ、ジェームズ・ミッチェル、リーザ・マーカス、ウシャ・キャナシー、デイヴィッド・ジョンソン・ジュニア、ポール・フルーリが、助言と援助をくださったことに感謝しております。ジョディ・ソロモン・スピーカーズ・ビューローとそのほかのみなさんが、科学は楽しいという私のメッセージを広く伝えるのを手伝ってくださったことにもお礼を申し上げます。最後に、MITプレスの皆さんとともに仕事をしたことはたいへん嬉しく、また名誉なことでもあります。編集者のボブ・プライアーが支えになって（そしてじっと待ち続けて）くださったこと、また、エイミー・ブランドが着手のときから励ましてくださったことに、感謝を申し上げます。

アフリカには「一人の子どもを育てるには、村のみんなが必要だ」という古いことわざがあります。本を作り出すときにもその言葉があてはまることがわかりました。私は多くの組織や親切なみなさんから、支えや助力、励ましをいただきました。母のアンジェラ・ピタロは、本書のための材料を大西洋の向こうから得るために、イギリスへの休暇旅行を変更して、研究の旅にしてくれました。私は母が数々の写真や資料を手に入れてくれたことと、さらに私たちのあいだに新しい絆が生まれたことをありがたく思っています。アメリカ国内で得た資料に関しては、ジョー・チャップマンがカリフォルニアのアーカイブ（記録保管施設）の資料を確保してくださったこと、カスジャ・スパヌーとアルバ・モリスが見つけ難い雑誌記事を探し出してくれたことにお礼を申し上げます。ダルジー・レベッカ・フォータードーには翻訳で、マーク・サバには図版で、ベヴ・S・ウェイラーには印刷用の整理編集で、マイケル・シムズには最終稿の編集でお世話になり、ありがとうございました。

作家にとって最高級のプレゼントとは、注意深く耳を傾けていただくことです。ヒラリー・ブルウィク、キャリー・リード、ニック・スミスはことのほか、私に対して寛大で、揺るぎない支援と励ましをくださったことに感謝します。サム・フリードマン教授には、二〇一四年の彼のクラスを聴講させてくださったことに、ケリー・マックマスターズには本書を作る発端から手を貸してくださったことと、後には最終稿に磨きをかけるのを手伝ってくださったことにお礼を申し上げます。イェール大学のロバート・ゴードン教授が、科学的な内容に対して示唆に富む意見をくださったこと、マリー・ブラウンが最初の交渉によって私の本を先導してくださったことにも、感謝いたします。

おびただしい数のアーカイブのおかげで本書の実現が可能になりました。それらはすべて本書の別の場所にリストアップしており、こうしたすべての機関に感謝を申し上げたいと思います。その中でも、私の要求に対して義務以上のことをしてくださったシェルドン・ホックハイザー（AT&Tアーカイブズ）、メリッサ・ワッソン（AT&Tアーカイブズ）、ウィリアム・コフリン（AT&Tアーカイブズ）、エド・エッカート（ノキア・アーカイブズ）、レベッカ・ナドルニー（ノキア・アーカイブズ）、ジェイムズ・アメメイザー（ニュージャージー州ヒストリカル・ソサイエティ）、ゴードン・ボンド（ガーデン・ステート・レガシー）、トリナ・ブラウン（スミソニアン・ライブラリーズ）、シャーロット・チャペル（フレンズ・オブ・プリューム・ハウス）、ジェミー・マーチン（IBMアーカイブズ）、ケニス・マクネリス（ミュージアム・オブ・バス・トランスポーテーション）、ポーラ・ノートン（ダービィ・ヒストリカル・ソサイエティ）、サラ・パラミジャーニ（フリートウッド・ミュージアム）、ケイ・パタースン（スミソニアン協会）、デイヴィッド・ローズ（マーチ・オブ・ダイムズ・ファウンデーション）、エドワード・サックス（ヴィンテージ・レディオ・ミュージアム）、故チャールズ・セコム（コネチカット州アンソニア）、ダリル・スミス（イェール・グラスブローウィング・ラボ）、フランシス・スケルトン（ニューヘブン・ミュージアム）、エド・スラト（ニューヘブン・ミュージアム）、ハル・ウォレス（スミソニアン・インスチチュート）にお礼を申し上げます。本書のために多くの方々がインタビューを受けてくださいましたが、とりわけ、ジョン・カサーニ、フランク・ドレイク、ティモシー・フェリス、キャロライン・ハンター、ナンシー・マリソン、デイヴィッド・ルーニー、ドナルド・ティールには深く感謝いたします。

私の地元の図書館ニューヘブン・フリー・パブリック・ライブラリーに、そして特に、信じられないほどの支援をしてくださったスタッフのミッチェル・ブランチに、お礼を申し上げます。シャロン・ロベット゠グラフは、入手不可能な書籍や資料を入手するスキルがすばらしく、声を大にして感謝いたします。セス・ゴッドフリーにも、図書館で通常は利用者が触れられない書棚に立ち入れるよう便宜を図ってくださり、感謝いたします。バレー・ライブラリーの壁の内側のスペースで、書き物をさせていただいたことにもお礼を申し上げます。

本書のために得た数々の資料は、神のお恵みだと強く思いますが、私がいただいた金銭的援助もまたそうだと思います。私は次にあげる各機関からの善意の寄付に深くお礼を申し上げます。ゴードン・ティール・ペイパーズを訪問するトラベル・フェローシップをくださったベイラー大学のテキサス・コレクションと、館長のジョン・ウィルソンに感謝します。ジェラッシ・レジデント・アーチスト・プログラムが、二〇一七年七月にとびきりの実り多く豊かな執筆の一か月を与えてくださったことに感謝します。最後になりましたが、アルフレッド・P・スローン・ファウンデーションの博識で支援的なドロン・ウェバーと彼のスタッフから書籍助成金をいただいたおかげで、私は自分のできる限り最高のものを書き上げることと、図版と写真を確保することが可能になりました。「一枚の写真には千の言葉の価値」があります。一枚一枚に、千ずつの感謝を申し上げます。

正直なところ、本書の上梓までの間にあまりにも多くの人々にお世話になったので、ここに書ききれておりません。広くみなさまに向けて、心からのお礼を申し上げて締めくくりにしたいと思います。どうもありがとうございました。

訳者あとがき

本書は、The Alchemy of Us: How Humans and Matter Transformed One Another（The MIT Press, April, 2020）の全訳です。直訳すれば『私たちの錬金術――どのように人間と物質は互いを変えたのか』となりますが、科学者の書いた科学的な本に、なぜ「錬金術」という題名がついたのでしょうか。この言葉には似非科学かインチキのようなイメージがまとわりついていますが、錬金術とは、手に入りやすい金属などの材料を調合や加熱といった化学的な処理によって、金や銀を作り出そうとする昔の研究です。それによってさまざまな材料の性質が解明され、磁器の製造技術や、純度の高いアルコールを抽出できる蒸留技術などを含め、多くの重要なものが発明されました。錬金術は科学技術の源流の一つなのです。

著者のアイニッサ・ラミレズは、材料科学者でサイエンスコミュニケーターであり、一九六九年生まれのアフリカ系アメリカ人の女性です。スタンフォード大学で博士号を取得してから、ベル研究所の研究員やイェール大学の准教授として研究キャリアを積んだのちに、アカデミアの世界を飛び出して、科学の驚きと楽しさを子どもからおとなまで広く人々に伝える「サイエンス・エバンジェリスト」として活動をしています（TED-Edの日本語字幕付きの短いアニメーションhttps://ed.ted.com/lessons/ainissa-ramirez-magical-metals-how-shape-memory-alloys-workでも垣間見られます）。輝かしいキャリア、インターネット上で見かける快活な語りや面白そうな活動からは、彼女がのびのびと大好きな科学を楽しんで順調な人生を歩んできたようにも思われますが、大学時代には科学に失望して長く苦しいどん底の時代をすごし、恩師に助けられ科学の驚きと楽しさを新たに見いだして立ち直ったという経験を持っています。そのときに、なんとかして同じようなつらい思いをする人をなくしたいという強い願いが生まれて、それを目標として現在の活動をしていることが、まえがきで述べられています。

ラミレズが専門とする材料科学（英語ではmaterials science）は、一般にはなじみが薄い分野かもしれませんが、私たちの身の回りのすべての物質を対象として、性質を解明し、物理学や化学の知識を融合して新しい材料を発明する分野です（現代版の錬金術、ともいえますね）。本書によれば、材料科学の研究開発によって、さまざまな材料物質は性質の異なる別の物質に改造されて発明品が生まれると、今度は、その発明品によって私たちの生活、社会、そして私たち自身も——脳までも——逆に改造されるというのです。たとえば、昔は自分の記憶に頼っていたことが、今では検索して「答え」を探し出すので、自分の記憶の代わりにインターネットの「記憶」に頼っています。ものごとを記憶する脳から、検索方法を記憶する脳に改造された、というわけです。ほかにも電卓のおかげで暗算をしなくなったとか、自動車のおかげで長く歩かなくなったことなど、すぐに思い当たりますね。

私たちの発明品によって私たちの社会や私たち自身が変わるというのは、歴史上のさまざまな発明で繰り返されてきました。ラミレズは、誰でも知っている発明家の有名な話からはこぼれ落ちている部分に光を当てて、数々のエピソードによって、発明と私たちの関係を明らかにしていきます。偉大な発明になくてはならなかった無名の人々や、魅力と欠点（ときにはひどい欠点）のある偉大な人々を、愛情をもって丁寧に描いています。

多数のエピソードは、それぞれが（文脈なしでも）興味深いものですので、読者の方々には気になる写真のあたりを拾い読みしても楽しんでいただけると思います。ロンドンで正確な時刻を届けて回る仕事をしていた女性、リンカーンの亡骸を乗せて広くアメリカを走った葬送列車、産業革命前まで当たり前だった分割睡眠、クリスマスがプレゼントの季節になった商業的な理由、銃撃された大統領の容態が毎日電信で届けられて写し書きされた掲示板に群がる人々、写真フィルムの発明者の苦労とその発明を横取りしようとする企業との戦い、一九世紀の銀板写真に最も多く写った黒人男性の目的、エジソンが電球を発明する「触媒」となった無名の発明家、世界で初めて音を記録した機械、電信によって簡潔明瞭になったアメリカ英語、ガラスが科学に果たした役割、電話が発明されて通話を実演する電話コンサート。どのエピソードも、人間による発明と、その発明品による人間や人間社会の変化の物語としてドラマチックに描かれていますが、それらは細部まで、大量の資料に裏づけられています（本書の懇切丁寧な参考文献のページをどうぞご覧ください！）。

あとがきにあるように、ラミレズは「黒人の女性科学者として自分の経験から、自分がよく考えていることが教科書では隠されている、見当たらない、影になって見えにくい、ほとんど光があたっていないと気づくことがしばしば」あり、それらを本書で描き出しています。たとえば、米国で人気の大企業が、アパルトヘイト下の南アフリカに開発商品をこっそり売って黒人支配に協力していたことを、商品技術を開発した黒人の研究員が見つけだし、解雇になりながらも世論を味方に引き入れて粘り強く会社に訴えかけて戦い、やがて会社が南アでの商売から手を引くに至ったエピソードがあります。それが、南アで商売していた他企業の引き上げのきっかけとなり、やがてはアパルトヘイト廃止の流れにつながりましたが、そうした事実が公には触れられず、「不都合な真実」は隠されていることをラミレズは指摘します。これは過去の一部の人々の特殊な問題ではなく、一般に通じる問題です。遺伝子組み換えの倫理的問題などを考えれば、「私たちの作るテクノロジーは無害ではなく、よりよいことのために利用されるとは限らない」「テクノロジーは……その時代の問題をとらえ、信念と価値を示すものでもある」といったラミレズの言葉には重い意味があると思います。

本書の翻訳の機会をくださり、訳稿に丁寧な御指摘とアドバイスをくださった柏書房の二宮恵一さんに心より感謝を申し上げます。刊行までにお世話になったほかの多くの方々にもお礼を申し上げます。そして、いつも励ましてくれる家族に深く感謝します。

安部恵子

二〇二一年　六月

66: Courtesy of the Science History Institute

70: Gordon Library Archives and Special Collections at the Worcester Polytechnic Institute

75-77: Alexander Fleming Laboratory Museum (Imperial College Healthcare NHS Trust)

78-79: Schott Archives

81: Collection of The Rakow Research Library, The Corning Museum of Glass, Corning, NY. Gift of Corning, Inc. BIB 144715. Permission to use from Nancy Jo Drum

82: Collection of The Corning Museum of Glass, Corning, New York, 2010.4.1123

83: Division of Medicine and Science, National Museum of American History, Smithsonian Institution

84-86: Copyright: Cavendish Laboratory, University of Cambridge

87: Warren Anatomical Museum in the Francis A. Countway Library of Medicine, Gift of Jack and Beverly Wilgus

98: Reused with permission of Nokia Corporation

図の出典

1: Fox Photos / Getty Images
2: The Worshipful Company of Clockmakers' Collection, UK / Bridgeman Images
3-5: Courtesy Sheffield Archives and Local Studies www.picturesheffield.com
6-11, 89-92, 94-95, 97, 99-100: Courtesy of AT&T Archives and History Center
12, 14-16, 20, 29-32, 34, 41, 42, 44-45, 60, 96: Library of Congress
13: Chicago History Museum, ICHi- 176199
17: Angela Pitaro's collection
18-19: Illustrated by Mark Saba after Atlas of Historical Geography of the United States, used with permission
21: National Portrait Gallery, London
22: National Portrait Gallery, Smithsonian Institution
23: Artist: Mark Saba.
24, 40, 49, 61, 67, 74, 80: Author's collection
25, 88, 93: Public Domain: Wikipedia; New Haven Free Public Library: CT State Libraries
26, 51, 101: Division of Work and Industry, National Museum of American History, Smithsonian Institution
27: Courtesy of the Smithsonian Libraries, Washington, DC
28: Scientists and Inventors Portrait File, Archives Center, National Museum of American History, Smithsonian Institution
33: Special Collections, University of Virginia, Charlottesville, VA
35-38: Courtesy of the Department of Special Collections, Stanford Libraries
39: By permission of Kingston Museum and Heritage Services
43: Courtesy of the George Eastman Museum
46: Copyright Guardian News & Media Ltd. 2018
47: Courtesy of POLOMAD
48, 50: Courtesy of The Derby Historical Society
52-53, 56, 59: U.S. Department of the Interior, National Park Service, Thomas Edison Historical Park
54: Chicago History Museum, ICHi- 176200; Photography by David H. Anderson
55: The Thomas A. Edison Papers at Rutgers University
57-58: Courtesy NASA / JPL- Caltech, with permission from John Casani
62, 102: Gordon Library Archives and Special Collections at the Worcester Polytechnic Institute (all three images)
63-65, 68-69, 71-73: Courtesy of International Business Machines Corporation, Copyright International Business Machines Corporation

引用の許可

題辞は*Parable of the Sower* copyright © 1993 by Octavia E. Butlerからの抜粋である。著作権者の代理人Writers House LLCから許可を得て転載している。

ゴードン・ティールの言葉は、1993年6月19日にテキサス州ダラスで行われたリリアン・ホドソンとマイケル・リオーダンによるインタビューから引用したものである。米国物理学会（AIP）の許可を得て使用している。

この本の一部は、いくつかの雑誌やオンラインで改変されたもののうち最初に出現したものとなっている。その中には、サイエンス誌の『科学の伝道師の誕生』、Time.comの「リンカーンの最後の旅が国をひとつにした」「アメリカじゅうの時計が変わった日―アメリカが標準時を導入したとき何が起こったか」、アメリカン・サイエンティスト誌の『ベッセマーの火山と鋼鉄の誕生』、同じくアメリカン・サイエンティスト誌の『海を横断する電線』などがある。

るからだ。『Future Shock and Third Wave』などの未来学者Alvin Tofflerの書いた本は、「一度に大きすぎる変化」を感じていることに光をあてることで、また、最も「情報過多」の人々に名を与えることで、読者の共感を呼んでいる。以上の本には、部分的に時代遅れの箇所もあるし、最新の箇所もある。

全体的に、『発明は改造する、人類を。』は、行動を起こすように呼びかけることで社会の役に立つといったタイプの本だ。こうした本で特に最近出版されたものには、ニコラス・カー著『ネット・バカ』(既出) がある。これは、レイチェル・カーソン著『沈黙の春』(青樹簗一訳、新潮社) の子孫といえる。『沈黙の春』という影響力の大きい本は、一世代前の私たちの創造物をどのように検証するかを示している。『発明は改造する、人類を。』が示すように、私たちは確かにテクノロジーを愛しているが、テクノロジーに魔法をかけられてはいけない。真の愛は欠点を受け入れるが、欠点を修正しようと努力もする。これは本書の中心にあるものの見方であり、本書の執筆の使命である。テクノロジーと人類は共創しなければならないが、そのために人類そのものを犠牲にしてはならないのだ。

に与える影響の研究は、まだ非常に新しい。それでもなお、いくつかの主要な研究は、創造性がどのように起こり、インターネットでどのように影響を受けるかを解明する。ケネス・エム・ハイルマン（Kenneth Heilman）の記事「Possible Brain Mechanism of Creativity」は、さまざまな創造活動で活発になる脳の部分について論じている。彼の著書『脳は創造する――そのメカニズムと育成法』（中川八郎、福田淳訳、新風書房）は、論じている範囲は広いが、最終章まで創造性のテーマには触れていない。創造性と脳のテーマの導入としては、Wlodzislaw Duchの記事「創造性と脳」と、ナンシー・C・アンドリアセンの本『天才の脳科学――創造性はいかに創られるか』（長野敬、太田英彦訳、青土社）がある。アンドリアセンの著作は、脳の可塑性から、もっと創造的になるための頭の体操まで、このテーマに関する優れた読み物だ。創造性と脳、インターネットの相互作用のテーマはまだかなり新しいので、学んで理解すべきことがまだ多い。創造性にはフローが必要だということにはすべての研究者が同意する。このテーマは、Mihaly Csikszentmihalyi著『Flow: The Psychology of Optimal Experience』にうまく書かれている。

テクノロジーと人間

10年ごとに数冊、社会とテクノロジーを研究した本がまさに出現する。テクノロジーを感嘆の念で見るものもあれば、心配そうに見るものもある。20世紀には、Alec Broersの研究論文『The Triumph of Technology』は、テクノロジーをいとおしそうに見ている。それより１世紀前に、ヴァン・ルーン著『発明ものがたり――人間は奇蹟をつくる』（宮原誠一訳、法政大学出版局）が示したのは、私たちの始祖が作った道具が、非常に多くのことを人類に可能たらしめたことだ。いろいろな意味で、これらの本は見晴らしの利く地点から発明を見るのにふさわしい。だが、進歩したこの時代に、テクノロジーを単なる得られたものと失ったもの、と見なす必要はない。もっと最近の本は、正反対の状態が共存している、いわば「シュレディンガーの猫」的なアプローチをとる。そうした本の１つ、Alan Lightman、Daniel Sarewitz、およびChristina Desserが編者の『Living with the Genie: Essays on Technology and the Quest for Human Mastery』は、ハイテク好きとハイテク恐怖症のバランスがとれたアプローチをとっている。

テクノロジーが現在および未来に及ぼす影響について、それよりはるかに悲観的な本については、ジャック・エリュール著『技術社会』（島尾永康、竹岡敬温訳、すぐ書房）で、社会の変化の学問的調査がなされている。ルイス・マンフォード著『技術と文明』（生田勉訳、美術出版社）は、テクノロジーがどのように私たちを形作ったかを、事実に即した観点でとらえている。それと同様なのが、マーシャル・マクルーハン著『メディア論――人間の拡張の諸相』（栗原裕、河本仲聖訳、みすず書房）である。マクルーハンの本が確かに「必読書」であるのは、マクルーハンがときには予言的であるためだ。しかし、この本は必ずしも「理解しなければならない書」というわけではない。マクルーハンは巧妙な――しかし必ずしも理解しやすいとはいえない――文章を誇りにしてい文は重要だったが、届くべきだった一般の人々には届かなかった。幸い、ニコラス・カー（Nicholas Carr）が『The Atlantic』誌に「Is Google Making Us Stupid?」（グーグルで私たちは馬鹿になるのか？）と題する爆弾発言を寄せた。カーはのちにこのテーマを詳しく説明する『ネット・バカ――インターネットがわたしたちの脳にしていること』（篠儀直子訳、青土社）という本を書いた。本人の経験を科学の物語と混ぜ合わせて、学問的に裏づけがありつつ親しみやすい書籍を作り出したのだ。この本はピューリッツァー賞のファイナリストになったが、選ばれた理由は、詳しい解説と探求した内容から明らかだろう。

そのほかの本でも、私たちの脳がインターネットでどのように変化しつつあるかに関して、基本的な素材を提供している。特に、ターケル・クリングバーグ著『オーバーフローする脳――ワーキングメモリの限界への挑戦』（苧阪直行訳、新曜社）は、情報を保存するプロセスでどのように脳が機能するか、ワーキングメモリ（私たちの脳のメモ用紙）にどのような限界があるのか、ウェブですごす時間によってどのようにその限界に達するのか、といったことを段階的なアプローチで探る。また、Nicholas Kardaras著『Glow Kids: How Screen Addiction Is Hijacking Our Kids— and How to Break the Trance』は、私たちの脳に対するコンピューターの影響を論じている。ジェイムズ・グリック著『インフォメーション――情報技術の人類史』（楡井浩一訳、新潮社）という受賞歴のある本は、大量の情報が人間をどのように形作るかを詳細にわたって解説している。

インターネットが社会のさまざまな側面をどのように変えるのかを示す取り組みも数多く存在する。Charles Seife著『Virtual Unreality: The New Era of Digital Deception』は、インターネットの情報の信頼性の低さについて論じ、ウェブのフェイクニュースの問題をいろいろな意味で予言している。また、Michael Patrick Lynch著『The Internet of Us: Knowing More and Understanding Less in the Age of Big Data』は、「知識（knowing）」と「グーグルの知識（Google-knowing）」の違いを論証している。Scott Timberg著『Culture Crash: The Killing of the Creative Class』は、情報時代のアーチストの役割を調べている。二十数年前の1995年に、クリフォード・ストールは『インターネットはからっぽの洞窟』（倉骨彰訳、草思社）で、インターネットがどのように私たちを変えているかを述べて、ワールドワイドウェブに関して彼が考察しなおした見解をグーグルが誕生するまさに数年前に示した。

認知科学者は、デバイスが私たちの注意を引き続ける巧みな方法を見つけている『Human Attention in Digital Environments』（Claudia Roda編、Cambridge University Press）は一般読者の目に触れる機会の少ない専門書だが、この本に目をとおせば、パソコンとの相互作用によって人間の注意はつかまえられてコントロールされているということが理解できるだろう。認知科学者は、私たちがパソコンと相互作用しているときに、どのように考えて、どのように考え方を管理するのかを調べている。ここに書かれた事実は、読者にパソコンの使用を躊躇させるだろう。

多くの本や記事は脳と創造性に語りかける。だが、インターネットが創造性

トランジスタの誕生

トランジスタの誕生については多くの本で論じられている。極めて影響力の大きい業績としては、Michael RiordanとLillian Hoddesonの共著『Crystal Fire: The Invention of the Transistor and the Birth of the Information Age』があげられる。この本には、よく研究された内容がうまくまとめられており、この物語をどう伝えるべきかを見事に示している。半導体をテーマとするもっと最近の本には、T. R. Reid『The Chip: How Two Americans Invented the Microchip and Launched a Revolution』、ウォルター・アイザックソン著『イノベーターズ』(井口耕二訳、講談社)、ジョン・ガートナー著『世界の技術を支配するベル研究所の興亡』(土方奈美訳、文藝春秋)があり、それぞれは従来の知見に詳細な情報を加えるもので、見事な解説の伝統を引き継いでいる。私たちのシリコン時代の誕生に関するもっと専門的な記述として、フレデリック・サイツほか著『シリコンの物語——エレクトロニクスと情報革命を担う』(堂山昌男、北田正弘訳、内田老鶴圃)という本があり、サイツ自身がこの現代の驚異を創造した科学者の1人となっている。ほかにも、Denis McWhan著『Sand and Silicon: Science that Changed the World』は、シリコンという元素と社会でのそれの用途について、読者が知りたいことは何であろうと答えてくれる本である。

半導体の物理学についての情報は、材料科学の多くの教科書から得られるが、ほとんどの読者にとっては専門的すぎるだろう。幸いにも、シリコンの結晶構造と特性について読みやすいテキストをBell Laboratoriesが作り出した。主要な著者の1人Alan Holdenは、複雑な概念を明快にして一般読者にもわかりやすくした。『The Nature of Solids』と『Conductors and Semiconductors』はどちらもHoldenの著書で、手にとる価値がある。Graham Chedd著『Half-Way Elements』は入手が難しいペーパーバックだが、一般向けの明快な表現で書かれている。半導体の理解を目的とするこうした古い本に加えて、最近でも同様の目的の本が出版されている。そうした分類に入るのは、Stephen L. Sass著『The Substance of Civilization』や、Rolf E. Hummelの労作である『Understanding Materials Science: History, Properties, Applications』という教科書だ。材料科学のマンガのガイドブックは存在しないが、作られるべきだろう。それまでは、偉大だが時代遅れになってしまった映画『Silicon Run』で、現代の集積回路の製造を見ることができる。携帯電話やコンピューターの心臓部を作るための各段階すべてを面白く見られるだろう。

インターネットの影響力

インターネットが影響を及ぼし始めたのはまだ最近だが、初期のいくつかの科学論文は、脳がこの発明によってどのように変化しつつあるのかを指摘している。『Science』誌に掲載の2011年の研究論文「Google Effects on Memory: Cognitive Consequences of Having Information at Our Fingertips」(著者はハーバード大学の研究者Betsy Sparrowら)は、デバイスが私たちに与える影響に関してまだ初期のころに、科学面から目覚めよという声を上げたものだ。この論来事を物語風ではなく説明する形で年代順に記述しているのは、ゲージに関する記録資料や得られた論文が少ないからだろう。とはいえ、Macmillanの本は、この神経科学的患者第1号についてもっと知りたいすべての人に、非常に役立つだろう。

ジョージ・ワイアード・コイ

ジョージ・W・コイの電話交換機における重要性を考えると、コイとその発明に関する情報の量は少なすぎる。発端の物語は、古い希少本に見つけられる。たとえば、John Leigh Walsh著『Connecticut Pioneers in Telephony』とReuel A. Benson Jr.著『The First Century of the Telephone in Connecticut』、また、『Popular Science Monthly』の1907年の記事「Notes on the Development of Telephone Service III」といったものだ。これらの情報源のほとんどは、New Haven Museum、Connecticut Historical Society、Connecticut State Libraryに保管されている。スイッチボードの働きが最もよく説明されているのは、Venus Green著『Race on the Line: Gender, Labor, and Technology in the Bell System』の20、21ページだ。スイッチボードの電気回路図が欲しい人は、上記のWalsh著『Connecticut Pioneers in Telephony』の付録で満足できるはずだ。最初の電話交換機について情報を得るのに最適な場所は、New Haven Museumだ（保管資料と、展示物にスイッチボードのレプリカがある）。コネチカット州は、最初に電話会社が開設された州で、さまざまな地元の新聞が重要な記念日について記事を書いている。興味深いことに、コイが電話交換を始めたボードマン・ビルディング（Boardman Building）は歴史的建造物に指定されていたが、1973年に解体された。今ではその場所に線路が敷かれ、史跡のプレートなどもない。だが、コイの功績は徐々に認められつつある。2017年には、劇団「Broken Umbrella」が『Exchange』というタイトルで、彼についての芝居の公演をした。そうした取り組みはあるものの、コイについては依然として、コネチカット州とアメリカの歴史においてほとんど知られていない部分である。

アルモン・ストロウジャー

アルモン・ストロウジャーは電話史上の忘れ去られた人物なので、彼に関する文献は限られている。彼の発明に関する情報は、Stephen van Dulken著『Inventing the 19th Century』に小さい項目があり、ストロウジャーの研究が記載されている。彼の生活と発明に関する記述は、David G. Park, Jr.著『Good Connections: A Century of Service by the Men & Women of Southwestern Bell』という本にもいくらかある（どちらの本も、Kansas City Public Libraryに保管されていて入手できる）。Lewis Coe著『Telephone and Its Several Inventors: A History』にも、ストロウジャーと他にも多くの発明家が取り上げられており、探して読む価値が十分にある。本で見つかるもの以上の材料を求める研究者は、La Porte Historical SocietyとPenfield Historical Societyをあたるとよいだろう。また、ストロウジャーについて書かれた1899～1902年の新聞記事はおびただしい数に上り、「ハロー・ガールズ」に別れを告げるのにふさわしいものだ。

Georgeの女性のきょうだいJoanとの共著で、J・J・トムソンの人柄に新鮮な洞察を与えている。

J・J・トムソンは、『Recollections and Reflections』と題した自叙伝を書いている。残念なことに彼は日記をつけていなかったので、子ども時代については謎が残っているが、子どものしつけと彼の発見に手がかりを与える内容はしっかり含まれる（科学の教育方法について彼が強固な意見を持っていたことは、それを読めば明らかだ）。さらに古い彼の伝記はいくつかあり、その１つがLord Rayleigh著『The Life of Sir J. J. Thomson: Sometime Master of Trinity College, Cambridge』である。この本には彼の人生と仕事についてが徹底的に描かれている。彼の仕事に関する現代的な考察として、トムソンをテーマとしたIsobel Falconerの学位論文、そして同じFalconerの記事と著書『J. J. Thomson and the Discovery of the Electron』は読む価値がある。また、トムソンの時代の物理学界の状況は、エミリオ・セグレ著『X線からクォークまで——20世紀の物理学者たち』（久保亮五、矢崎裕二訳、みすず書房）の前書きによくまとめられている。

J・J・トムソンについて書かれたものはたくさんあるが、残念ながらエヴェネーザ・エヴェレットについてはほとんどない。これを埋め合わせるために、トムソンはイギリスでも極めて高い評価の科学専門誌『Nature』にエヴェレットの追悼文を寄稿し、エヴェレットの科学に対する寄与に光をあてた。その文章からは、トムソンがエヴェレットに尊敬の念を持っていたことは明らかだ。科学者にとっての技術者の重要性は、科学界では語られない秘密の場合が多かったが、ついに、このことに光があたるようになってきた。このテーマの科学記事には、E. M. Tanseyによる「Keeping the Culture Alive: The Laboratory Technician in Mid-Twentieth Century British Medical Research」がある。

第８章　考える

フィニアス・ゲージ

フィニアス・ゲージは医療を受けた患者として、多くの心理学や神経科学の入門書で論じられている。ゲージの事故から150年たっても、Hanna Damasioらによる最近の報告書が『Science』誌に現れた。亡くなったときには解剖されなかったが、こうした研究者らはゲージの頭蓋骨に現代の医療ツールを用いて、損傷した場所をはっきりと突き止めた。この最近の論文「The Return of Phineas Gage」を読めば、医学界がゲージの予後診断を現状ではどのように理解しているかが、読者にもわかるだろう。だが、さらなる興味があれば、Dr. John Harlow (1848, 1849, and 1868)、Dr. Henry Bigelow (1850)といったもとの医学論文と、バーモント州の新聞記事を読むと、事故当時に最も近い情報が得られる。ゲージについてすべて知りたいという読者には、これまでの最も包括的な本としてMalcolm Macmillan著『An Odd Kind of Fame』がある。Macmillanの本の付録には、上記の重要な医学論文の一部を含み、また、オリジナルの研究も豊富である。だがこの本は軽く読めるものではない。著者が出記事「The Battery Jar that Built a Business」はよい情報源なので、Corning Incorporatedのアーカイブから保管を求めらてもおかしくないだろう。さらに、Corning Museum of Glassは、パイレックスの開発について自社ウェブサイトにいくつかの短い略史と参考図書を掲載している。2015年にこの博物館はパイレックス100周年を祝う展覧会を行った。

ベッシー・リトルトンについての詳細に関しては、息子のJoseph C. Littletonが書いた『Recollections of Mom』という自費出版本に、彼女の人生——と人柄——が最もよく書かれている。この本はRakow Research Library (of the Corning Museum of Glass)から入手可能だ。また、Smithsonian Archives of American Artには、有名なガラス作家Harvey K. Littleton（ベッシーとジェシー・タルボットの息子）の口述歴史が保管されている。それにもパイレックスの始まりの話についていくつかの要素が含まれる。興味深いことに、メアリー・ローチ著『セックスと科学のイケない関係』（池田真紀子訳、日本放送出版協会）にはベッシー・リトルトンへの言及がある。

対敵通商法（Trading with the Enemy Act）は、アスピリンからホウケイ酸ガラスまでアメリカが利用する多くのテクノロジーを含んでおり、現在でも詳細に検証する必要がある。ほとんどの教科書はこれに触れず、議論はおおむね経済史家による学術研究に限定されている。『Scientific American』誌の1917年の記事「Trading with the Enemy Act」では、戦争の略奪品について論じられており、またニューヨーク州のアーカイブなど州のアーカイブには、ドイツが敵国になったとたんにアメリカ国内で利用可能になった製品の長大なリストが存在するが、科学的な戦利品、特に敵から押収したテクノロジーに関して書かれたものは、ほとんどない。

電子

電子の発見についてはいくつかの本があるが、ほとんどが学術的なものだ。たとえば、Jaume Navarro著『A History of the Electron: J. J. and G. P. Thomson』、Per F. Dahl著『Flash of the Cathode Ray: A History of J. J. Thomson's Electron』、Michael Springford著『Electron: A Centenary Volume』、E. A. DavisとIsobel Falconerの共著『J. J. Thomson and the Discovery of the Electron』がある。これらの本は一般向けではなく、発見の物語としての記述はほとんどないが、それでもJ・J・トムソンの研究の影響を読み取ることはできる。一般読者には、雑誌記事と、科学論文に記載された短いプロフィールが最もよい資料になるだろう。『Nuovo Cimento』（1956年）に掲載のD. J. Price著「Sir J. J. Thomson, O. M., FRS: A Centenary Biography」、『Physics Today』（1956年）に掲載のGeorge Paget Thomson著「J. J. Thomson and the Discovery of the Electron」は、彼の影響力を研究者でない人々向けに描写しているといっていいだろう。J・J・トムソンの息子George Paget Thomson（彼自身も高く評価される科学者だった）は、在りし日の父親の記憶をいくつもの寄稿文などでしっかりと書き残したが、それらの多くは同じ内容だ。興味深いことに、それらのうち「J. J. Thomson as We Remember Him」と題した記事は、古代の始まりから現代の光ファイバーの利用まで語っている。Hugh Tait著『Glass: 5,000 Years』は、図解でガラスの歴史を示したもので、古代のガラス製品のカラフルな見本がたくさん掲載されている。一般読者も熱心なガラス吹き愛好者もこの本からは大いに得るところがあるだろう。この本で珍しいのは、ガラスの吹き方をステップ・バイ・ステップで示していることだ。そうした説明は、Thaitの本の末尾にあるので、ガラス吹きに興味のある人はぜひ参照されたい。ガラスの美学的考察は望まないが、専門的な情報がもう少しほしいという人には、古い本だがガラスについて包括的に扱うC. J. Phillips著『Glass: The Miracle Maker』が今でも最高の古典的書籍だ。これよりもはるかに専門的な本はいくつも存在するが、この本ではガラスの歴史と、技術の応用についても論じられている。科学におけるガラスの役割に興味のある読者には、このテーマで書かれた科学論文のMarvin Bolt著「Glass: The Eye of Science」が役に立つだろう。

パイレックス

オットー・ショットについて書かれたものはほとんどなく、英語のものはなおさら少ない。基本的な経歴はSchott Glassのウェブサイトにある。たとえば、2009年版『Schott Solutions』に「From a Glass Laboratory to a Technology Company」という記事がある。こうした記事に加えて、いくつかの科学論文はオットー・ショットについて論じている。W. E. S. Turnerの論文「Otto Schott and His Work」は、1932年に書かれた重要な伝記的概説だ。Turner教授は、ショットの家族から資料を入手し、彼の概説をショットの息子に査読してもらうことができた。別の論文で影響力の大きいものには、Schott Glassの従業員Jurgen Steinerによる「Otto Schott and the Invention of Borosilicate Glass」がある。これはショットの仕事の最大級の包括的な記述で、45個の参考文献も含まれる（大部分はドイツ語）。

アメリカにおけるパイレックスの開発についての資料は、さまざまな科学論文、学術研究、一般図書で見つけることができる。科学面では、もともとのパイレックスの論文のE. C. Sullivan著「The Development of Low Expansion Glasses」がある。パイレックスの開発の歴史を記述する本には、Margaret B. W. GrahamとAlec T. Shuldinerの共著『Corning and the Craft of Innovation』がある。この本はコーニング社の支援を得ているので、その観点から批判的に読まれるべきだ。Davis DyerとDaniel Grossの共著『The Generations of Corning』には、パイレックスの起源について最も包括的な歴史的記述がある。最後に、Regina Blaszczyk著『Imaging Consumers: Design and Innovation from Wedgewood to Corning』は、限定的だがパイレックスの開発に触れている。総じてパイレックスの物語は、現在もなお十分な学術的検証が待たれている。

一般向けにパイレックスについての要約された資料としては、William B. Jensenによる『The Origin of Pyrex』という優れた短い論文がある。これは非常に読みやすい簡潔な説明になっている。1949年の『Gaffer Magazine』誌のド・ビッケル著『ペニシリンに賭けた生涯——病理学者フローリーの闘い』（中山善之訳、佑学社）である。

ペニシリンの開発についての一般的な議論は、伝記以外の多くの本で見つかる。短い本John Drury Ratcliff著『Yellow Magic: The Story of Penicillin』は、ペニシリン発見当時に書かれたもので、この業績を当時の世界がどのように見ていたかを読者に示す。また、ジョン・シーハン著『ペニシリン開発秘話』（往田俊雄訳、草思社）は、ペニシリン開発の後半におけるシーハンの仕事に焦点を合わせている。この本は、1942年のボストンにおけるココナッツ・グローブ火災〔訳注：ナイトクラブで発生した大火災で、死亡者492名と負傷者130名を出した〕も論じている。そのときにペニシリンは、多くのけが人を救ったために有名になった。シーハンの本に加えて、Robert Hare著『The Birth of Penicillin』は、カビの胞子が窓の外から入ってきたという俗説が誤っていることを明らかにし、実際には研究所の１階からきたものと主張する。ペニシリンの物語を本ではなく映像で見たい場合は、2006年のオーストラリア映画『Penicillin: The Magic Bullet』でフローリーの物語を見ることができる。

ペニシリンは無数の人々の命を救い、アレクサンダー・フレミング、エルンスト・チェーン、およびハワード・フローリーは1945年にノーベル賞を受賞した。隠れたヒーロー、ノーマン・ヒートリーは受賞を逃した。有能なヒートリーは、ペニシリンの製造のカギとなる人物だった。第二次世界大戦中に大量のペニシリンを作るための本格的な科学機器が使えなかったとき、ヒートリーは機転を利かせて、本箱と病人用のおまるを使って必要量をひねり出した。不運なことに、ヒートリーは相応の評価を得られなかった。だが、これを正すために、一部の著者が確実に尽力している。David CranstonとEric Sidebottomは、短くて読みやすい自費出版本『Penicillin and the Legacy of Norman Heatley』に、カビからペニシリンを取り出すヒートリーの仕事について書いている。ヒートリー自身も、著書『Penicillin and Luck』で自分の取り組んだことについて触れており、また、Wellcome Trustに保管されている彼の研究ノートや研究日記も読んで楽しめる。だが、ヒートリーの貢献はそれらよりはるかに高い評価に値する。

以上の本の内容以外にもっと情報を必要とする研究者には、原資料の多くがアーカイブで入手可能なことをお知らせしたい。フレミングの論文はBritish Libraryに、チェーン（Ernst Chain）の論文はヒートリー（Norman Heatley）のものとともに、Wellcome Trust Libraryに保管されている。フローリー（Howard Florey）の論文は、Royal SocietyとYale Universityのそれぞれにいくらかある。YeleではJohn F. Fultonのコレクションが有用だ。Fultonはフローリーの同僚で友人だったからだ。最後に、ペニシリンを接種した最初の米国民についての詳細はYale Medical Libraryに所在する。

ガラス

ガラスについていくつかの非専門書がこの数十年で出版されている。William S. Ellis著『Glass』という一般向けの本は、この材料の興味深い話を、

データとプライバシー

コンピューター、インターネット、データに関しての社会的問題、法的問題、倫理的問題は、サラ・バーズ著『IT社会の法と倫理』(日本情報倫理協会訳、ピアソン・エデュケーション)という教科書に詳しい(原題の『A Gift of Fire』は「プロメテウスの火」を意味し、強大で危険なことを暗喩している)。熱心な読者や研究者には、明快な解説、訴訟事例、参考資料が非常に役立つことがわかるだろう。一般読者を対象にする本では、ブルース・シュナイアー著『超監視社会——私たちのデータはどこまで見られているのか?』(池村千秋訳、草思社)(原題『Data and Goliath: The Hidden Battles to Collect Your Data and Control Your World』は巧妙だ)、ビクター・マイヤー=ショーンベルガーとケネス・クキエの共著『ビッグデータの正体——情報の産業革命が世界のすべてを変える』(斎藤栄一郎訳、講談社)がある。Oxford University Pressから出版されている伝統を誇る「Very Short Introduction」シリーズには、Raymond Wacks著『Privacy』という本があり、これはよい読み物だ。

第7章　発見する

ペニシリン

ペニシリンの物語は、アレクサンダー・フレミングがペトリ皿にカビを発見したことから始まる。だが、このカビが細菌を死滅させるという彼の観察は始まりにすぎない。ペニシリンを人々の役に立つ抗生物質にするには、このカビを大量に育てなければならなかった。その研究をしたのが、オックスフォード大学の研究者ハワード・フローリー、エルンスト・チェーン、ノーマン・ヒートリーだった。これらの研究者とフレミングの伝記により、ペニシリンの物語の全貌が示される。

現代の2冊の本は、どんな読者にもためになるだろう。Eric Lax著『The Mold in Dr. Florey's Coat: The Story of the Penicillin Miracle』はよく調べられて書かれており、ストーリーテリングのよいお手本だ。Laxは執筆中に、ヒートリーらの珍しい個人的な資料を入手して、内容がいっそう充実した。また、別の信頼できる本には、Kevin Brown著『Penicillin Man: Alexander Fleming and the Antibiotic Revolution』がある。Brownは歴史学者で、ロンドンのAlexander Fleming Museumのキュレーターでもある。そうしたわけで、Brownはフレミングの人生と仕事を深く理解しており、骨身を惜しまずに、珍しい資料を集めて全貌を明らかにしている。Brownの本はLaxの本とともに、入手する価値があるのは確かだ。ペニシリンに関するほかの伝記には、もっと古い本になるが、グウィン・マクファーレン著『奇跡の薬——ペニシリンとフレミング神話』(北村二朗訳、平凡社)や、同じ著者で『Howard Florey: The Making of a Great Scientist』がある。マクファーレンはよいライターだが、1人の著者が2人の非常に重要な人物について書いていることで、物語に偏りが生じることがある。思慮深い読者は、ほかの本も手に入れるように注意しなければならない。マクファーレンの記述のバランスをとるための1冊が、レナーのコンピューターまで、年代順に記録している。徹底的な調査に基づく本で、どんな読者にも不足はないだろう。データの背後にある科学の発展の物語は長いあいだ見すごされていたが、グリックという最高レベルのライターがそれに光をあてたのだ。情報の基本となる本に欠けているのは、磁石がデータ記憶装置として、また一般社会に対して、果たした役割に関する検討である。私が本書を執筆している時点では、James D. Livingston著『Driving Force』という本があり、専門家向けに研究者が書いた多くの論文が掲載されているが、磁石そのものは、上記のグリックの著書のように信頼できる著者によって輪郭が描かれているものがない。よって、磁石は、ほとんどの人にとって今でも謎でありながら、文化の中での磁石の利用は当たり前のことになっている。方位磁針からハードディスク、医学研究まで、磁石は社会を補強している。どなたかライターが、価値ある目的をすくい上げて、磁石にふさわしいスポットライトをあてることが望まれる。

情報のストレージに関する議論で未検討の磁石に加えて、エジソンのフォノグラフのスズ箔も、記録材料についての議論で抜け落ちている。記録媒体についての多くの専門書では見すごされ、ヴォルデマール・ポールセンが針金に鉄の削りくずを加えて作った磁気針金録音機から始まっている。磁気媒体は世界の記録媒体の最大割合を占めるのは確かだが、この媒体が現れる前に、データは、音声から始まり、シリンダーに巻かれたスズ箔に記録された。この事実の見逃しは１人の著者に続いて、その後の著者たちも踏襲している。だが、よく考えて調査すればエジソンの発明も記録材料の議論に含まれるはずだ。UC San Diego（カリフォルニア大学サンディエゴ校）は磁気記録の研究で主要な大学の１つで、エジソンの取り組みを認識しており、大学のウェブサイトのRecording Technology Historyに2005年にSteven Schoenherrによる注記で掲載されている。

総じて、情報のストレージに関する基本的な本には音声録音のことを含む必要がある。音声を記録する能力の影響力についてはいくつかの本で述べられている。非常に手に入りやすい本に、Smithsonianから生まれた『Infoculture』があり、著者はSteven Lubarである。ほかに、Andre Millard著『America on Record: A History of Recorded Sound』という学術書があり、音声の保存の歴史と、アメリカ人の生活に音声をストレージするそれらの方法の影響力が論じられている。磁気媒体の役割に関する詳細は、James Livingstonによる「100 Years of Magnetic Memories」と題した記事に見られる。音声記録が可能になったことが、どのように音楽に影響を与えたかだけでなく、ニクソン大統領の弾劾裁判を引き起こしたことも探ったものだ。この軽く短い記事には、カギとなる出来事の年表が示されている。見事な概要を示しているが、磁石を裏づける科学をさらに深く理解するには、D. A. Snel著『Magnetic Sound Recording: Theory and Practice of Recording and Reproduction』のようなもっと厚い書籍か、あるいはB. D. Cullity著『Introduction to Magnetic Materials』などの高度に専門的な学術書をよく読む必要があるだろう。

R.W.クラーク著『エジソンの生涯』（小林三二訳、東京図書）は、フォノグラフについてまる１章を割いている。これらの本の中ではConotによる現代の本が他を抜きんでており、初期の書籍資料からの成果と著者自身による研究はためになるだろう。

悲しいかな、フォノグラフの発明は電球の発明の陰に隠れている。フォノグラフが、エジソンほどの大物発明家ではない人によって発明されていれば、もっと多くのことが書かれただろう。この空白を満たす本としては、ローランド・ジェラット著『レコードの歴史――エディソンからビートルズまで』（石坂範一郎訳、音楽之友社）、Oliver ReadとWalter L. Welchの共著『From Tin Foil to Stereo: Evolution of the Phonograph』、Tim FabrizioとGeorge F. Paulの共著『The Talking Machine: An Illustrated Compendium, 1877-1929』などいくつかある。それらを合わせれば、フォノグラフの歴史と影響をより全体的に理解する助けになるだろう。

フォノグラフの開発について全体像を得るには、エジソンの研究所の実験ノートの記載を読む必要があるが、ニュージャージー州にいかずに調べることができる。フォノグラフの発明に関係する論文は、Johns Hopkins University Pressが刊行した『The Papers of Thomas A. Edison』の第３巻に含まれる。これの拡大版がネット上のRutgers UniversityのThomas Edison Papers（http://edison.rutgers.edu/）［2021年２月にアクセス］にある。この第３巻には、1876年４月から1877年12月までが含まれる。ノートには、さまざまなアイデアや絵が見られるが、当時の感触だけでなく彼のその他の行動についても知ることができる。第３巻の付録にエジソンの助手チャールズ・バチェラーによるフォノグラフの開発についての記述があるが、発明から30年近く後に書かれたものだ。そういうわけで、数か月間の開発の過程をバチェラーはわずか数日に起こったこととしてまとめている。George Parsons Lathropが1889年の『Harper's Weekly』誌に寄稿した「Talks with Edison」には、まるでエジソンが話をするのを聞いているかのような記述がある。これも、エジソンの発明から12年後に出版された雑誌の記事だが、エジソン本人からの引用が含まれる。

エジソンはこのお気に入りの発明についての大きな計画を持っていた。フォノグラフの発明から１年後の1878年に『North American Review』誌に掲載された「The Phonograph and Its Future」という記事でそれを述べている。彼は驚嘆すべき発明家だったが、優れた未来学者というわけではなく、フォノグラフの音楽における最大の可能性を理解していなかった。にもかかわらず、この記事は楽しく読めるもので、彼が実際に予言したもののほとんどは20世紀末までに実現した。別の情報源は、フォノグラフの特許そのもの（No. 200,521）と、1877年の『Scientific American』誌の記事だ。これはいち早い報道だっただけでなく、フォノグラフ史のカギとなる部分だった。

テクノロジーの歴史と影響の記録

ジェイムズ・グリック著『インフォメーション――情報技術の人類史』（楡井浩一訳、新潮社）は、データの保存方法を、粘土に印をつけた時代から今日レコードの記録資料が見られるので、興味のある読者、熱意のある読者は参照されたい。だがこれは、入手できるもののうちのほんの一部にすぎない。資料の大多数はLibrary of Congressに保管されているハードコピーなので、首都ワシントンを訪れることが必要だ。残念ながら、このコレクションには、実際のゴールデンレコード（制作されたのはわずか数枚）は含まれないが、星間向けに素材を寄せ集めて１つにまとめることが、スリリングな――そしてストレスの多い――仕事だったことを、絵と文字により明らかにしている。

アラン・ローマックス

アラン・ローマックスはアメリカの宝だ。彼は世界各地すべてで何らかの意味がある歌を集めたからだ。ローマックスは長期にわたる幅広いキャリアがあったが、ゴールデンレコードへのローマックスの関与に関連する資料すべては、Library of Congressのウェブサイトで入手できる。ローマックスが選んだ歌について最も読みやすいものは、Bertram Lyonsが書いた「Alan Lomax and the Voyager Golden Records」と題されたブログにある。2014年のLibrary of Congressに投稿されたこの記事からは、ローマックスがゴールデンレコードのために選んだ27曲のうちの15曲がわかる。この曲リストはCarl SaganとAnn Druyanの論文で裏づけられる。

ローマックスと彼の仕事についての情報は、数冊の本が特に彼のことを重点的に扱っている。John Szwed著『Alan Lomax: The Man Who Recorded the World』という伝記がある。また、『The Southern Journey of Alan Lomax』という共著の本もある。ローマックスがどのような仕事をしたかを理解するためには、彼の愛すべき著書『Cantometrics』〔訳注：ローマックスが考案した民族音楽の研究方法で、「カントメトリクス」「軽量音楽学」などと訳される〕を読むべきだろう。その中でローマックスは、各地の歌唱をそれぞれ図的に表現して（心電図に似ている）、音楽的スタイル（テンポ、リズム、フレージング、ポリフォニー性）を37点で分類する方法を作り出し、体系化した分類法で自身の研究をより科学的に行おうと試みた。セーガンが星に関するグラフを読んだように、ローマックスも音楽に関するグラフを作ったのだ。だが、ローマックスの仕事は、彼自身がそれだけの価値があると考えたほどには注目を得られなかった。いずれにしても、ローマックスは多くの論文を書き、膨大な音楽コレクションを作った。これらの多くは、Library of CongressのAlan Lomax Archivesで見つけられる。

エジソンのフォノグラフ（蓄音機）

フォノグラフの始まりについては多くの本に書かれ、ときには内容が重複している。そうした本の一部をあげると、ニール・ボールドウィン著『エジソン――20世紀を発明した男』（椿正晴訳、三田出版会）、George Bryan著『Edison: The Man and His Work』、Robert E. Conot著『A Streak of Luck』、Frank DyerとThomas Martinの共著『Edison: His Life and Inventions』、Matthew Josephson著『Edison: A Biography』がある。短くて読みやすい本として、

the American Night』まで多岐にわたるものがある。David E. Nye著『Electrifying America: Social Meanings of a New Technology』は、明かりと電気の社会的影響を解明したもので、彼の調査は研究の手本と見なされる。

光害に関しては、科学論文にこのテーマがきちんと書かれている。そうした論文の一部は、学術的な領域を超えて一般の人々向けに届いている。そんな一冊が、Catherine RichとTravis Longcoreが編者の『Ecological Consequences of Artificial Night Lighting』である。人工光の野生生物――と人間――への影響についての一部の情報は、このような本から、他の本や記事、ニュースへと伝播していった。夜が失われたことについて最も読みやすくて楽しめる本は、ポール・ボガード著『本当の夜をさがして――都市の明かりは私たちから何を奪ったのか』（上原直子訳、白揚社）で、よく調査されて明確に書かれている。ときには、叙情的でさえあり、人間の古くからの友人――暗闇――を失うことについて洞察と警告を共有する。事実だけを知りたい読者には、International Dark-Sky Associationによる短い本『Fighting Light Pollution』をお薦めする。光害が何を引き起こすか、そして私たちそれぞれが光害を低減するために何ができるかが論じられている。

第６章　共有する

ゴールデンレコード

ゴールデンレコードの制作についての確かな説明は、『Murmurs of Earth: The Voyager Interstellar Record』の中にある。これは、Carl Sagan, F. D. Drake, Ann Druyan, Timothy Ferris, Jon Lomberg, and Linda Salzman Saganによるエッセイを集めたものだ。レコードはどのように作られたのか、何が録音されているのかがわかる。ゴールデンレコードの制作はすべて1970年代に作業がなされたが、最新の資料は、ボイジャー１号、２号の40周年に合わせて書かれたものだ。それらには、Jim Bell著『Interstellar Age: Inside the Forty Year Voyager Mission』の１章や、Timothy Ferrisが『New Yorker』誌に寄稿した「How the Voyager Golden Record Was Made」にOsma Records制作で再発行されたコンパクトディスク（CD）が添付されたものもある。レコードの制作についての話は、Keay Davidson著『Carl Sagan: A Life』や、William Poundstone著『Carl Sagan: A Life in the Cosmos』など、カール・セーガンの伝記にも書かれている。興味深いことに、ゴールデンレコードをテーマにしたものには、William Macauleyの論文（イギリス）などの学位論文、『星のこども――カール・セーガン博士と宇宙のふしぎ』（ステファニー・ロス・シソン作、山崎直子訳、小峰書店）などの児童書、またドキュメンタリー番組もあり、PBSの番組『The Farthest』は見る価値がある。ゴールデンレコードはアメリカ人の大部分の生まれる前にできたものだが、今もなお人々を魅了している。

NASA Jet Propulsion Laboratoryのウェブサイトで、このレコードを制作する様子が写真で見られる。また、Library of CongressからCarl Sagan and Ann Druyan ArchiveのSeth MacFarlane Collectionにアクセスすると、ゴールデン

エジソンの電灯

電球の開発については、このテーマでは非常に優れた本の１冊、Robert FriedelとPaul Israelの共著『Edison's Electric Lights: The Art of Invention』に徹底的に記録されている。この書は最初の版を入手するのがベストだ。後の版よりも写真が多い。また、電球の開発について記述したものや、エジソンについての数多くの伝記も存在している。そうした内容を含む本の一部を紹介すると、ニール・ボールドウィン著『エジソン――20世紀を発明した男』（椿正晴訳、三田出版会）、George Sands Bryan著『Edison: The Man and His Work』、Robert E. Conot著『A Streak of Luck』、Matthew Josephson著『Edison: A Biography』がある。この最後の本は電球についての考察ではぴかいちだ。古い学術書で、直列か並列の照明に基づいて電気のシステムを作り出すためのエジソンの考えについて検討している。電球の開発についてもっと短い描写では、ロナルド・W・クラーク著『エジソンの生涯』（小林三二訳、東京図書）もある。これには電球の誕生に関する短い章がある。エジソンの論文の多くは、Rutgers Universityのウェブサイトにあり、これもすばらしい情報源である。電球の開発についての記録資料は、Smithsonian InstituteのWilliam Hammer Collectionで、Edisoniaというテーマのところで見つかる。Hammerは、エジソンについてのすべての報告書と新聞記事を保管するという、アメリカに対する偉大な貢献をした。

エジソン後の電灯のある生活についての議論では、Paul W. Keating著『Lamps for a Brighter America: A History of the General Electric Lamp Business』という本がよいスタートになる。照明の歴史に関しては、Brian Bowers著『A History of Electric Lights and Power』もある。この本は人工照明がどのように現れたのかの説明では際立っている。

エジソンの熱心なファンで、発明された場所にいってみたい読者は、かつての面影のあるMenlo Park（メンローパーク）を訪れることができる。だが建物はもうニュージャージー州にはなく、ミシガン州ディアボーンのHenry Ford Museumにある。Henry Fordはエジソンに敬服して、建物全体を土も一部いっしょに移築した。建物の１階には、炭素フィラメント作りに使用されたいくつかの炉がある。２階の部屋には、ガラス球から空気を抜くのに使われた真空ポンプが置いてあり、壁は広口瓶でいっぱいだ。エジソンの研究者すべてにとって、訪れる価値のある必見の場所である。

光と社会

社会における人工照明の役割は、何度となく、そして数多くの方法で書かれてきたテーマだ。私たちの文化に対する人工光の影響について最も画期的で重要な研究は、Wolfgang Schivelbusch著『Disenchanted Night: The Industrialization of Light in the Nineteenth Century』に見いだせる。これは、情報がたっぷりで内容は示唆に富む必読書だ。その他の人工光についての本には、美しい散文で書かれたJane Brox著『Brilliant: The Evolution of Artificial Light』から、専門的だが読みやすいJohn A. Jakle著『City Lights: Illuminating

ついての本は、ポラロイド社史のこの重要な点に触れていない。一部の著者は、社会的影響をきちんと解説せずに、インスタント写真の成功面を追うことを選んでいる。これらの新しい本は、修正主義に陥っているのか、ジャーナリズムが怠けているのか、あるいはその両方によるものだろう。

学術論文では、Eric J. Morganの「The World Is Watching: Polaroid and South Africa」などが、PRWMについて取り組んでいる。また、歴史的な出来事に言及しているドキュメンタリーもあり、たとえば「Have You Heard from Johannesburg?」にはキャロライン・ハンターの登場する場面がある。ハンターは報道番組『Democracy Now!』で2013年にインタビューを受けている。ハンターの1970年代の映像としては、ボストンのテレビ局WGBHの番組『Say Brother』にゲストとして招かれているものがある。

PRWMについてさらに詳しい情報を得るには、学生新聞の『Harvard Crimson』に当時起こったことが描かれている。また、African Activist Archive Projectという記録資料もMichigan State Universityのウェブサイトで閲覧できる（www.africanactivist.msu.edu）［2021年２月にアクセス］。PRWMのアーカイブはハーレムに所在のNew York Public LibraryのSchomburg Collection for Research in Black Cultureで見つけられる。これは、ほとんど文書化されていないこの歴史の１章のための素晴らしい資源だ。ポラロイド社のアーカイブはHarvard Business Schoolにあり、これもまた、このテーマを研究する人々にとってかけがいのないものだ。

第５章　見る

ウィリアム・ウォレス

発明家のウィリアム・ウォレスは、エジソンについての歴史書のほとんどで、脚注に記されているだけのことが多い。現代の本でさえ、その傾向は変わらない。幸い、エンジニアでエジソンのファンだったWilliam Hammerは、エジソンの発明品の偉大な年代記編者となり、『Electrical Engineer』にウィリアム・ウォレスについて３編書いている。1898年に発表されたその３編は簡単に見つけられる。ほかに、Johns Hopkins University Pressが刊行した『The Papers of Thomas A. Edison』第３巻で、ウォレスへの言及がある。ウォレスの死を知らせる新聞記事はいくつかあり、コネチカット州の新聞ではときどき彼への言及がある。悲しいかな、ウォレスが「触媒」になりエジソンの電灯につながったことについてはほとんど書かれていない。運よく、ウォレスに関する最も包括的な資料はコネチカット州のDerby Historical Societyから簡単に入手できる。その資料には、上記の新聞記事の多くとWilliam Hammerの論文が含まれる。ウォレスに関するごく小さいファイルと写真が保管されている。ウォレスのアークランプの１つが、コネチカット州アンソニアに今でも存在するが、個人の所蔵である。The Smithsonianも彼のアークランプを１つとウォレスのテレマチョンを所蔵している。

Congressのウェブサイトでダグラス自身の手書きによるものが閲覧可能だが、彼の筆跡は多くの人にとっては読むのが難しいだろう。よって、書き起こしが掲載されている『Picturing Frederick Douglass』は、資料としてものすごく貴重な本なのだ。このほか、ダグラスの写真撮影の利用を論じた有用な資料としては、Marcy J. Dinius著『The Camera and the Press』というよく調査された内容の本がある。

ダグラスの奴隷制度廃止を唱える演説の研究は、アメリカだけでなくイギリスでも復活している。ダグラスはイギリスですごした数年で、奴隷制に関する世論を動かした。イギリスの新聞はアメリカの新聞を取り上げることも多かったので、イギリスの新聞を利用することで奴隷制度廃止のメッセージを迂回して伝えることができた。Hannah-Rose Murray博士の研究はこれを証明する。この本が出版されるときに、彼女の研究はウェブサイト(frederickdouglassinbritain.com)［2021年2月にアクセス］で閲覧可能になり、大西洋の向こう側でダグラスが訪れたすべての場所を含むすばらしい地図もそこに掲載されている。

シャーリーカード

シャーリーカードについては、2009年の『Canadian Journal of Communication』誌に発表されたLorna Rothの重要な論文「Looking at Shirley, the Ultimate Norm」に詳しい。Rothの論文が非常に画期的なのは、コダックの元幹部と元従業員のインタビューと記録をいくつか集めていることだ。テクノロジーに関する研究者と教育者のすべてに、この論文を読むことを義務づけるべきだろう。写真家のAdam BroombergとOliver Chanarinは、一般の人々の関心をこの論文に引きつけた。『The Guardian』誌は、「'Racism' of Early Colour Photography Explored in Art Exhibition」と題した彼らの展覧会の報告書に、「カメラは人種差別主義者でありうるか？」("Can the camera be racist?") という疑問を提示した。この問題は、Sara Wachter-Boettcher著『Technically Wrong: Sexist Apps, Biased Algorithms, and Other Threats of Toxic Tech』に引き継がれた。これらの論文とRoth教授の洞察からわかるのは、私たちにとって大切なテクノロジーにはバイアスがついてまわるということだ。

ポラロイド

キャロライン・ハンターとケン・ウィリアムズ、ポラロイド革命的労働者運動（Polaroid Revolutionary Workers Movement、PRWM）について書かれたものは非常に少ない。ただし、ポラロイドに関する本で2人ともポラロイドの熱心な従業員として記述されているものだけはあり、The Instant Image著『The Instant Image: Edwin Land and the Polaroid Experience』とPeter C. Wensberg著『Land's Polaroid: A Company and the Man Who Invented It』がそれにあてはまる。Wensbergはポラロイド社の元幹部で、PRWM運動が発生したときに在任中だった。だが、Wensbergは会社人間でもあり、会社人間としての見方でこの本を書いている。興味深いことに、21世紀に書かれたポラロイド社に

ハンニバル・グッドウィン

とても重要な発明家なのに、善人《グッド》のハンニバル・グッドウィンについて書かれたものはほとんどない。2001年のBarbara Moranの記事「The Preacher Who Beat Eastman Kodak」は、グッドウィンの物語とイーストマンとの戦いを描いたもので、『Invention and Technology』という今は廃刊の雑誌に掲載された。グッドウィンは、George Helmkeによる短い（13ページの）研究論文「Hannibal Goodwin and the Invention of a Base for Rollfilm」でも関心の的になっている。これは、ほとんどの図書館では見つからないが、たいへん貴重な内容だ。ニュージャージー州のFleetwood Museum of Art & Photographica of the Borough of North Plainfieldからコピーを入手可能で、公開もされている。ハンニバル・グッドウィンについての詳細な説明は、Robert Taft著『Photography and the American Scene』にある。さらなる資料は、『Cyclopedia of New Jersey』にもあり、Elizabeth Brayer著『George Eastman——A Biography』という非常に長い本にも見られるが、こちらはイーストマンに非常に肩入れしている。牧師グッドウィンと権力者イーストマンの裁判での争いについて優れた要約は、H. W. Schütt's著「David and Goliath: The Patent Infringement Case of Goodwin v. Eastman」という論文に含まれている。

グッドウィンを専門的に研究するには、Newark Public LibraryのCharles F. Cummings New Jersey Information Centerを訪れることや、New Jersey Historical SocietyにあるCharles Pell Papersをよく調べることをお薦めする。どちらもニュージャージー州ニューアークに所在する。前者のニュースの切り抜きと往復書簡は、特にPell Papersのグッドウィンの公的な発言は、どんな空白も埋める助けになるだろう。George Eastman Archivesは、グッドウィンに関係する多くの書簡を保存している（ただし、グッドウィンが出した手紙はない）。法的文書（聖書より厚くテーブルよりも重い）もここに保管されている。グッドウィンが使った材料についての情報は、William Haynes著『Cellulose, The Chemical That Grows』という楽しい本に、このかつて好まれた化合物の歴史と用途がわかりやすく書かれている。Robert D. Friedelは『Pioneer Plastic: The Making and Selling of Celluloid』という短い本で、今ではほとんど忘れられてしまった材料の歴史を書いている。

フレデリック・ダグラス

フレデリック・ダグラスは写真撮影の熱烈な愛好者で、今でも彼の写真がどこかの屋根裏部屋の古いスクラップブックからときどき現れるぐらい多くの肖像写真を撮っていた（Rochester Libraryにはそうした１枚が保管されている）。フレデリック・ダグラスはいくつかの演説でも写真撮影の魅力を生き生きと語っている。John Stauffer、Zoe Trodd、およびCeleste-Marie Bernierの共著『Picturing Frederick Douglass』には、彼の主要な３つの演説が書き起こされていて、彼はその中でこの芸術形式に対する親しみを述べている。またこの本には、150枚を超える彼の肖像写真も掲載されている。ダグラスの演説「Lecture on Pictures」「The Age of Pictures」「Pictures and Progress」は、Library of

情は送受信が難しくなることに言及している。共感と同情はどちらも教育者や親、研究者が現在懸念していることだ。

第4章　とらえる

エドワード・マイブリッジ

エドワード・マイブリッジについての資料は、読者が読むべきものとして、Rebecca Solnitの文学作品の傑作『River of Shadows: Eadweard Muybridge and the Technological Wild West』を超えるものはないだろう。この物語は、よく調べられたとびきりの美しい読み物であり、マイブリッジをつなぎとして歴史を描いている。Solnitの本は称賛すべきものだが、マイブリッジを描いた素晴らしい本はこれだけではない。Edward Ball著『The Inventor and the Tycoon』は圧巻の学術書であり、スタンフォードとマイブリッジの関係、マイブリッジの人生にかかわわった人物と事件をすべて取り上げている。とはいえ、重厚な物語はそれほど必要としない読者もいるだろう。見つけ難い事実を探求する研究者は、Arthur Mayer著『Eadweard Muybridge: The Stanford Years (1872- 1882)』を選ぶとよいだろう。また、最近イギリスで出版されたMarta Braun著『Eadweard Muybridge』は新たな視点をもたらし、薄いがしっかりとした本である。

よくできた殺人事件の物語を好む読者は多い。Terry Ramsaye著『A Million and One Nights: A History of the Motion Picture』は、マイブリッジの物語を「活動写真」のように楽しむタイプの本ではないが、マイブリッジが起こした殺人事件の全容が詳しく説明され、殺人ミステリーのスタイルで興味をそそる精緻な物語となっているので、巧みな語り口の物語を欲する読者にはこの本が最適だ。殺人事件の裁判に関しては、Napa Historical Societyの論文もまた読者の心をつかむだろう。

ほかに役立つ資料には、Robert Bartlett Haas著『Muybridge: Man in Motion』とBrian Clegg著『The Man Who Stopped Time』がある。さらに、California Digital Newspaper Collection のウェブサイト（https://cdnc.ucr.edu/）［2021年2月にアクセス］で、多くの「ゴールデンステート」（カリフォルニア州）の新聞がオンラインで読める。マイブリッジが走っている馬をとらえようと試みた最初期の実験と殺人事件についての詳細はそこで見ることができる。また、「The Compleat Eadweard Muybridge」(http://www.stephenherbert.co.uk/muybCOMPLEAT.htm)［2021年2月にアクセス］は、Stephen Herbertが管理している包括的なウェブサイトだ。最後に、マイブリッジは本を数冊書いているのでその一冊を紹介しよう。たいていの図書館で、彼の著書『Animals in Motion』は見つかるはずだ。その本では、彼の屋外撮影スタジオと、彼独自の写真用セットアップで撮影された写真の大判カタログを詳しく見ることができる。

管されていることをぜひお伝えしたい。ガーフィールドの解剖所見は、『Complete Medical Record of President Garfield's Case, Containing All of the Official Bulletins』（C. A. Wimerにより1881年に刊行）で見ることができる。

電信（テレグラフ）

電信が言語を圧縮してコード化したのに似て、電信の歴史については小さな本に凝縮されている。Lewis Coe著『The Telegraph: A History of Morse's Invention and Its Predecessors in the United States』の文章は、一文一文が段落に引き伸ばせるほどだが、この豊かな本は、モールスの発明が与えた広い意味での影響を読者に示す。電信についてもっと詳しく知りたい人には、George P. Oslin著『The Story of Telecommunications』から詳細な内容がたっぷり得られる。この分厚い本は、すばらしい図版から百科事典の形式までそなえていて、誰にとっても得るものがある。解説がややブツ切れになっているが、この情報の扱う範囲が群を抜いている。また、Jeffrey L. Kieve著『The Electric Telegraph: A Social and Economic History』は、イギリスの視点で書かれている。もっと最近の本では、David Hochfelder著『The Telegraph in America, 1832-1920』はよく調査された網羅的な本で、研究者向けのものだ。とはいえ、電信、言語、ジャーナリズムのつながりについて知りたい読者には、第3章を読むのがお薦めだ。かなり多くの情報を得られるだろう。

言語の進化とテクノロジーの役割について知るには、Naomi S. Baron著『Alphabet to Email』を読むべきだろう。電信についての解説は短いが、書かれていることは幅広く新鮮で、とても魅力的だ。Baronの本は、『愛国の血糊――南北戦争の記録とアメリカの精神』（エドマンド・ウィルソン著、中村紘一訳、研究社出版）で補うことができる。この本は、電信が誕生したころの言語をスナップ写真のように切り取っているので、貴重な本だ。そして、南北戦争が起こった機械の時代は「言語の鍛錬」の弾みになり、電信もその要因の一つだったということを前提としている。電信の影響も、電信によってニュースの消費のされ方がどう変わったかを調べることで研究できる。Meneham Blondheim著『News over the Wires: The Telegraph and the Flow of Public Information in America』は、電信の誕生からAP通信社の創設まで、通信社の歴史の学術的な調査である。電信が到来する以前と以後でニュースはどのように運ばれたのか、この本に非常に詳しい。

今日のオンライン通信の種類については、取り上げる価値のある本がいくつか現れた。私たちのデバイスとソーシャルメディアの影響については、『一緒にいてもスマホ――SNSとFTF』（シェリー・タークル著、日暮雅通訳、青土社）が、こうした形のコミュニケーションの油断のならない性質には注意するべきとして警鐘を鳴らした。とはいえ、タークルのこの本は楽観的で、ソーシャルメディアによって引き起こされる現代社会の孤独は、直接会って会話する余地を作ることで軽減できると結論している。瞬時のコミュニケーションの影響は、ルイス・マンフォードの初期の著書『技術と文明』（生田勉訳、美術出版社）にも記載がある。その中でマンフォードは理にかなった予測をして、特に共感と同

Remarkable Story of the Telegraph and the Nineteenth Century's On-line Pioneers』〕、電信と電話、無線の斬新で興味をそそる話が書かれているからだ。この本ほど有名ではないが、同じぐらい興味をそそる他の本には、『電気革命——モールス、ファラデー、チューリング』（ディヴィッド・ボダニス著、吉田三知世訳、新潮社）がある。これもまた、見事なやり方で人物たちに命を吹き込み、無味乾燥な詳細な記述を面白くして、私たちの電気の知識と、私たちの現代世界を作り出すために利用してきた方法を説明している。以上の2冊はどちらも、電気通信の開発（とそれを可能にした人物たち）に広く一般の人々の興味を引きつけるものだ。電気通信を説明するこれらの大きな例に加え、Senator John Pastore著『The Story of Communications from Beacon Light to Telstar』という古い本もあり、こちらは短時間で読める短い概説になっている。

ジェームズ・A・ガーフィールド

ガーフィールドの大統領在任期間は短かったので、彼について書かれた資料は少ない。幸いなことに、Candice Millard著『Destiny of the Republic: A Tale of Madness, Medicine and the Murder of a President』というガーフィールドの伝記が最近出版された。よく調査されてうまくまとめられたこの本は、PBSのドキュメンタリー番組のために作られた。総じて、ガーフィールドは大統領としての仕事は実際に何もしていない。彼についての本がいくつかあるが、ほとんどは彼の在任期間と同様に、短い。とはいえ、それらを合わせると、読者はこの男性の全体像をつかむことができる。数十年前に出版されたEdwin P. Hoyt著『James A. Garfield』という薄い本は、このかつての大統領について多くの彩りを添えて、暗殺で締めくくっている。この本はガーフィールドの若い頃のカギとなる場面を、もっと長い本よりも詳しく記している。別の短い本のIra RutkowとArthur M. Schlesinger, Jrによる『James A. Garfield』は、医学的な興味がある人なら読むべきだろう。外科医のRutkowは、ガーフィールドを死に至らしめたのは何だったのかという疑問に答えを与え、1881年当時の医学の状況について、入手可能な他のどの資料よりも詳しく記述している。

ガーフィールドに関する論文のコレクションは、Library of Congressとオハイオ州Hiram Collegeに保管されている。だが、それらの一部は、Theodore Clarke Smithによって全2巻の『The Life and Letters of James Abram Garfield』として書物になっている。第2巻の「The Tragedy」という章に、30ページに満たないテキストでこの大統領の銃撃が詳細に解説されている。別の本のJames C. Clark著『The Murder of James A. Garfield: The President's Last Days and the Trial and Execution of His Assassin』は入手が少し難しいが、その前書き部分がNational Archivesのウェブサイトでダウンロードできる。『ニューヨーク・タイムズ』紙の1881年7月3日の記事「A Great Nation in Grief」は、豊富な情報と目撃証言が掲載されている。上述の本の多くが、この記事を情報源としている。

歴史好きの人には、銃撃犯チャールズ・ギトーが発射した弾、ガーフィールドの脊柱の椎骨、ギトーの脳がNational Museum of Health and Medicineに保

the Telegraph Industry in the United States』もある。この本は、人物や物語にはあまり立ち入らずに電信の記述が読みたい人には好ましいだろう。

Samuel Irenaeus Prime著『The Life of Samuel F.B. Morse』は、他の多くの本が頼りにし、引用している参考図書である。Samuel Primeは、モールス一家に選ばれてこの伝記を書いたので、他の人々が入手できない材料を手に入れていた。Primeの本は、彼でなければ得難かったであろう往復書簡だけでなく、供述書の下書きや優れた注釈も含んでいるため、質の高い資料となっており、科学と法律のいずれの観点からもかなり専門的内容になっている。モールスの画家としての仕事についてはほとんど含まれていないが、それでもこの本は、電信の開発の全体像を得るためには必携の書である。画家としてのモールスを探求するには、William Kloss著『Samuel F. B. Morse』がモールスの絵画を称え、作品をフルカラーで載せて、技能についても論評している。

モールスの書簡は、モールスの一番下の息子Edward Lind Morseが編者の分厚い全2巻の『Samuel F. B. Morse: His Letters and Journals』に収められている。サミュエル・モールスの2つの人生——画家としての人生と発明家としての人生——は、それぞれ約41年間続いたものである。第1巻にモールスが学校に通っていた子どもとして、若い画家として、新婚の夫としての人生が描かれ、第2巻には発明家として、サリー号ですごした時間、電信の発明、稼働した最初の電信線の開発についてが示される。全巻揃えられなければ、第2巻を得るといいだろう。

電信の開発の解説についておおむね、Silverman、Mabee、Lind Morse、およびPrimeの本を合わせれば、物語を読みたい読者や整理された情報を得たい読者など、さまざまなものを求める熱心な読者にとって役に立つだろう。いずれの本を読む場合も、古い情報源を使って、年代や日付け、詳細をダブルチェックすることは重要だ。ある年代の本の誤記は、次の年代の本へ移ってしまうからだ。

モールスを調べる学生や研究者は、モールスが大量の手紙を書き、彼の手紙の多くはLibrary of Congressのウェブサイトから無料で入手できることをありがたく思うだろう。材料を探し求めている人がSamuel Finley Breese Morse Papers (MSS33670) を見いだせば、感涙にむせぶことだろう。イェール大学のアーカイブはそれよりはるかに小さいが、モールスの書いたカギとなる手紙、特にイギリスの特許の獲得を試みたときの手紙が保管されている。イェール大学でのモールスに関する最も重要なコレクションは、Yale College Alumni file (RU 830, Box 2) で、モールスが仕事をした時代前後での、モールスについて書かれた記事を含んでいる。New York Public Libraryもモールスの手紙の一部を所蔵しており、オンラインで閲覧できることにご留意いただきたい。

モールスの話に言及する現代の資料としては、優れた本がいくつかあり、電気通信の開発というもっと大きな「織物」の中へモールスの活動を織り込んで示している。傑出する一冊は、『ヴィクトリア朝時代のインターネット』（トム・スタンデージ著、服部桂訳、NTT出版）だ。この本が優れているのは、タイトルがすばらしいからというだけでなく〔訳注：原題は、『Victorian Internet: The

ら、Robin Reilly著『The British at the Gates: The New Orleans Campaign in the War of 1812』は必読だろう。アメリカ人の叙述には通常見られない事実が満載されている。この戦いをもっと視覚的に扱うものを探している読者には、Donald R. HickeyとConnie D. Clarkによる『The Rockets' Red Glare: An Illustrated History of the War of 1812』がお薦めだ。素晴らしい図版入りの本で、活躍した主要人物たちと詳細な地図も掲載されている。これはよくできた本で、何が起こったかを見事に説明している。また、『What Hath God Wrought: The Transformation of America, 1815-1848』のニューオーリンズの戦いについての章に、新たな詳しい記述が含まれることにも読者は気づくだろう。授業では、この戦いについてのドキュメンタリー（特にHistory ChannelとPBSがプロデュースするもの）も楽しるめだろう。

ジャクソンについての論文を本格的に読みたいと考える研究者には、Library of Congressに2万点を超える資料がある。アンドリュー・ジャクソンの故郷ハーミテージは、彼のアーカイブの収納場にもなっており、論文がデジタルで入手できる。戦いについての新聞記事も大きな情報源だ。とくに、ルイジアナのプランテーションで起こった出来事を『The Niles' Weekly Register』（バルチモアの新聞）で読めば、リングサイド席から見物しているかのように感じられるだろう。最後に、歴史ファンは、特に1月上旬の戦いの記念日には、ニューオーリンズのChalmette Battlefield（歴史記念公園）で楽しめるだろう。

サミュエル・F・B・モールス

サミュエル・フィンリー・ブリース・モールスは非常に尊敬された発明家で、彼の物語は1世紀以上のあいだ、学校に通う子どもたちによく知られていた。そうしたわけで、彼について書かれた本の多くは、価値はあるが古書となっている。ごく最近になって、Kenneth Silverman著『Lightning Man: The Accursed Life of Samuel F. B. Morse』という現代の伝記が現れた。これは熟練の伝記作家による分厚い学術書で、詳細な内容がたっぷりと記述されている。本格的に知りたい読者は、この本を入手するといいだろう。

モールスの話について現代に書かれた本で、300ページ未満のものはない。短いものを求めるなら、1901年刊行のJohn Trowbridge著『Samuel Finley Breese Morse』などの古い本をあたるしかないだろう。これは全134ページの軽く読める本で、モールスの欠点は凝縮されて一文になっている。年表としても使いやすいが、電信が設置された年（1844年）が誤っていた。モールスについてもっと長い読み物には、ピューリッツァー賞受賞のCarleton Mabee著『American Leonardo: A Life of Samuel F. B. Morse』（1941年に刊行）がある。報道のスタイルで書かれているので、現代の読者も重宝するだろう。この本にも残念ながらいくつか誤記があるが、「Native Americans」という一章まるごとをモールスの政治的な移民排斥主義の面に割いていることは功績である。Oliver Waterman Larkinによる215ページの短い伝記『Samuel F.B. Morse and the American Democratic Art』は、短時間で楽しく読めるが、入手がかなり困難だ。また、Robert Luther Thompson著『Wiring a Continent: The History of

Sass著『The Substance of Civilization: Materials and Human History from the Stone Age to the Age of Silicon』の中の章に、鋼鉄を裏づける科学についての信頼できる調査が提示されている。文化における鋼鉄の役割の検討には、Douglas Alan Fisher著『The Epic of Steel』やTheodore A. Wertimeによる『The Coming of Age of Steel』といったいくつかの古い本が役に立つ。古代に遡った冶金学史は、R. F. Tylecote著『A History of Metallurgy』に記述がある。鋼鉄の製造についての現代の研究では、Thomas Misa著『Nation of Steel: The Making of Modern America, 1865- 1925』とRobert Gordon著『American Iron, 1607- 1900』において文献が徹底的に調べ上げられている。これらの2冊は研究者向けに書かれているが、両方とも読んで面白いものだ。鋼鉄製レールの影響に関する極めて重要な書籍の1つに、Wolfgang Schivelbusch著『The Railroad Journey: The Industrialization of Time and Space in the Nineteenth Century』がある。学問に裏づけられたこの小さな本は、工学倫理か社会学の授業で読むことを必須とすべきだろう。鋼鉄製レールの影響については、もっと厚くてもっと一般向けのHarold Perkin著『The Age of the Railway』がある。この本はイギリスに重点を置いているが、影響を包括的に扱っている。地図の空白がなくなることについては、Barney Warf著『Time-Space Compression: Historical Geographies』というふさわしい題名の本で重点的に論じられている。

クリスマスの商業化

鉄道路線に関する本は多いが、クリスマスの商業化に対する鉄道路線の役割を検討したものは限られている。歴史家のPenne L. Restadはその関係を「Christmas in America: A History」と題する論文に示した。Bruce D. Forbes著『A Candid History』という本もその関係を論じている。研究者が興味を持つかもしれないものとして、新聞記事の切り抜きの分析があるだろう。それには、クリスマスが大したことのない休日から、私たちがいま経験している現代的なものになるまでの進化が示されている。

第3章　伝える

ニューオーリンズの戦い

アンドリュー・ジャクソンに深く興味を持っている読者は、彼の最初の伝記作家Robert V. Reminiが書いた本、特に『The Battle of New Orleans: Andrew Jackson and America's First Military Victory』を選ぶだろう。だが、そうした読者は、この多作な一作家の見方だけにとらわれすぎないように注意すべきだろう。ほかのさまざまな本にも彼についての膨大な記述があり、Reminiの見方を補うさまざまな情報が加えられている。そうした本には、Gene A. Smith編『A British Eyewitness at the Battle of New Orleans』や、Donald R. Hickey著『Glorious Victory: Andrew Jackson and the Battle of New Orleans』がある。

これらの書籍に加え、この戦いについてはそれらよりも古い本のFrancis F. Beirne著『The War of 1812』にわかりやすく書かれている。イギリスの観点な

ヘンリー・ベッセマー卿

ヘンリー・ベッセマー卿は鉄鋼産業の父だが、彼は自分にふさわしい信頼できる伝記を誰にも書いてもらえなかった。これを何とかしたいと考え、自伝を書いて『Sir Henry Bessemer, F. R. S.: An Autobiography』と名づけた。それは存命中には見すごされていたが、歴史上の空白を埋めるために近年取り組みがなされて、20世紀にInstitute of Materialsが『Sir Henry Bessemer: Father of the Steel Industry』を出版した。これには、ベッセマーについてのことだけでなく、彼が刺激を与えたビジネスについても記述されている。この書籍には専門的な部分もあるが、ベッセマーを知る最後の人々によるベッセマーについての逸話的な内容も含まれる。さらに、イギリスのHerne Hill Societyは『The Story of Sir Henry Bessemer』という小さな本を刊行したが、この本はアメリカでは入手困難だ。ベッセマーの生涯の詳細のほとんどは、彼が自伝で進んで書いた話と、彼についての新聞記事に限られる。鋼鉄は世界に豊富に存在するが、私たちはその金属を作り出した人物についてはあまり知らない。ベッセマーの発明について信頼できる学術書として、Kenneth C. Barraclough著『Steelmaking, 1850- 1900』は必読の資料だ。

ウィリアム・ケリー

ヘンリー・ベッセマー卿について書かれたものは少ないが、ウィリアム・ケリーについては輪をかけて少ない。H. Holbrook Stewart著『Iron Brew: A Century of American Ore and Steel』とElting E. Morison著『Men, Machines, and Modern Times』では、ケリーについてある程度は論じられている。Morisonは、この本の大部分を鋼鉄の発明に割き、物語ような形で記述している。この本は、鋼鉄の愛好者にはうってつけだ。ウィリアム・ケリーについてのさらなる情報を得るには、百科事典類も19世紀の書籍や新聞記事もお薦めだ。これらの古い記事のいくつかには、ケリーが書いた手紙が引用されているが、こうした手紙は失われたようだ。それにもかかわらず、ケリーについてのもっと大きい問題が存在する。とりわけ、自分がアメリカに鋼鉄をもたらしたというケリーの主張は、大部分がまったくのでっちあげだ。ケリーの鋼鉄作りの取り組みについて、よく調べられた最も信頼のおける研究は、イェール大学名誉教授で冶金考古学の専門家のRobert Gordonによる「The 'Kelly' Converter」という研究論文だ。Gordon教授は、スミソニアン研究所にあるケリーの転換炉（converter）で時間をかけて調べ、その材料を分析した。彼の調査は、ケリーが鉄鋼作りに寄与した証拠はないことを示している（こうした研究結果は出たが、ケリーの栄誉を称え、史跡と飾り額はもとのままで設置されている）。

鋼鉄と線路

鋼鉄は社会にとって非常に重要な材料だが、一般人向けに書かれた鋼鉄についての最近の本はほとんどない。Arthur StreetとWilliam Alexanderによる『Metals in the Service of Man』という古い書籍は卓越した1冊で、いくつかの章において読みやすい文章で鋼鉄について論じている。さらに、Stephen

時間管理の影響

英語で「time」(時間)という言葉が極めて高い頻度で使用されるのと同様に、時間と時間管理の概念についての書籍には事欠かない。とはいえ、卓越したものは少ない。Carlene Stephensは、時間管理の進化と社会へのそれの影響について図版入りの楽しくて読みやすい本『On Time: How America Has Learned to Live Life by the Clock』を著した。また、David Landes著『Revolution in Time: Clocks and the Making of the Modern World』は、独創性に富んだ学術研究書で、時間管理のテーマでは標準の教科書だ。『あなたはどれだけ待てますか——せっかち文化とのんびり文化の徹底比較』(ロバート・レヴィーン著、忠平美幸訳、草思社)や『かくれたリズム——時間の社会学』(エビエタ・ゼルバベル著、木田橋美和子訳、サイマル出版会)といった本は、時計を通じた生活の変化について徹底的に論じているが、ほかにもこのテーマについては読者に役立つ本がたくさんある。時間の知覚の文化的差異について興味深く取り扱ったものとして、James Jonesの「Cultural and Individual Differences in Temporal Orientation」やRobert LevineとAra Norenzayanの「The Pace of Life in 31 Countries」といった論文がたいへん有益だ。Jonesの論文は、CP(有色の人々)の時間という概念を解き明かすこと(とそれを裏づけること)において、とりわけ有用だ。

第2章　結ぶ

リンカーンの葬送列車

エイブラハム・リンカーンの葬列は、かつてはアメリカの集合記憶の一部だったが、長い時を経てこの出来事は国民の意識からこぼれ落ちた。リンカーンの葬送列車についてたっぷり書かれたものを求める読者には、Victor Searcherの『The Farewell to Lincoln』が読むべき本として最も重要だ。Wayne and Mary Cay Wesolowskiによる自費出版本『The Lincoln Train Is Coming by』は極めて重要な資料だが、入手は難しい。これは著者自身の調査だけでなく、おびただしい新聞から抜き出した事実が生き生きと記述されており、探求に値する本である(たとえば、葬送列車の色はWayne Wesolowskiが1つの記事を見つけて分析するまでは、謎に包まれていた)。リンカーンの葬列についての多くの本は、数十年前のものだ。しかし、後継たる本として、この偉大な国民的物語を現代的な切り口で語る本がいくつか、150周年に間に合わせて出版された。そうした1冊が、2014年に刊行のRobert M. Reed著『Lincoln's Funeral Train: The Epic Journey from Washington to Springfield』だ。ほかに、児童書のRobert Burleigh著『Abraham Lincoln Comes Home』があり、これは子ども向けにこの重大な歴史的瞬間を優しい気持ちで記念する本だ。リンカーンの葬列についてさらなる記述は、列車がとおった都市や葬列が催された都市の数多くの新聞で見つけることができる。

れ以前に出版された『ガリレオの思考をたどる』（スティルマン・ドレイク著、赤木昭夫訳、産業図書）を含めていくつか出版されている。ガリレオは木星の衛星を発見したことで有名な天文学者であり物理学者だが、ピサの斜塔における彼の実験と振り子の揺れに関する研究のどちらも、私たちの日常生活に影響を与えている。多くの学生が、違う重さの物体を落下させた実験について詳しく語れるが、ほとんどの学生はガリレオの振り子時計については知らない。ガリレオの時計作りの苦労について詳しくは、Silvio Bedini著『The Pulse of Time』を参照されたい。これは、よく研究がなされた稀有な学術書で、詳しく知りたい、あるいは本格的に調べたい研究者には必携の書籍だ。面白いことに、ガリレオが教会で揺れているランプを見た話が事実かどうかについては、学術的な議論になっているという。それがどちらであろうと、ガリレオや時を刻むことについての議論は、今もなお――時代を超えて――興味深いということは確かだ。

ウォレン・マリソン

社会にとても大きな衝撃を与えた科学者だが、ウォレン・マリソンについて書かれたものは非常に少ない。本書はそのような見すごしを修正することを目指したが、過去に書かれたものに、この発明家を研究するには不可欠なテキストがある。W. R. Tophamによる1892年の「Warren A. Marrison— Pioneer of the Quartz Revolution」という短い伝記が、National Association of Watch and Clock Collectorsから入手できる。マリソンの元雇用主であるベル研究所が著した『A History of Engineering and Science in the Bell System: The Early Years (1875-1925)』という非常に厚い書籍全２巻のうち、第１巻の319ページと991ページにマリソンの研究についての短い記載がある。とはいえ、幸いなことに、マリソンは自分の遺産の保存に自ら取り組み、自分が時間管理に寄与したことを「The Evolution of the Quartz Crystal Clock」という長い論文にまとめている。

ピエゾ効果（圧電効果）

ピエゾ効果は、非常に魅力的な材料科学的現象なので、これについて書かれているものはありそうなものだが、ないのだ。最も重要な資料は、Walter Cadyの著した書籍『Piezoelectricity』で、興味を持たれた読者にはその第１章が役に立つが、Cadyのテキストはわずか数ページで急に、極めて専門的な議論に突入する。それほど急に専門的内容に入らない議論については、材料科学の入門書が、特に、有用と思われるスマート材料やセラミクスについての書籍がいくつかある。ピエゾ効果の発見については、ピエール・キュリーについての伝記が、妻である有名なマリ・キュリーによって書かれている。ピエゾ効果の初期の歴史と用途に興味を持たれた読者は、Shaul Katzirによるいくつかの研究論文から多くの興味深い内容が見つかるのは間違いないだろう。

企業とマットレス製造業者が、私たちの睡眠の不安から膨大な利益を獲得している。新聞記事や雑誌記事、ウェブサイトでは、この話題についての議論が始まっているが、私たちの睡眠パターンの変化については、『失われた夜の歴史』（ロジャー・イーカーチ著、樋口幸子・片柳佐智子・三宅真砂子訳、インターシフト）や、『The Slumbering Masses: Sleep, Medicine, and Modern American Life』（Matthew Wolf-Meyer著）といった学術研究が、どのように現状に至ったのか、私たちの理解をうながすものとなっている。アメリカ人の睡眠パターンについての信頼できる医療情報として、アメリカ国立衛生研究所（NIH）のウェブサイトにある報告書と統計があらゆる求めに答えてくれるだろう。また、アメリカ疾病予防管理センター（CDC）には、アメリカでの睡眠薬の消費量データとグラフが保存されている。最後に、「Extent and Health Consequences of Chronic Sleep Loss and Sleep Disorders」と題された報告書には、アメリカのトップ科学者たちによる、行動を喚起する情報が集められており、ナショナル・アカデミーズ・プレスのウェブサイトからダウンロードできる。

ベンジャミン・ハンツマン

ベンジャミン・ハンツマンの生涯に興味を持った読者には幸いなことに、彼を紹介する簡潔なテキストが存在する。Sheffield City Libraries（イギリス）が出版した『Benjamin Huntsman 1704-1775』という10ページの小冊子で（Sheffield Libraryを通じて購入可能）、研究者のKenneth C. Barracloughが著したものだ。このパンフレットは、彼の誕生から死去まですべてと、その間の興味深い（そして刺激的な）人生（禁じられた結婚と離婚など）が記録されている。本書でこれらの詳細を省いたのは、本筋に関係なく読者を混乱させかねないからだが、興味を持たれた方はこの貴重な小冊子をご覧いただきたい。それに加えて、厚くて古い本も存在する。たとえば、『Industrial Biography: Iron Workers and Tool Makers』（Samuel Smiles著、1863）には、ハンツマンとそのほかにも鉄と鋼鉄の製造に寄与した人々についての人物像が書かれている。ハルツマンの人生と家系について追加情報として、W. Wyndham Hulmeの「The Pedigree and Career of Benjamin Huntsman」とR. A. Hadfieldの「Benjamin Huntsman, of Sheffield, the Inventor of Crucible Steel」という論文が、最も重要である。ハルツマンの発明品の高度に専門的な科学的説明は、多作の著述家Kenneth C. Barracloughが『Steelmaking Before Bessemer: Volume 1— Blister Steel』を書いている。これは信頼できる書籍だが入手困難だ。金属の歴史と科学について、本格的に追加情報を求める研究者はCyril Smithの『A Search for Structure』かR. F. Tylecoteの『A History of Metallurgy』をあたることをお勧めする。

ガリレオ

ガリレオの物語は何世紀も前から有名だが、すべての世代で新鮮で興味深くあり続けている。彼の名を冠した人気の書籍も、『ガリレオの娘――科学と信仰と愛についての父への手紙』（デーヴァ・ソベル著、田中勝彦訳、DHC）や、そ

参考文献

以下は、本書の中に出てくる話のための注や解説、示された情報源を詳しく説明したものです。見出しは、読者が時間をかけずに欲しい情報が得られるようにつけています。多くのテーマに関しては情報源がほとんどなく、テーマによっては逆に、情報源が多すぎることもあります。資料が豊富にある場合には、使用に際してカギとなる重要な資料を提示し、それと同時に、選んだ資料の情報源も示しています。読者や研究者のみなさんが、ある特定のテーマについてもっと詳しく知りたいと思ったときに、何も知らないところから十分にわかるところまで、あまり時間を使わずに到達できることを望んでいます。どうぞ、ご健闘を。

第1章　交流する

ルース・ベルヴィル

ルース・ベルヴィルの物語は、『Ruth Belville: The Greenwich Time Lady』(David Rooney著）という簡潔な書籍に最もよく記録されている。Roonyは、時刻を売っていたこの女性の人生について、断片的な情報をきめ細やかに集めてまとめ上げている。ルース・ベルヴィルはこれより古い本の『British Time』(Donald de Carle著、1947）や、『グリニッジ・タイム——世界の時間の始点をめぐる物語』(デレク・ハウス著、橋爪若子訳、東洋書林、邦訳は2007年刊行、原著は1980年刊行）といった書籍にも簡単に触れられている。時間管理について興味が沸いた読者には、どちらの本にも読む価値があり、どちらも他の多くの本（もっと最近刊行された本も含む）より優れている。さらなる情報源として、イギリスの新聞に彼女についていくつか参考になる資料がある。ベルヴィルは少し有名な人だったので、彼女に言及する記事は特に亡くなった1943年ごろにいくつか存在する。ルース・ベルヴィルを扱った当時の記事について調べた学術研究は、Hannah Gayによる「Clock Synchrony, Time Distribution and Electrical Timekeeping in Britain 1880-1925」とDavid Rooneyによる「Maria and Ruth Belville: Competition for Greenwich Time Supply」などいくつか存在する。どちらも、ベルヴィルのサービスの費用といった非常に詳しいことまで緻密に研究されているし、Roonyの論文にはルース・ベルヴィルの手紙が引用されており、この起業家的な女性について知りたいと思う読者にとっては、この論文自体が宝の山だろう。ルース・ベルヴィルを簡潔に紹介するものとしては、John Huntの「The Handlers of Time」と、Stephen Battersbyの「The Lady Who Sold Time」というすばらしい雑誌記事がある。

睡眠パターン

睡眠の話題は、国民的な関心事になった。私たちは『ニューヨーク・タイムズ』紙が「睡眠-産業共同体」と呼ぶものの中に住んでいる。そこでは、製薬

36 同上, 120.
37 同上, 123.
38 Klingberg, The Overflowing Brain, 130. ［邦訳：『オーバーフローする脳』］
39 Sheldon Hochheiser, 著者宛ての電子メール, May 7, 2018.
40 George A. Miller, "The Magical Number Seven, Plus or Minus Two: Some Limits on Our Capacity for Processing Information," Psychological Review 101, no. 2 (1994): 343.
41 Carr, The Shallows, 124. ［邦訳：『ネット・バカ』］
42 同上, 118.
43 Memento, Directed by Christopher Nolan, 1h 53min, 2000. ［邦訳：アメリカ映画『メメント』クリストファー・ノーラン監督、日本公開2000年］
44 Andy Clark and David Chalmers, "The Extended Mind," Analysis 58, no. 1 (1998): 7-19.
45 David Chalmers, 著者による電話インタビュー, May 7, 2018.
46 Betsy Sparrow, Jenny Liu, and Daniel M. Wegner, "Google Effects on Memory: Cognitive Consequences of Having Information at Our Fingertips," Science 333, no. 6043: 778.
47 同上。
48 Eagleman インタビュー。
49 Heilman, "Possible Brain Mechanisms," 287-288.
50 Eagleman インタビュー。
51 Heilman, "Possible Brain Mechanisms," 285.
52 Heilman, 著者宛ての電子メール, May 2, 2018.
53 Klingberg, The Overflowing Brain, 73. ［邦訳：『オーバーフローする脳』］
54 Carr, The Shallows, 138. ［邦訳：『ネット・バカ』］
55 Nick Bilton, "Steve Jobs Was a Low-Tech Dad," New York Times, September 10, 2014, E2. https://www.nytimes.com/2014/09/11/fashion/steve-jobs-apple-was-a-low-tech-parent.html. ［2021年１月にアクセス］
56 同上。
57 Klingberg, The Overflowing Brain, 13. ［邦訳：『オーバーフローする脳』］
58 Thomas Alva Edison and Dagobert D. Runes, The Diary and Sundry Observations of Thomas Alva Edison (Philosophical Library, 1948), 107.

あとがき

1 Toni Morrison, "Address to the Second Chicago Humanities Festival, Culture Contact" (lecture, Word of Mouth Series, Chicago, IL, 1991), https://www.youtube.com/watch?v=KxqQhkMKlC0. ［2021年１月にアクセス］

13 “The Telephone Concert.” New Haven Evening Register, April 28, 1877, 4, NHFPL.
14 Joseph Leigh Walsh, Connecticut Pioneers in Telephony: The Origin and Growth of the Telephone Industry in Connecticut (New Haven, CT: Morris F. Tyler Chapter, Telephone Pioneers of America, 1950), 327.
15 “The Telephone Concert,” 4.
16 “The Telephone.” New Haven Daily Morning Journal and Courier (New Haven, CT), April 28, 1877, 2. CSL.
17 Herman Ritterhoff, “How a Laugh Lost a Millon,” Telephony, March 22, 1913, 59.
18 Kathy Kanauer, “Almon Strowger” (lecture, Penfield Historical Association, Penfield, NY, February 27, 2000), 2, AS- PEN.
19 J. Hartwell Jones, “Industry Honors First Automatic Inventor,” Telephony, October 15, 1949, 12, AS-PEN.
20 Herman Ritterhoff, “How a Laugh Lost a Millon,” Telephony, March 22, 1913, 59.
21 Gordon K. Teal, “Single Crystals of Germanium and Silicon—Basic to the Transistor and Integrated Circuit,” IEEE Transactions on electron devices 23, no. 7 (1976): 623.
22 Michael F. Wolff, “Innovation: The R&D ‘Bootleggers’: Inventing against Odds,” IEEE Spectrum 12, no. 7 (1975): 41.
23 Pawel E. Tomaszewski and Robert W. Cahn, “Jan Czochralski and His Method of Pulling Crystals,” MRS Bulletin 29, no. 5 (2004): 348-349.
24 Gordon Teal, Lillian HoddesonとMichael Riordanによるインタビュー, June 19, 1993, 書き起こし, The Niels Bohr Library & Archives Oral History, American Institute of Physics, College Park, MD, 11 (許可を得て使用).
25 Teal, “Single Crystals of Germanium,” 625.
26 G. Teal インタビュー, 13.
27 Donald Teal, 著者による電話インタビュー, January 26, 2017.
28 Michael Riordan, “The Lost History of the Transistor,” IEEE Spectrum 41, no. 5 (2004): 45.
29 同上。
30 John McDonald, “The Men Who Made T.I.,” Fortune, November 1961, 226, Box 11, Folder 17, BAY.
31 同上。
32 David Eagleman, 著者による電話インタビュー, May 7, 2018.
33 Nicholas Carr, The Shallows: What the Internet Is Doing to Our Brains (New York: W. W. Norton, 2011), 126. ［邦訳：『ネット・バカ——インターネットがわたしたちの脳にしていること』篠儀直子訳、青土社］
34 同上, 91.
35 同上, 138.

Co., 1937), 6.
40 Thomson, 376.
41 D. J. Price, "Sir J.J. Thomson, OM, FRS. A Centenary Biography." Discovery 17: 496, JJT-TRI.
42 George Paget Thomson, "J.J. Thomson and the Discovery of the Electron," Physics Today 9, no. 8 (1956): 23.
43 J.J. Thomson, Recollections and Reflections, 334.
44 Baron Robert John Strutt Rayleigh, The Life of Sir JJ Thomson, Sometime Master of Trinity College, Cambridge (London: Dawsons, 1969), 25.
45 Isobel Falconer, "JJ Thomson and the Discovery of the Electron," Physics Education 32, no. 4 (1997): 227.
46 J.J. Thomson, Recollections and Reflections, 1.

第8章　考える

1 Hanna Damasio et al., "The Return of Phineas Gage: Clues About the Brain from the Skull of a Famous Patient," Science 264, no. 5162 (1994): 1104.
2 John M. Harlow, "Recovery from the Passage of an Iron Bar through the Head," History of Psychiatry 4, no. 14 (1993): 275.
3 Damasio et al., "Return of Phineas Gage," 1102.
4 Harlow, "Recovery from the Passage," 274.
5 Damasio et al., "Return of Phineas Gage," 1104.
6 Torkel Klingberg, The Overflowing Brain: Information Overload and the Limits of Working Memory (Oxford, UK: Oxford University Press, 2009), 3. ［邦訳：『オーバーフローする脳――ワーキングメモリの限界への挑戦』苧阪直行訳、新曜社］
7 Richard Wrangham, Catching Fire: How Cooking Made Us Human (New York: Basic Books, 2009), 120. ［邦訳：『火の賜物――ヒトは料理で進化した』依田卓巳訳、NTT出版］
8 N.C. Andreasen, The Creative Brain: The Science of Genius (New York: Plume, 2006), 146.
9 Kenneth M. Heilman, "Possible Brain Mechanisms of Creativity," Archives of Clinical Neuropsychology 31, no. 4 (21 March 2016): 287.
10 Eleanor A. Maguire et al., "Navigation- Related Structural Change in the Hippocampi of Taxi Drivers," Proc. Natl. Acad. Sci. 97, no. 8 (2000): 4398-4403.
11 Klingberg, The Overflowing Brain, 12. ［邦訳：『オーバーフローする脳』］
12 R.V. Bruce, Bell: Alexander Graham Bell and the Conquest of Solitude (Ithaca, NY: Cornell University Press, 1990), 198. ［邦訳：『孤独の克服――グラハム・ベルの生涯』唐津一監訳、NTT出版］

13 Steiner, “Otto Schott,” 166.
14 Turner, “Otto Schott and His Work,” 90.
15 Jane Cook, 著者による電話インタビュー, June 9, 2017 and November 1, 2017.
16 Margaret B.W. Graham and Alec T. Shuldiner, Corning and the Craft of Innovation (Oxford, UK: Oxford University Press, 2001), 38.
17 同上, 46.
18 同上, 55.
19 “The Battery Jar That Built a Business: The Story of Pyrex Ovenware and Flameware.” Gaffer, July 1946, 3, COR.
20 John Littleton, 著者による電話インタビュー, September 7, 2017.
21 Harvey K. Littleton, Joan Falconer Byrdによるインタビュー, Spruce Pine, N.C., March 15, 2001, 書き起こし, Archives of American Art, Smithsonian Institution, Washington, DC, https://www.aaa.si.edu/collections/interviews/oral-history-interview-harvey-k-littleton-11795.［2021年1月にアクセス］
22 Joseph C. Littleton, “Recollections of Mom: By Her Third Child, Joe,” (未刊本, 1995), 73と77, CMOG.
23 A Report of the History of the First Pyrex Baking Dish, November 1917, COR.
24 Nancy Jo Drum, 著者による電話インタビュー, September 11, 2017.
25 J.C. Littleton, 16.
26 History of the First Pyrex Baking Dish.
27 “The Battery Jar That Built a Business,” 3, COR.
28 “Informal Notes as taken from Dr. Sullivan: History of Pyrex bakeware,” March 5, 1954, COR.
29 E. C. Sullivan, “The Development of Low Expansion Glasses,” Journal of the Society of Chemical Industry 15, no. 9 (1916): 514.
30 Sullivan.
31 Graham and Shuldiner, Corning and the Craft of Innovation, 56.
32 “The Battery Jar That Built a Business,” 5, COR.
33 同上, 6.
34 Daniel Kelm, 著者による電話インタビュー, September 18, 2017.
35 Edward J. Duveen, “Key Industries and Imperial Resources,” Journal of the Royal Society of Arts 67, no. 3459 (1919): 242.
36 “The ‘Trading with the Enemy Act’,” Scientific American 117, no. 20 (1917): 363.
37 W. H. Curtiss, “Pyrex: A Triumph for Chemical Research in Industry,” Industrial & Engineering Chemistry 14, no. 4 (1922): 336-337.
38 Graham and Shuldiner, Corning and the Craft of Innovation, 59.
39 J.J. Thomson, Recollections and Reflections (New York: The Macmillan

26 Herman HollerithがMr. Wilsonに宛てたタイプされた手紙, August 7, 1919, Box 9, Folder 7, HH- LC.

27 Charles W. Wootton and Barbara E. Kemmerer, “The Emergence of Mechanical Accounting in the US, 1880-1930,” Accounting Historians Journal 34, no. 1 (2007): 105.

28 “RAMAC: An Everlasting Impact on the Computer Industry” by Thomas J. Watson Jr., undated, Folder 24, RJ- CHM.

29 同上。

30 Lab notebook No. 22- 83872, 139, dated November 10, 1953, Box 7, JJH-WPI.

31 タイプされた文書 “Biographic Sketch,” 2, Box 2, JJH- WPI.

32 “The Invention and Development Process”と題されたメモ, Jacob HagopianからAlbert Hoaglan宛て, June 18, 1975, Box 2, JJH- WPI.

33 “Magnetic Ink and Powders,” Jacob Hagopian (JH) がE. Quadeに宛てたメモ, April 22, 1959, Box 8; Ferro Enameling Companyからの手紙, February 2, 1954, Box 2; Reeves Soundcraftからの手紙, Dec 15, 1953, Box 2; W. P. Fuller Companyからの手紙, December 22, 1953, Box 2 JJH-WPI.

34 Jacob HagopianがReynold Johnsonに宛てた手紙, May 20, 1992, Box 2, JJH- WPI.

35 Jacob HagopianがNewstackの編集者に宛てた手紙の日付のない自筆の下書き, Box 2, JJH- WPI.

第7章　発見する

1 John Drury Ratcliff, Yellow Magic: The Story of Penicillin (New York: Random House, 1945), 13.

2 Kevin Brown, 著者による電話インタビュー, London, England, September 27, 2017.

3 Eric Lax, The Mold in Dr. Florey’s Coat: The Story of the Penicillin Miracle (New York: Henry Holt and Co., 2005), 12.

4 Brown インタビュー。

5 Lax, Dr. Florey’s Coat, 17.

6 Yellow Magic, 22.

7 William Ernest Stephen Turner, “Otto Schott and His Work. A Memorial Lecture,” Journal of the Society of Glass Technology 20(1936): 83.

8 Simon Garfield, Mauve (London: Faber & Faber, 2013), 8.

9 Turner, 85.

10 Jurgen Steiner, “Otto Schott and the Invention of Borosilicate Glass,” Glastechnische Berichte 66, no. 6-7 (1993): 166.

11 同上。

12 Turner, “Otto Schott and His Work,” 86.

3 Timothy Ferris, 著者による電話インタビュー, August 23, 2018.

4 Ann Druyan, "Earth's Greatest Hits," New York Times Magazine, September 4, 1977, 13.

5 Lewis Thomas, Lives of a Cell (London: Bantam, 1974), 45.

6 Bertram Lyons, 著者による電話インタビュー, July 13, 2018; "Alan Lomax and the Voyager Golden Records," https://blogs.loc.gov/folklife/2014/01/alan-lomax-and-the-voyager-golden-records/ ［2021年1月にアクセス］

7 Robert A. Rosenberg et al., The Papers of Thomas A. Edison: Menlo Park: The Early Years, April 1876-December 1877, vol. 3 (Baltimore, MD: Johns Hopkins University Press, 1989), 444. （以下、この巻はTAEとする）

8 同上, 472.

9 同上, 699.

10 同上。

11 George Parsons Lathrop, "Talks with Edison," Harper's New Monthly Magazine, February 1890, 430.

12 TAE, 649.

13 Frank Lewis Dyer and Thomas Commerford Martin, Edison: His Life and Inventions, vol. 1 (New York: Harper & Brothers, 1910), 208.

14 TAE, 699.

15 Matthew Josephson, Edison: A Biography (London: Eyre & Spottiswoode, 1961), 173.

16 "The Phonograph," Scientific American 75, no. 4: 65; "The Talking Phonograph," Scientific American 37, no. 25: 384.

17 Edward H. Johnson, "A Wonderful Invention—Speech Capable of Indefinite Repetition from Automatic Records," Scientific American 37, no. 20: 304.

18 Thomas A. Edison, "The Phonograph and Its Future," North American Review 126, no. 262 (1878): 533- 535.

19 Andre Millard, America on Record: A History of Recorded Sound (Cambridge, UK: Cambridge University Press, 2005), 108.

20 Steven D. Lubar, Infoculture: The Smithsonian Book of Information Age Inventions (New York: Houghton Mifflin Harcourt Publishing Co., 1993), 173.

21 同上, 174.

22 同上, 177.

23 Millard, America on Record, 80- 83.

24 Millard, 5.

25 Rey Johnson, "The First Disk File" (Dinner Talk, DataStorage '89 Conference, San Jose, California, September 19, 1989), http://www.mdhc.scu.edu/100th/reyjohnson.htm. ［2021年1月リンク切れ］

(2011): e17307.

26 Fabio Falchi, 著者によるSkypeでのインタビュー, October 18, 2016.

27 Ron Chepesiuk, "Missing the Dark: Health Effects of Light Pollution," Environmental Health Perspectives 117, no. 1 (2009): A22.

28 Pierantonio Cinzano, Fabio Falchi, and Christopher D Elvidge, "The First World Atlas of the Artificial Night Sky Brightness," Monthly Notices of the Royal Astronomical Society 328, no. 3 (2001): 689-707.

29 Paul Bogard, 著者による電話インタビュー, August 31, 2016.

30 Lewis, 著者によるSkypeでのインタビュー, February 21, 2017.

31 Lloyd, 著者による電話インタビュー, March 10, 2017.

32 Bogard, 著者によるSkypeでのインタビュー, August 31, 2016.

33 Travis Longcore, 著者によるSkypeでのインタビュー, September 12, 2016.

34 Michael Salmon, "Protecting Sea Turtles from Artificial Night Lighting at Florida's Oceanic Beaches," in Ecological Consequences of Artificial Night Lighting, ed. Catherine Rich and Travis Longcore (Washington, DC: Island Press, 2006), 148.

35 The City Dark, Directed by Ian Cheney, 83 minutes, 2011.［邦訳：アメリカ映画『ザ・シティ・ダーク――眠らない惑星（ホシ）の夜を探して』イアン・チーニー監督、日本公開2012年］

36 George C. Brainard, Mark D. Rollag, and John P. Hanifin, "Photic Regulation of Melatonin in Humans: Ocular and Neural Signal Transduction," Journal of Biological Rhythms 12, no. 6 (1997): 542.

37 Paul Bogard, The End of Night: Searching for Natural Darkness in an Age of Artificial Light (Boston: Little, Brown, 2013), 79.［邦訳：『本当の夜をさがして――都市の明かりは私たちから何を奪ったのか』、上原直子訳、白揚社』

38 Human and Environmental Effects of Light Emitting Diode (LED) Community Lighting. American Medical Association Council on Science and Public Health (2016), https://www.ama-assn.org/sites/ama-assn.org/files/corp/media-browser/public/about-ama/councils/Council%20 Reports/council-on-science-public-health/a16-csaph2.pdf［2021年1月にアクセス］

39 Human and Environmental Effects of Light Emitting Diode (LED) Community Lighting.

40 Cinzano, Falchi, and Elvidge, "First World Atlas," 689.

第6章　共有する

1 『Murmurs of Earth』（Carl Saganほか著）用カバーの印刷された図案, Box 1247, Folder 5, SAG- LC.

2 John Casani, 著者による電話インタビュー, August 23, 2018.

2 “Robert Friedel, “New Lights on Edison's Light,” Invention & Technology 1, no. 1: 24.
3 Robert Friedel, Paul Israel, and Bernard S. Finn, Edison's Electric Light (New Brunswick, New Jersey: Rutgers University Press, 1986), 5.
4 William Hammer, “William Wallace and His Contributions to the Electrical Industries (Part II),” Electrical Engineer XV, no. 249: 130; William Hammer, “William Wallace and His Contributions to the Electrical Industries (Part I),” Electrical Engineer 15, no. 248: 105.
5 Hammer, “William Wallace,” no. 249: 129.
6 同上, no. 248: 104.
7 William Hammer, “William Wallace and His Contributions to the Electrical Industries (Part III)” Electrical Engineer XV, no. 250: 159.
8 “Invention's Big Triumph,” New York Sun, September 10, 1878, 1, TAE-RU.
9 同上。
10 Brian Bowers, A History of Electric Light & Power (Stevenage, UK: Peter Peregrinus Press, 1982), 8.
11 “Invention's Big Triumph.”
12 “He Showed Edison the Light,” Sunday Republican, November 8, 1931, Features Section, 1, DHS.
13 Hammer, “William Wallace,” no. 248: 105.
14 Paul Israel, Edison: A Life of Invention (New York: Wiley, 2000), 166.
15 Friedel, Israel, and Finn, Edison's Electric Light, 115.
16 “Edison's Newest Marvel,” New York Sun, September 16, 1878, 3, TAE-RU.
17 Matthew Josephson, Edison: A Biography (London: Eyre & Spottiswoode, 1961), 178.
18 Friedel, Israel, and Finn, Edison's Electric Light, 16.
19 同上, 93.
20 Mariana Figueiro, 著者による電話インタビュー, September 8, 2016.
21 David M. Berson, Felice A. Dunn, and Motoharu Takao, “Phototransduction by Retinal Ganglion Cells That Set the Circadian Clock,” Science 295, no. 5557 (2002): 1070-1073.
22 Thomas Wehr, 著者による電話インタビュー, July 14, 2016.
23 Richard Stevens, 著者による電話インタビュー, July 21, 2016, および October 18, 2016.
24 International Dark-Sky Association, Fighting Light Pollution: Smart Lighting Solutions for Individuals and Communities (Mechanicsburg, PA: Stackpole Books, 2012), viii.
25 Christopher C. M. Kyba et al., “Cloud Coverage Acts as an Amplifier for Ecological Light Pollution in Urban Ecosystems,” PLoS ONE 6, no. 3

36 この節はキャロライン・ハンターのいくつかのインタビューがもとになっている。著者による電話インタビュー, February 21, 2017とOctober 30, 2014; 著者によるマサチューセッツ州ケンブリッジでのインタビュー, April 13, 2017.
37 インタビュー, October 30, 2014.
38 Letter from G. R. DickerがT. J. Brownに宛てた手紙, November 9, 1970, Box i77, Folder 1-3, POL-HBS.
39 Brian Lapping, Apartheid: A History (New York: G. Braziller, 1987), 12, 26, 77.
40 Hans J. JensenからT. H. WymanへのConfidential Call Report, November 4, 1970, Box i77, Folder 1/3, POL-HBS.
41 Edwin Land, Polaroid Shareholder Meetings 1971, 録音テープ記録, POL-HBS.
42 "Chronology"と題した手書きで日付のない記録, 1977, Box 79, Folder 2/3, POL-HBS.
43 Polaroid Memo from G. R. Dicker to All Polaroid Employees, October 6, 1970, Box 77, Folder 1/2, POL-HBS.
44 Christopher Nteta, 演説, October 8, 1970, Box 80, POL-HBS.
45 Polaroid Memo, October 7, 1970, Polaroid Revolutionary Workers MovementからEdwin Landへ, Box i78, Folder 1/2, POL-HBS.
46 Polaroid Statement, October 7, 1970, Box i77, Folder 1/2, POL-HBS.
47 Hans J. JensenからT. H. WymanへのConfidential Call Report, November 4, 1970, Box i77, Folder 1/3, POL-HBS.
48 "Polaroid Announces 'Experiment' to Help Blacks in South Africa." Harvard Crimson, January 14, 1971.
49 Polaroid Confidential Memo, James SheaからPolaroid Managementへ, July 25, 1972, Box 78, Folder 2/4, POL-HBS.
50 Polaroid Revolutionary Workers Movement Press Release, February 11, 1971, Box 2, Folder 1, PRWM-SCH.
51 Edwin Land, Polaroid Shareholder Meetings 1971.
52 Robert Lenzner, "Polaroid's S. Africa Ban Defied?," Boston Globe, November 21, 1971, 1977, Box 79, Folder 2/3, POL-HBS.
53 David Smith, "'Racism' of Early Colour Photography Explored in Art Exhibition," Guardian, January 25, 2013, https://www.theguardian.com/artanddesign/2013/jan/25/racism-colour-photography-exhibition. [2021年1月にアクセス]

第5章　見る

1 Sara Lewis, 著者によるSkypeでのインタビュー, February 21, 2017; James Lloyd, 著者による電話インタビュー, March 10, 2017.

Box 1, Folder 13, HG- NJHS-PELL.

12 F. C. Beach, “A New Transparent Film,” Anthony’s Photographic Bulletin 19, no. 5, 144.

13 “Goodwin’s Statement,” 30, Box 3, Folder 13, HG- NJHS-PELL.

14 James Terry White, The National Cyclopedia of American Biography (New York: J. T. White & Co., 1893), 378; サンプルはイーストマンに送付されたという主張は、Drake & Coによるタイプされたメモ, October 26,1898, in Box 4, Folder 12 HG- NJHS- PELLに示されている。

15 “Kodak Film Invented Here.”

16 “Goodwin’s Statement,” 4.

17 同上, 22.

18 同上, 32.

19 George E. Helmke, Hannibal Goodwin and the Invention of a Base for Rollfilm (North Plainfield: Fleetwood Museum of Art and Photographica, 1990), 5.

20 Elizabeth Brayer, George Eastman: A Biography (Baltimore: Johns Hopkins University Press, 1996), 192.

21 “Kodak Film Invented Here.”

22 Russell Everettによる手書きのメモ, November 11, 1898, Box 1, Folder 13, HG- NJHS- PELL.

23 レベッカ・ペルがチャールズ・ペルに宛てた手紙, January 13, 1901, Box 1, Folder 15, HG- NJHS- PELL.

24 Lorna Roth, “Looking at Shirley, the Ultimate Norm: Colour Balance, Image Technologies, and Cognitive Equity,” Canadian Journal of Communication 34, no. 1 (2009):117.

25 同上, 119.

26 Oliver Chanarin, 著者によるSkypeでのインタビュー, January 13, 2017.

27 同上, Chanarin.

28 John Stauffer, Zoe Trodd, and Celeste-Marie Bernier, Picturing Frederick Douglass: An Illustrated Biography of the Nineteenth Century’s Most Photographed American (New York: Liveright Publishing, 2015), 127.

29 同上, viii.

30 Marcy J. Dinius, The Camera and the Press: American Visual and Print Culture in the Age of the Daguerreotype (Philadelphia: University of Pennsylvania Press, 2012), 227.

31 W. E. B. Du Bois, “Photography,” Crisis, October 1923, 247; Henry Louis Gates, Jr., Epilogue, Picturing Frederick Douglass, 198.

32 Roth, “Looking at Shirley,” 120.

33 同上, 119.

34 同上, 120.

35 同上, 122.

73 Statistical Notebook of the Western Union Telegraph Company, Box 267, Folder 4 WUTC- SI.

74 ウェスタンユニオン社総裁Norvin Greenが米郵政長官William F. Vilasへ宛てた手紙, November 17, 1887, Box 204, Folder 1 WUTC- SI.

75 同上。

76 Hochfelder, The Telegraph in America, 75-76.

77 サミュエル・モールスがヴェイルに宛てた手紙, May 25, 1844, Box 1A AV-SI.

78 Hochfelder, The Telegraph in America, 75.

79 Francis Ormond Jonathan Smith, The Secret Corresponding Vocabulary: Adapted for Use to Morse's Electro- Magnetic Telegraph. (Portland, ME: Thurston, Ilsley & Co., 1845), W1000, Box 9, Folder 7 AV- SI.

80 "Influence of the Telegraph upon Literature," United States Magazine and Democratic Review 22, no. 119 (1848): 409-413.

81 サミュエル・モールスがヴェイルに宛てた手紙, August 8, 1844, Box 1A AV- SI.

82 Naomi Baron, 著者によるSkypeでのインタビュー, December 13, 2017.

83 Julia Carrie Wong, "Former Facebook Executive: Social Media Is Ripping Society Apart," Guardian, December 12, 2017, https://www.theguardian.com/technology/2017/dec/11/facebook-former-executive-ripping-society-apart. [2021年1月にアクセス]

第4章　とらえる

1 Eadweard Muybridge: The Stanford Years, 1872-1882 (Stanford, CA: Department of Art, Stanford University, 1972), 8.

2 "The Stride of a Trotting Horse." Pacific Rural Press (San Francisco, CA), June 22, 1878, 393.

3 "Quick Work," Daily Alta California, April 7, 1873, 1, MUY- SUL.

4 Eadweard Muybridge, 131.

5 E. J. Muybridge. Method and Apparatus for Photographing Objects in Motion. US Patent 212,865, 申請June 27, 1878, 登録March 4, 1879.

6 Eadweard Muybridge, 22.

7 Eadweard Muybridge, Animals in Motion (New York: Dover Publications, 1957), 21.

8 Sherman BlakeがWalter Milesに宛てた手紙, May 6, 1929, Box 1, Folder 5, MUY- SUL.

9 記事の切り抜き"Newark Clergyman Invented Camera Film," March 30, 1932, HG-NJHS-VF.

10 David Smith, 著者宛ての電子メール, November 7, 2016.

11 "Kodak Film Invented Here," Newark Sunday Call, September 11, 1898, 1,

diagram showing the course taken by the ball (Washington, DC: Charles A. Wimer, 1881), 6.
43 同上, 11, 32, 34.
44 Millard, Destiny of the Republic, 213.
45 Complete Medical Record of President Garfield's Case, 35.
46 同上, 37.
47 Smith, The Life and Letters of James Abram Garfield, 1191.
48 New York Times, July 3, 1881, 1.
49 Complete Medical Record of President Garfield's Case, 65.
50 Millard, Destiny of the Republic, 215.
51 Smith, The Life and Letters of James Abram Garfield, 1193.
52 Millard, Destiny of the Republic, 217.
53 Complete Medical Record of President Garfield's Case, 86.
54 同上, 92.
55 同上, 93.
56 Smith, The Life and Letters of James Abram Garfield, 1198.
57 Millard, Destiny of the Republic, 228.
58 Millard.
59 "Trial of Guiteau," Watchman and Southron, November 22, 1881, 2.
60 U.S. Congress, House, Electro-Magnetic Telegraphs, HR 713, 25th Cong., 2nd sess., introduced in House April 6, 1838, House Report 753, 9.（本文の傍点はモールスによる）
61 David Hochfelder, The Telegraph in America, 1832-1920 (Baltimore: Johns Hopkins University Press, 2012), 83.
62 Mary V. Dearborn, Ernest Hemingway: A Biography (New York: Knopf, 2017), 22.
63 同上, 35.
64 同上, 46.
65 同上, 47.
66 同上, 49.
67 同上, 47.
68 同上, 48.
69 "The Star Copy Style," Kansas City Star, https://www.kansascity.com/entertainment/books/article10632716.html.［2021年1月にアクセス］
70 サミュエル・モールスがヴェイルに宛てた手紙, May 29, 1844, Box 1A AV-SI.
71 Menahem Blondheim, News over the Wires: The Telegraph and the Flow of Public Information in America, 1844-1897 (Cambridge, MA: Harvard University Press, 1994), 63.
72 Alfred Vail, The Telegraph Register of the Electro-Magnetic Companies (Washington, DC: John T. Towers, 1849), 10, Box 9, Folder 9 AV- SI.

22 ジェディディア・モールスがサミュエル・モールスに宛てた手紙, February 21, 1801, SFBM-ONE, 4.
23 Silverman, Lightning Man, 156.
24 Prime, The Life of Samuel F. B. Morse, 303.
25 Silverman, Lightning Man, 165.
26 Stephen Vail, "The Electro- Magnetic Telegraph," Self Culture, May 1899, 281.
27 サミュエル・モールスがシドニー・モールスに宛てた手紙, January 25, 1843, SFBM-TWO, 191.
28 同上, 192.
29 同上, 193.
30 サミュエル・モールスがアルフレッド・ヴェイルに宛てた手紙, February 23, 1843, SFBM-TWO, 197.
31 Silverman, Lightning Man, 226; サミュエル・モールスがシドニー・モールスに宛てた手紙, January 20, 1844, SFBM-TWO, 216.
32 Kenneth Silverman, Brian Lambによるインタビュー, Booknotes, C-Span, December 20, 2003, https://www.c-span.org/video/?179914-1/lightning-man-samuel-fb-morse.［2021年1月にアクセス］〔訳注：このSilvermanはピューリッツァー賞など受賞歴のある著名な伝記作者で、ウェブサイトはモールスの伝記を出版したときのインタビュー。それによると、モールスは商売や契約に疎かったので、スミスにはその面から電信の普及に協力してもらうつもりだったが、スミスは自分個人に資金を入れようとして自分の縁者との法的にグレーな契約を結ぶなど、多くの問題を起こし、モールスを生涯悩ませたとのこと〕
33 Candice Millard, Destiny of the Republic (New York: Knopf Doubleday Publishing Group, 2011), 182.
34 Ira Rutkow and Arthur M. Schlesinger, James A. Garfield: The American Presidents Series: The 20th President, 1881 (New York: Henry Holt, 2006), 2.
35 "A Great Nation in Grief," New York Times, July 3, 1881, 1.
36 同上。
37 Theodore Clarke Smith, The Life and Letters of James Abram Garfield: 1877- 1882, Vol. 2 (Hamden: Archon Books, 1968), 1184.
38 J.C. Clark, The Murder of James A. Garfield: The President's Last Days and the Trial and Execution of His Assassin (Jefferson, NC: McFarland & Co., 1993), 132.
39 Millard, Destiny of the Republic, 182.
40 同上。
41 同上。
42 Complete Medical Record of President Garfield's Case, Containing All of the Official Bulletins, from the date of the shooting to the day of his death, together with the official autopsy, made September 20, 1881, and a

第3章　伝える

1 Daniel Walker Howe, What Hath God Wrought: The Transformation of America, 1815-1848 (Oxford: Oxford University Press, 2007), 8.
2 Robert V. Remini, The Life of Andrew Jackson (New York: Penguin, 1988), 92.
3 Donald R. Hickey, The War of 1812: A Forgotten Conflict, Bicentennial Edition (Champaign: University of Illinois Press, 2012), 208.
4 Robin Reilly, The British at the Gates: The New Orleans Campaign in the War of 1812 (New York: Putnam, 1974), 296.
5 Andrew Jackson, "Proclamation: To the Free Colored Inhabitants of Louisiana," Niles' Weekly Register, December 3, 1814, 205. NOHC
6 サミュエル・モールス（SFBM）が兄弟のシドニー・モールスに宛てた手紙, January 6, 1839, SFBM-TWO, 115.
7 サミュエル・モールスが両親に宛てた手紙, May 2, 1814, SFBM-ONE, 132.
8 サミュエル・モールスが妻の死後に友人に宛てた手紙, SFBM-ONE, 268.
9 サミュエル・モールスが妻のルクレシア・モールスに宛てた手紙, Feb 10, 1825, SFBM-ONE, 264.
10 ジェディディア・モールスがサミュエル・モールスに宛てた手紙, February 8, 1825, SFBM-ONE, 265.
11 サミュエル・モールスがボルチモアからジェディディア・モールスに宛てた手紙, February 13, 1825; Samuel Irenæus Prime, The Life of Samuel F. B. Morse (New York: Arno Press, 1974), 144.
12 サミュエル・モールスが両親に宛てた手紙, August 17, 1811, SFBM-ONE, 41.
13 The Life of Samuel F. B. Morse, 252.
14 チャールズ・T・ジャクソンの供述, Box 1, Folder 1 SFBM-YUL.
15 サミュエル・モールスが両親に宛てた手紙, February 1801s, SFBM-ONE, 19.
16 チャールズ・T・ジャクソンの供述。
17 サミュエル・モールスがJames Fenimore Cooperに宛てた手紙, November 20, 1849, SFBM-TWO, 31.
18 モールスの義理の姉妹から引用, 日付なし, SFBM-TWO, 21.
19 サミュエル・モールスが両親に宛てた手紙, April 1825, SFBM-TWO, 41.
20 サミュエル・モールスが、Native American Democratic Associationのメンバーらに宛てた手紙, April 6, 1836; Carleton Mabee, The American Leonardo: A Life of Samuel F.B. Morse (New York: Alfred A. Knopf, 1943), 170.
21 Kenneth Silverman, Lightning Man: The Accursed Life of Samuel F. B. Morse (New York: Knopf Doubleday Publishing Group, 2010), 399.

22 William Kelly. Improvements in the Manufacture of Iron. US Patent 17,628, issued June 23, 1857.
23 Gordon, "Kelly Converter," 777.
24 Douglas A. Fisher, The Epic of Steel (New York: Harper & Row, 1963), 123; Elting E. Morison, Men, Machines, and Modern Times (Cambridge, MA: MIT Press, 1968), 123.
25 Stewart H. Holbrook, Iron Brew (New York: Macmillan Co., 1939), 2.
26 Edmund Quincy, Life of Josiah Quincy (Boston: Little, Brown, 1874), 47.
27 Charles O. Paullin, Atlas of the Historical Geography of the United States (Washington, DC: Carnegie Institution of Washington, 1932), 138A-B.
28 Thomas C. Cochran, "The Social Impact of the Railroad," in The Railroad and the Space Program, ed. Bruce Mazlish (Cambridge, MA: MIT Press, 1965), 169.
29 Frank W. Blackmar, Kansas; A Cyclopedia of State History, Embracing Events, Institutions, Industries, Counties, Cities, Towns, Prominent Persons, Etc. … With a Supplementary Volume Devoted to Selected Personal History and Reminiscence, vol. 2 (Chicago: Standard Publishing Company, 1912), 536.
30 Ruth S. Cowan, A Social History of American Technology (Oxford: Oxford University Press, 1997), 117.
31 Fisher, The Epic of Steel, 125.
32 Bruce David Forbes, Christmas: A Candid History (Berkeley: Univ. of California Press, 2008), 17.
33 "Society Out Shopping," New York Times, December 25, 1894, 19.
34 Susan G. Davis, "'Making Night Hideous': Christmas Revelry and Public Order in Nineteenth-Century Philadelphia," American Quarterly 34, no. 2 (1982): 187.
35 Davis.
36 Steven Dutch, "Making the Modern World" (lecture, University of Wisconsin- Green Bay, 2014).
37 Penne L. Restad, "Christmas in 19th-Century America," History Today 45, no. 12 (1995): 17.
38 "Forest of Christmas Trees," New York Times, December 17, 1893, 17.
39 Restad, "Christmas in 19th-Century America," 16.
40 "Heavy Christmas Mails," New York Times, December 21, 1890, 20.
41 "Home-Made Christmas Presents," New York Times, December 24, 1880, 4; Forbes, Christmas, 116.
42 Forbes, Christmas, 127.
43 R. H. Thurston, "The Age of Steel," Science 3, no. 73 (1884): 792.

60 David Rooney, "Maria and Ruth Belville: Competition for Greenwich Time Supply," Antiquarian Horology 29, no. 5 (2006): 624.
61 "Gas Lamp Danger: Inquest Warning," Nottingham Evening Post (Nottingham, UK), December 13, 1943, 1.

第2章　結ぶ

1 Victor Searcher, The Farewell to Lincoln (Nashville, TN: Abingdon Press, 1965), 97.
2 John Carroll Power, Abraham Lincoln: His Life, Public Services, Death and Great Funeral Cortege, with a History and Description of the National Lincoln Monument, with an Appendix (Springfield, IL: E. A. Wilson & Co., 1873), 120.
3 Power, 26.
4 Power, 132.
5 Henry Bessemer, Sir Henry Bessemer, F.R.S.: An Autobiography (London: Offices of "Engineering," 1905), 136.
6 Bessemer, 54.
7 R.H. Thurston, "Sir Henry Bessemer: A Biographical Sketch," Cassier's Magazine, September 1896, 325.
8 S. T. Wellman, "The Story of a Visit to Sir Henry Bessemer: Recollection of the Early History of the Basic Open- Hearth Process," Scientific American: Supplement, 402.
9 T. J. Lodge, "A Bessemer Miscellany," in Sir Henry Bessemer: Father of the Steel Industry, ed. Colin Bodsworth (London: IOM Communications, 1998): 142.
10 Bessemer, Sir Henry Bessemer, F.R.S., 139.
11 Bessemer, 304.
12 Thurston, "Sir Henry Bessemer," 329.
13 Bessemer, Sir Henry Bessemer, F.R.S, 142.
14 Thomas J. Misa, A Nation of Steel (Baltimore: Johns Hopkins University Press, 1998), 8.
15 Bessemer, 143.
16 Bessemer, 144.
17 Robert B. Gordon, "The "Kelly" Converter," Technology and Culture (1992), 769.
18 Gordon, 770.
19 J. E. Kleber and Kentucky Bicentennial Commission, The Kentucky Encyclopedia (Lexington: University Press of Kentucky, 1992), 485.
20 Gordon, "Kelly Converter," 777.
21 Gordon, 778.

38 Bruce M. Altevogt and Harvey R. Colten, ed. Sleep Disorders and Sleep Deprivation: An Unmet Public Health Problem (Washington, DC: National Academies Press, 2006), 1.
39 Yinong Chong, Cheryl D Fryer, and Qiuping Gu, "Prescription Sleep Aid Use among Adults: United States, 2005-2010," NCHS Data Brief, no. 127 (2013): 1-8.
40 Ekirch, インタビュー。
41 Allan Rechtschaffen et al., "Physiological Correlates of Prolonged Sleep Deprivation in Rats," Science 221, no. 4606 (1983): 182-184.
42 Michael A. Grandner et al., "Problems Associated with Short Sleep: Bridging the Gap between Laboratory and Epidemiological Studies," Sleep Medicine Reviews 14, no. 4 (2010): 239-247.
43 Peter Galison, Einstein's Clocks and Poincare's Maps: Empires of Time (W. W. Norton, 2004), 248.［邦訳：『アインシュタインの時計ポアンカレの地図――鋳造される時間』松浦俊輔訳、名古屋大学出版会］
44 Galison, 著者によるSkypeでのインタビュー, May 2, 2016.
45 "Time's Backward Flight," New York Times, November 18, 1883, 3.
46 Carlton Jonathan Corliss, The Day of Two Noons (Washington, DC: Association of American Railroads, 1942), 3.
47 "Standard Time," Harper's Weekly 27, no. 1410 (1883): 843.
48 Galison, Einstein's Clocks, 271.［邦訳：『アインシュタインの時計ポアンカレの地図――鋳造される時間』］
49 Robert Goffin, Horn of Plenty: The Story of Louis Armstrong (Boston: Da Capo Press, 1947), 17.
50 Fernando Benadon, "Time Warps in Early Jazz," Music Theory Spectrum 31, no. 1 (2009): 3; 著者宛ての電子メール, April 3, 2016.
51 Louis Armstrong, interviewed by Ralph Gleason, Jazz Casual, January 23, 1963, video, 12:52, https://youtu.be/Dc3Vs3q6tiU.［2021年1月にアクセス］
52 Stanley Crouch, Considering Genius: Writings on Jazz (New York: Basic Books, 2009), 211.
53 James Jones, 著者による電話インタビュー, May 6, 2016.
54 John S. Mbiti, African Religions & Philosophy (Portsmouth, NH: Heinemann, 1990), 21.［邦訳：『アフリカの宗教と哲学』大森元吉訳、法政大学出版局］
55 Ralph Ellison, Invisible Man (New York: Vintage, 1980), 8.［邦訳：『見えない人間』松本昇訳、白水社］
56 Benadon, 6.
57 David Eagleman, 著者による電話インタビュー, April 25, 2016.
58 Rooney, 著者による電話インタビュー。
59 Rooney, Ruth Belville, 62.

Past & Present, no. 38 (1967): 82.
15 Etymologies: ウェブサイトwww.etymonline.comより。［2021年6月にアクセス］
16 Rooney, インタビュー。
17 Rooney, Ruth Belville, 35.
18 John L. Hunt, "The Handlers of Time: The Belville Family and the Royal Observatory, 1811-1939," Astronomy & Geophysics 40, no. 1: 1.26.
19 "Taking the Time Round," Yorkshire Post and Leeds Mercury (Leeds, UK), December 13, 1943, 2.
20 Hunt, "Handlers of Time," 1.27.
21 Kenneth Charles Barraclough, Benjamin Huntsman, 1704-1776 (Sheffield, UK: Sheffield City Libraries, 1976), 2.
22 Samuel Smiles, Industrial Biography: Iron Workers and Tool Makers (Boston: Ticknor and Fields, 1864), 136.
23 Kenneth Charles Barraclough, "Swedish Iron and Sheffield Steel," Transactions of the Newcomen Society 61, no. 1 (1989): 79-80.
24 Smiles, Industrial Biography, 137.
25 Alan Birch, The Economic History of the British Iron and Steel Industry, 1784-1879: Essays in Industrial and Economic History with Special Reference to the Development of Technology (London: Cass, 1967), 301.
26 John Percy, Metallurgy: The Art of Extracting Metals from Their Ores, and Adapting Them to Various Purposes of Manufacture (London: John Murray, 1864), 835.
27 Rooney, Ruth Belville, 99.
28 Stephen Battersby, "The Lady Who Sold Time," New Scientist 25 (2006): 52-53.
29 Rooney, Ruth Belville, 100.
30 Ed Wallace, "They're Men Who Know What Time It Is," New York World-Telegram, December 23, 1947, 17. ATT.
31 W. R. Topham, "Warren A. Marrison- Pioneer of the Quartz Revolution," Bulletin of the National Association of Watch and Clock Collectors, Inc., no. 31 (1989): 126-134.
32 Nancy Marrison, 著者による電話インタビュー, March 24, 2016.
33 Warren A. Marrison, "Some Facts About Frequency Measurements," Bell Labs Record 6, no. 6, 386.
34 The World's Most Accurate Public Clock (パンフレット) (New York: American Telephone and Telegraph, 1941), 1. ATT.
35 Matthew Wolf-Meyer, 著者によるSkypeでのインタビュー, May 2, 2016.
36 Thomas A. Wehr, "In Short Photoperiods, Human Sleep Is Biphasic," Journal of sleep research 1, no. 2 (1992), 103-107.
37 Ekirch, インタビュー。

Historical Collections, Harvard Business School
PRWM-SCH : Southern Africa Collective Collection (Papers of the Polaroid Revolutionary Workers Movement, PRWM), Schomberg Center for Research in Black Culture, The New York Public Library
RJ-CHM : Rey Johnson Papers (Lot X3312.2006), Computer History Museum
SAG-LC : The Seth MacFarlane Collection of the Carl Sagan and Ann Druyan Archive, Library of Congress
SFBM-ONE : Edward Lind Morse, ed. Samuel F. B. Morse: His Letters and Journals, Vol. 1: Houghton Mifflin Co., 1914
SFBM-TWO : Edward Lind Morse, ed. Samuel F. B. Morse: His Letters and Journals, Vol. 2: Houghton Mifflin Co., 1914
SFBM-YUL : Morse Family Papers (MS 359), Manuscripts and Archives, Yale University Library
TAE : The Papers of Thomas A. Edison, Volume 3 published by The Johns Hopkins University Press, 1989
TAE-RU : The Thomas Edison Papers, Rutgers, The State University of New Jersey (edison.rutgers.edu)
WUTC-SI : Western Union Telegraph Company Records, Archives Center, Smithsonian Institution

第１章　交流する

1 David Rooney, Ruth Belville: The Greenwich Time Lady (London: National Maritime Museum, 2008), 91.
2 Donald De Carle, British Time (London: C. Lockwood, 1947), 108.
3 Rooney, Ruth Belville, 64.
4 Rooney, 著者による電話インタビュー, March 4, 2016.
5 Robert James Forbes, The Conquest of Nature: Technology and Its Consequences (New American Library, 1969), 118.
6 Robert Levine, 著者による電話インタビュー, May 2, 2016.
7 A. Roger Ekirch, "The Modernization of Western Sleep: Or, Does Insomnia Have a History?" Past & Present 226, no. 1 (2015): 156.
8 Ekirch, 著者による電話インタビュー, April 22, 2016.
9 Ekirch, "Modernization of Western Sleep," 152.
10 Ekirch.
11 Ekirch, 158.
12 Ekirch, インタビュー。
13 Ekirch.
14 Edward P. Thompson, "Time, Work- Discipline, and Industrial Capitalism,"

Depuydt, Frank Drake, Nancy Jo Drum, David Eagleman, Joanna Eckles, A. Roger Ekirch, Fabio Falchi, Isobel Falconer, Timothy Ferris, Mariana Figueiro, Ariel Firebaugh, Robert Friedel, Peter Galison, Jon Gertner, Robert Gordon, Kenneth Heilman, George Helmke, Albert Hoagland, David Hochfelder, Sheldon Hochheiser, Caroline Hunter, William Jensen, James Jones, Kathy Kanauer, Art Kaplan, Daniel Kelm, William LaCourse, Ed Lax, Robert Levine, Sarah Lewis, John Littleton, James Lloyd, Travis Longcore, Bertram Lyons, Nancy Marrison, Avalon Owens, Mark Rea, Susie Richter, David Rooney, Wolfgang Schivelbush, Daryll Smith, David Smith, Joel Snyder, Carlene Stevens, Richard Stevens, Donald Teal, Leslie Tomory, Susan Troilier-Mckinstry, Geoff Tweedale, Hal Wallace, Thomas Wehr, Wayne Wesolowski, Matthew Wolf-Meyer, Randall Youngman, and Evitar Zerubavel.

出典中の略記

ATT : AT&T Archives and History Center
AS-PEN : Almon Strowger Vertical File, Penfield Historical Society
AV-SI : Vail Telegraph Collection (Record Unit 7055), Smithsonian Institute Archives
BAY : Gordon Kidd Teal Papers, Accession #3820, The Texas Collection, Baylor University
CMOG : Rakow Research Library, Corning Museum of Glass
COR : Corning Inc. Archives
CSL : Connecticut State Libraries
DHS : William Wallace Vertical File, Derby Historical Society
HH-LC : Herman Hollerith Papers (MSS49510), Manuscript Division, Library of Congress
HG-NJHS-VF : Hannibal Goodwin Vertical File, The New Jersey Historical Society
HG-NJHS-PELL : Papers of Charles H. Pell (MG1041), The New Jersey Historical Society
JJH-WPI : Jacob Hagopian Papers (MS13), Worcester Polytechnic Institute Archives
JJT-TRI : Papers of J. J. Thomson, Trinity College Library, Cambridge
MUY-SUL : Walter R. Miles Research concerning Eadweard Muybridge (M0736), Department of Special Collections, Stanford University Libraries
NHFPL : New Haven Free Public Library, Connecticut
NOHC : War of 1812 Newspaper Collection (Mss 499), Williams Research Center, The Historic New Orleans Collection
POL-HBS : Polaroid Corporation Administrative Records, Baker Library

注

出典、収蔵品、インタビュー

本書の内容は、以下に示す図書館、アーカイブ、収蔵品の恩恵を受けました。

Alexander Fleming Laboratory Museum, AT&T Archives and History Center, Baker Library of Harvard Business School, The Bancroft Library, The British Library, Cambridge University Library,
Chicago History Museum Archives, Columbia University Archives, Computer Museum Archives, Connecticut State Library, Corning Inc. Archives, DeGoyler Library of Southern Methodist University, Derby Historical Society, The Fleetwood Museum of Art and Photographic, Friends of Plume House, George Eastman Museum, George Washington University Archives, The Henry Ford, History Center in Tompkins Country, IBM Archives, IEEE Historical, Ironwood Area Historical Society, Ironwood Carnegie Library, Kansas City Public Library, Kansas Historical Society, Kingston Museum and Heritage Service, LaPorte Historical Society, Library of Congress, Michigan State University, Morristown & Morris Township Library, The Museum of Bus Transportation, Museum of Science and Innovation Archives, Napa County Historical Society, National Archives at Kansas City, New Haven Free Public Library, New Haven Museum, New Jersey Historical Society, New York Historical Society, New York Public Library Archives and Rare Books Division, Newberry Library, Niels Bohr Library & Archives, NOAA, Nokia Archives, Penfield Historical Society, Rakow Research Library at the Corning Museum of Glass, Royal Society Library, San Francisco Public Library, San Jose Public Library, Schomburg Center for Research in Black Culture-Manuscripts, Schott Archives, Science History Institute, Smithsonian Institute, Southern Connecticut State University Library, St. Petersburg Florida Library, Stanford University Archives, The Texas Collections at Baylor University, Trinity College Library, Ulysses Historical Society, Ulysses Historian Office, Union College Archives, Vintage Radio and Communication Museum, Waco- McLennan County Library, The Historic New Orleans Collection's William Research Center, Worcester Polytechnic Institute Archives, Xavier University of Louisiana Archives, and Yale University Archives.

本書の内容は、インタビューで次の方々からご協力をいただきました。

Gretchen Bakke, John Ballato, Naomi Baron, Roger Beatty Fernando Benadon, Paul Bogard, Marvin Bolt, Gordon Bond, Kevin Brown, John Casani, Robert Casetti, David Chalmers, Oliver Chanarin, Charlotte Cole, Jane Cook, Leo

き

く

け

こ

索　引

あ

い

う

え

お

か

著者
アイニッサ・ラミレズ（Ainissa Ramirez）
材料科学者で人気の高いサイエンス・コミュニケーター。ブラウン大学とスタンフォード大学を卒業後、ベル研究所の研究員を経て、イェール大学とマサチューセッツ工科大学で教鞭をとる。『タイム』、『サイエンティフィック・アメリカン』、『アメリカン・サイエンティスト』、『フォーブス』などに寄稿し、PBS（公共放送サービス）の「SciTech Now」にもレギュラー出演している。

訳者
安部恵子（あべ・けいこ）
翻訳者。慶應義塾大学理工学部物理学科卒業。訳書に、エヴァ・メイヤー『言葉を使う動物たち』、エド・ヨン『世界は細菌にあふれ、人は細菌によって生かされる』、セス・ホロウィッツ『「音」と身体のふしぎな関係』（以上は柏書房）、アリソン・マシューズ・デーヴィッド『死を招くファッション』（化学同人）、ヒュー・オールダシー＝ウィリアムズ『元素をめぐる美と驚き』（共訳、早川書房）ほか。

発明《はつめい》は改造《かいぞう》する、人類《じんるい》を。

2021年8月2日　第1刷発行

著　者　アイニッサ・ラミレズ
翻　訳　安部恵子
発行者　富澤凡子
発行所　柏書房株式会社
東京都文京区本郷2-15-13（〒113-0033）
電話（03）3830-1891［営業］
（03）3830-1894［編集］
装　丁　加藤愛子（オフィスキントン）
D T P　有限会社一企画
印　刷　萩原印刷株式会社
製　本　株式会社ブックアート

ISBN978-4-7601-5394-7　C0040